RAAK!

Jenny Siler

RAAK!

2003 – De Boekerij – Amsterdam

Oorspronkelijke titel: Shot (Henry Holt and Company)
Vertaling: Mireille Vroege
Omslagontwerp: Studio Marlies Visser, Haarlem
Omslagfotografie: Chris Hoefsmit

ISBN 90-225-3460-x

Voor mijn vader John Siler, mijn oma,
Pat Siler, en Platteville

Carl Greene schoof de gordijnen open, drukte zijn voorhoofd tegen het koude spiegelglas en keek naar buiten over Elliott Bay in de richting van West Seattle en de groene vlek die Bainbridge Island was. De zon was net aan zijn neergaande boog begonnen en het licht was helder en smetteloos. De nazomer brandde als een kleine brandstapel op de punt van elke lome golf. Zeilboten laveerden heen en weer, witte spinnakers klapperden in de wind. Langs de waterkant gleed een zeekajak, bemand door twee heel kleine silhouetten, die in volmaakte tandem de peddels hanteerden.

Carl wilde naar buiten. Hij wilde het vliegtuig naar huis nemen, naar Lucy. Hij wilde dat alles weer was zoals het altijd was geweest: zij met z'n tweetjes in een eenvoudige ranchwoning in Arvada, met de keuken vol olieverf en doeken, en overal de stank van terpentijn. Hij wilde een weekend skiën in de bergen, met mooie droge sneeuw, terwijl zijn vrouw op de laatste afdaling van die middag voor hem uit snelde, kleurig als een kardinaal in haar nieuwe rode jack. En later, in een goedkope motelkamer in Avon, als Lucy net onder de douche uit kwam, met nat haar en een rode huid.

Carl draaide zijn hoofd weg van het raam en keek op zijn horloge. Het was net halfzeven geweest. De spits was alweer bijna voorbij. Er waren alleen nog achterblijvers op straat: een bedelaar, aan het werk voor de hoofdingang van het bioscoopcomplex, een groepje toeristen dat als een langzame meute over Fifth Avenue trok, in de richting van de Old Navy of het Hard Rock Café. Van de markt ploegde een bus omhoog, en verder door naar Capitol Hill, schokkend en stotend met zijn elektrische kabels.

Vanuit Carls kamer op een van de bovenste verdiepingen van het Hilton leek dit zich allemaal zonder geluid te voltrekken. Een stel maakte ruzie en legde het op de hoek van Sixth en Pike weer bij. Er scheurde een ambulance langs de Gay Nineties Bar, en verdween onder het conferentiecentrum. Vanuit de baai kwam een bries opzetten, en die floot door de granieten canyons van de binnenstad. Maar het enige wat Carl hoorde, was het gezoem van het ventilatiesysteem en zo nu en dan een vaag *ding* en een zucht uit de gang wanneer de liftdeuren open- en weer dichtgingen.

Ja, dacht hij, terwijl hij naar het nachtkastje liep. Lucy en hij zouden er een paar dagen tussenuit gaan. Naar de bergen misschien, ergens waar hij alles kon uitleggen. Hij pakte de telefoon, belde de garage en vroeg om zijn huurauto. Een halfuur op de veerboot, dan nog ongeveer een uur rijden, en dan was hij in Elwha Beach. Het was nog vroeg, hield hij zichzelf voor; hij had nog tijd genoeg om te doen wat hij moest doen en dan de laatste boot terug te halen. Morgenochtend zou hij in het vliegtuig naar huis zitten.

Carl stond bij de open achtersteven van de veerboot en keek hoe het zog zich erachter ontrolde, het schuim in decoratieve krullen gebeeldhouwd. Hij bleef op zulke korte tochtjes liever op waterniveau om over het grotendeels verlaten autodek te wandelen of in zijn auto te zitten en naar een van de klassieke radiozenders te luisteren. Vanavond maakte hij een langzame ronde, van de achtersteven naar de boeg en weer terug.

Het was al laat, maar de boot zat toch helemaal vol; de auto's en vrachtwagens stonden op elkaar gepropt, bumper aan bumper. Er was maar een handjevol passagiers beneden gebleven. In een groene Explorer zat een vrouw in een elegant mantelpak papieren te bestuderen. Een man deed een dutje op de voorbank van zijn Acura, met zijn hoofd achterover, zijn mond open en zijn ogen stijf dicht. Een andere vrouw gaf haar baby de borst.

Je kon nooit weten, dacht Carl toen ze door de ruit van haar kleine Honda naar hem op keek en glimlachte, wat voor tragedie zich in zo'n leven had voorgedaan, wat voor tegenspoed hun nog te wachten stond. Overleden kinderen, verdwenen echtgenoten, de verlokking van de fles. Alle ontelbare mogelijkheden om schipbreuk te lijden. De vrouw hield de baby, in een flanellen deken gewikkeld, stevig tegen haar borst, en het enige wat Carl daarvan zag was een maanvormig stukje bleke en opgezette huid, met één dikke blauwe ader.

De toeter die aangaf dat ze aanstonds zouden aankomen, klonk, laag en galmend, en Carl liep terug naar zijn auto, terwijl hij in zijn zak naar zijn sleuteltje zocht. Hij was de laatste paar dagen bang geweest, beangstigd door zijn eigen kennis, door wat het voor hem zou betekenen, maar hij begon te wennen aan het idee van angst en aan het strakke gevoel in zijn keel.

De boot was langzamer gaan varen en de mensen gingen terug naar hun auto. Op dit uur van de dag waren er vooral forenzen aan boord, het hogere echelon van de middenklasse, mannen en vrouwen met genoeg besteedbaar inkomen om een stukje grond aan het water te kunnen kopen, iets wat groot genoeg was voor een tuin en een paar appelbomen.

Carl haalde zijn sleutel uit zijn zak en keek om zich heen. Een paar meter voor hem ging een portier open en stapte een man uit een geelbruine suv. Hij draaide zich Carls kant op, rekte zich uit en trok de band van zijn broek omhoog. Hij was ongeveer van Carls leeftijd, goed verzorgd, met een kaki broek en een rood poloshirt aan. Hij glimlachte even beleefd: forenzen onder elkaar. Mooie dag. Fijn om weer naar huis te gaan.

Carl knikte instemmend en stak zijn hand uit naar het portier van de huurauto, draaide het sleuteltje om en hoorde alle sloten openklikken. Vail, zei hij bij zichzelf, daar zouden ze heen gaan. Ze zouden in een van die curieuze zogenaamd Tiroolse hotels in het dorp logeren en gaan eten op een terras bij de kreek. Hij zou alles uitleggen, en op de een of andere manier zou zijn verslag alles ten goede veranderen. Ze zouden teruggaan naar de kamer en hij zou toekijken terwijl Lucy zich uitkleedde, langzaam, voorzichtig.

Hij deed het portier open en ging op de stoel van de chauffeur zitten. De stad Winslow gleed in beeld en de veerboot vond zijn aanlegplaats. De motoren zwoegden en de boeg stootte zachtjes tegen de steiger. Ver voor hem startte een auto, en daarna nog een, en de voertuigen bewogen zich langzaam voorwaarts.

Carl rolde over de loopplank, over het met asfalt beklede plankier en voorbij de rij auto's die stond te wachten om de oversteek de andere kant op te maken. Samen met het meeste verkeer van de veerboot reed hij in noordelijke richting, naar Poulsbo en Port Gamble en het Hood Canal. Tegen de tijd dat hij het schiereiland op reed, had de namiddag plaatsgemaakt voor de avond, en de loofverliezende bossen waren in schaduwen gehuld. Muggen zweefden in zwarte zwermen langs de weg.

Hij reed naar het westen, door Blyn en Sequim en voorbij Port Angeles, terwijl om hem heen de avond verduisterde tot de nacht en het verkeer uitdunde tot hij alleen op de weg was, op een enkele opflakkerende koplamp die zijn kant op kwam na. Ten noorden doemde de Straat van Juan de Fuca op en verdween weer. Het was licht gaan regenen, mistig en grijs, en Carl zette zijn ruitenwissers aan en hoorde het ritmische gejammer en gepiep van nat rubber tegen glas.

Alleen deze paar kilometer nog, hield hij zichzelf voor, maar hij bedacht nu dat hij niet had moeten komen, dat hij in een vliegtuig naar Denver had kunnen zitten of zelfs over de vlakten naar huis had kunnen rijden, met in de verte de knetterende droge bliksem, virga die op de in de hitte verschroeide velden neerviel, een gordijn van regen dat halverwege de hemel en de aarde ophield alsof het door een reusachtige schaar doormidden was geknipt.

De weg ging met een bocht het bos in, en door de bomen en het struikgewas ving Carl een glimp op van vlammen. Een kampvuur, dacht hij, maar toen hij de volgende hoek om reed, zag hij dat het geen vuur, maar een signaalvlam was. Daarachter, badend in het roze licht van de vonken en vlammen, stonden een suv en een kleinere auto dwars over de weg, waarmee ze die versperden. Een ongeluk, dacht hij, hoewel er voorzover hij kon zien geen schade was. Hij kwam remmend tot stilstand en bekeek het tafereel vanuit de auto.

Het regende nu harder. De signaalvlam sputterde en rookte. Er zat iemand in de auto, en in de suv ook. Carl zag degene in de suv het portier opendoen en uitstappen.

'Hebt u hulp nodig?' vroeg Carl, terwijl hij zijn raampje omlaag draaide.

De man knikte en haalde zijn vingers door zijn natgeregende haar. Hij had beslist iets bekends: het rode shirt, de broek, en toen Carl dichterbij kwam, realiseerde hij zich dat het dezelfde man was die hij op het autodek van de veerboot had gezien.

'Heel vervelend,' zei de man vriendelijk, terwijl hij zijn hand op Carls portier legde en zich iets naar de auto naar voren boog.

'Kan ik u een lift geven?' vroeg Carl.

De man keek de weg weer af, alsof hij nadacht over de duisternis en de afstand, het gezoem en geratel van de regen. Toen haalde hij in één snelle beweging een gitzwart pistool achter uit zijn broek en hield de loop vlak voor Carls gezicht. 'Graag,' zei hij.

Hij rukte het portier open; Carl voelde dat zijn ingewanden samentrokken en weer ontspanden. De man was zo dichtbij dat Carl zijn deodorant kon ruiken. Old Spice? vroeg hij zich af. Mennen? Het was misschien vreemd dat hij daarover nadacht, maar alles beter dan wat er hierna zou gebeuren, alles beter dan de regen die op de loop van het pistool parelde. Carl keek schuin omlaag naar de broek van de man. Dockers, besloot hij, en zijn laatste gedachte was dat hij zich geschoffeerd voelde door de nonchalante kleding van de man, door de informaliteit van de dood.

1

Kevin Burns haalde zijn kaartje uit de achterzak van zijn korte broek. Het spel naderde de vijfde inning en hij bedacht net dat hij misschien wel op de verkeerde plaats zat, of dat hij misschien zelfs op de verkeerde dag was gekomen.

'Dit ís toch rij 11, vak 19?' vroeg hij, terwijl hij zich omdraaide naar een groepje bejaarde dames dat links van hem zat.

De vrouw die het dichtst bij hem zat, knikte en glimlachte, en richtte haar aandacht toen weer op het veld. 'Pak ze, die klootzakken!' schreeuwde ze, overduidelijk bedoeld voor de pitcher. Ze droeg een zonneklep van Rockies en een t-shirt met daarop FUNKY OMA.

Kevin keek nog een keer op zijn kaartje. Vak 19, rij 11, stoel 9. Op het bordje op de rug van de lege stoel rechts van hem stond 8. Hij zat in elk geval op de goede plaats. Zaterdagmiddag. Eén uur. De Rockies tegen de Padres. Dat stond op zijn kaartje, en dat had Carl ook door de telefoon gezegd.

De pitcher leek oma's woorden ter harte te hebben genomen. Hij schakelde de eerste twee batters uit en kreeg de derde op een gemakkelijke plofbal. Kevin leunde achterover in zijn stoel en keek uit over het elektriserende groen van het veld en keek toe terwijl de spelers van kant wisselden. Het was een mooie zonnige dag met een strakblauwe hemel. De Rockies stonden drie runs voor, maar Kevin had te veel aan zijn hoofd om van de wedstrijd te kunnen genieten. Hij keek steeds het gangpad af en zocht in de menigte of hij Carl Greene zag.

Todd Helton liep naar de plaat, en de funky oma stond op en deed een dansje. 'We houden van je, Todd!' brulde ze, terwijl ze met haar heupen vlak voor Kevins gezicht stond te draaien. Helton schopte met zijn schoen in de modder van de thuisplaat en nam zijn positie in.

Kevin was net de deur van zijn flat uit gelopen toen Carl belde. Hij had even verderop in de straat bij Starbucks zijn koffie gedronken. Dat was een strategie die hij onlangs verzonnen had: een excuus om zijn tanden te poetsen, zijn kleren aan te trekken en de deur uit te gaan. Na twee weken in hetzelfde Kung Pao-gewaad vol vetvlekken naar programma's over woningverbetering en naar Spaanse soaps gekeken te hebben, had Kevin eindelijk besloten dat zijn leven wel wat structuur kon gebruiken.

Drie weken geleden was hij zijn baan bij MSNBC kwijtgeraakt, en Kevin begon zich te realiseren dat zijn toekomst in de televisiejournalistiek er niet al te rooskleurig uitzag. Aanvankelijk had hij geprobeerd zijn nieuwe werksituatie positief te bekijken, als een soort sabbatical. Hij kon wat freelance werk gaan doen, hield hij zichzelf voor, hij kon de roman schrijven waar hij al zo lang mee rondliep. Hij mocht dan geleerd hebben hoe je een bank moest bekleden en hoe je een wandkluis moest installeren, het enige wat hij tot nu toe had geschreven was een slechte eerste alinea over een eenzame voormalig journalist in een benauwd flatje in Manhattan. Zijn nieuwe dagindeling zou daar verandering in brengen, zoveel was zeker.

Kevin had al bijna zes jaar niets meer van Carl Greene gehoord, sinds de laatste keer dat hij in Pryor was geweest, de winter waarin zijn oma was overleden. Hij was enigszins verrast door de onverwachte stem aan de telefoon, door het nietszeggende non-accent van de vlakten van Colorado.

'Carl,' zei hij. 'Hoe gaat het met je?' En toen vroeg hij, ook al wist hij dat hij te gretig klonk, maar hij kon zich er niet van weerhouden: 'Hoe gaat het met Lucy?'

'Met Lucy gaat het goed,' zei Carl. 'Het gaat met ons allebei goed.'

'Mooi,' zei Kevin, waarbij een vleugje versleten chagrijn uit zijn keel opsteeg.

'We hebben je gevolgd, hoor. Iemand uit onze stad die carrière maakt. Dat was een leuke reportage een paar maanden geleden, dat verhaal over Earl Sykes.'

'Bedankt.' Vleiende woorden hadden op Kevin dezelfde stuwende uitwerking als een vlieg op een forel. Dat de lof nog specifiek was ook, was er extra leuk aan. De meeste mensen zeiden alleen dat ze 'zijn werk bewonderden'. 'En?' vroeg Kevin. 'Kan ik iets voor je doen?' Hij vermoedde niet dat Carl alleen maar belde om hallo te zeggen. Ze hadden nooit het soort vriendschap gehad dat zich leent voor herinneringen ophalen.

'Ik dacht meer aan het omgekeerde: ik kan iets voor jóú doen.'

'O ja?' zei Kevin sceptisch.

Carl aarzelde, en Kevin hoorde dat hij diep ademhaalde. 'Ik heb een verhaal voor je,' zei hij.

'Wat voor verhaal?'

'Een belangrijk verhaal,' zei Carl.

'Je zult er toch iets meer over moeten vertellen.'

Carl schraapte zijn keel. 'Ik wil het niet over de telefoon bespreken.'

Kevin rolde met zijn ogen. Wie dacht Carl wel dat hij was, Deep Throat?

'Luister,' ging Carl verder. 'Het is een verhaal van het kaliber dat carrières maakt, of ze in elk geval redt.'

Kevin kreunde; hij moest denken aan het onaangename feit dat zijn ontslag meer stof had doen opwaaien dan de meeste van zijn reportages hadden gedaan. Dat was niet echt zijn schuld geweest. Hij had in Nogales een reportage proberen te maken over de smokkelpraktijk waarbij Mexicaanse illegalen de grens over werden gezet. Kevin had gewild dat iemand hem en een cameraman op een nacht vanaf de Mexicaanse kant de grens over zou zetten, maar zelfs voor het gevraagde bedrag had hij daar niemand toe bereid kunnen vinden. Hij had ruim een week in Nogales gezeten en rondgevraagd, maar zonder succes. Uiteindelijk had hij alleen een paspoortvervalser kunnen vinden, ene Leon, die had gezegd dat hij de hele zaak voor vijfhonderd dollar wel wilde faken.

Hij had er indertijd niet veel aandacht aan besteed. De reportage was gemaakt, dat was het belangrijkste. En als niet bij de omroep een of andere vent die in Zuid-Arizona was opgegroeid Kevins Mexicaanse grenslandschap als Patagonia Lake State Park had herkend, dan had er nooit een haan naar gekraaid.

'En waarom wil jij mij deze ongelooflijke dienst bewijzen, als ik zo vrij mag zijn?' vroeg Kevin.

Carl ging een streepje zachter praten. 'Omdat ik jou ken. Omdat ik iemand nodig heb die ik kan vertrouwen.'

Er klonk angst in de stem van de andere man, een zweempje, maar toch zoveel dat Kevin het merkte. 'We kunnen wel ergens afspreken,' bood hij aan.

'Hou je van honkbal?' vroeg Carl.

'Jazeker.'

'Coors Field dan maar. Zaterdag. Eén uur. We spelen tegen de Padres. Ik heb een seizoenskaart.'

Kevin kuchte. 'Je weet dat ik in New York zit, toch?'

'Dat is vijf uur vliegen,' zei Carl vlak. 'Morgenmiddag stuur ik je per expresse een retourticket. De reis kost je niks.'

Jezus, dacht Kevin, hij meende het. 'Hoor eens, Carl. Ik vlieg niet helemaal naar Denver als ik niet een klein beetje een idee heb wat je me te melden hebt.'

'Ik laat je echt niet voor niets komen,' hield Carl vol. 'Vertrouw me nou maar. Ik heb echt een klapper van een verhaal. Heel belangrijk.'

Kevin dacht even na. 'Zaterdag,' zei hij toen; hij had toch niets te verliezen.

'Zaterdag,' herhaalde Carl. 'Eén uur. Coors Field. Ik zal bij je ticket opgeven dat je het komt ophalen.' De verbinding viel weg, en Kevin hoorde geruis in zijn oor.

Hij is gewoon te laat, stelde Kevin zichzelf nu gerust. Hij probeerde zijn aandacht op het veld te richten, op Todd Heltons slaghout, dat midden in de lucht hing, wachtend op de pitch. Maar zelfs met nog vier innings te gaan had Kevin het gevoel dat Carl niet zou komen opdagen. De pitcher liet de bal los, en die kwam gierend aangesneld, zo recht als een pijl. Zodra Kevin het gekraak van Heltons slaghout hoorde, wist hij dat de slag buiten het park terecht zou komen. 'Rennen!' riep oma. 'Rennen!' Maar Helton bleef even stilstaan, met zijn handen nog op het slaghout, zijn knieën nog in de draai, zijn hoofd dat met de bal meebewoog, omhoog en over de rechtermuur van het veld heen.

2

Lucy Greene luisterde niet meer naar de predikant. Hij las uit de Eerste Brief van Paulus aan de Corinthiërs, de passage die ontleend is aan Hosea: 'Dood, waar is uw prikkel? Hel, waar is uw overwinning?' Maar Lucy had zijn stem weggedraaid en concentreerde zich op het glas-in-loodraam boven het altaar. Een paar wespen waren tot boven het hoofd van Christus de lucht in gevlogen en stortten zich tegen de halfronde beeltenis van de zon, op zoek naar een uitweg. Lucy kon hun lijfjes doezelig tegen het glas horen tikken.

Een luid 'Amen' golfde door de congregatie en Lucy schrok op. Ze deed haar hoofd omlaag en liet haar blik op haar man rusten. Ze had nog nooit iemand opgebaard zien liggen, zoals hij nu. Haar vader was gecremeerd, en toen Eric overleed, hadden ze een besloten begrafenis gehad: alleen zij tweeën en de kist. Ze had Carl na het ongeluk niet gezien, maar ze wist dat zijn gezicht erg beschadigd was. Zelfs de man van het mortuarium had haar gewaarschuwd dat ze hem misschien niet meer een 'natuurlijk' uiterlijk zouden kunnen geven.

Eleanor had erop gestaan nog een laatste blik op haar zoon te werpen. En nu wist Lucy dat ze er goed aan had gedaan dat ze Carl niet meer zo had willen zien. Zijn ogen waren dicht, maar het was niet alsof hij sliep. Als Carl sliep, waren zijn lippen altijd een stukje van elkaar en zijn handen bewogen soms, alsof hij een verhaal aan het vertellen was. Het kuiltje onder aan zijn hals wipte dan met zijn hartslag op en neer.

Eleanor had de kist uitgekozen, en de rest ook: de stijve calla's en de kerkliederen en het pak dat Carl aanhad. De kist was van kersenhout, helemaal gepolijst, zodat hij glansde in het licht van de kerk. Aan weerskanten zat een stevig handvat, en vanbinnen was hij bekleed met wit satijn. De bovenkant bestond uit twee delen, als de boerderijdeur in de keuken van het huis waarin Lucy was opgegroeid, en de onderkant was dicht. Lucy wist dat ze de delen van Carl die je niet kon zien niet hadden hersteld. Ze nam aan dat ze dat niet hadden gekund of dat ze er niet eens aan begonnen waren.

Hoewel iedereen zei dat Carl er mooi uitzag, hadden ze hem uiteindelijk inderdaad toch niet meer zijn 'natuurlijke' uiterlijk kunnen geven. De bank waarin Lucy zat, stond maar ongeveer een meter bij Carl vandaan, en ze kon de laag make-up zien die ze hadden gebruikt, de losse korreltjes gezichtspoeder en rouge. Ze zag precies waar Carls hoofd kapot was. Over zijn voorhoofd zat iets wat vaag op een fikse snee leek: een blauwe lijn, bleek en donker tegelijk, net als aderen die je door de huid heen ziet.

Ze zongen nog één lied; toen voelde Lucy Chicks hand op haar arm; ze voelde dat hij haar overeind trok. Er kwam een groepje mannen naar voren die om de kist gingen staan: Carls beste vriend, zijn oude huisgenoot van de Columbia-universiteit, twee neven en een oom. Iemand deed de kist dicht en de vijf mannen hesen hem op hun schouders.

Het was een zonnige middag, helder en zonder wolken. Toen Lucy achter de kist de donkere kerk uit kwam, was ze even verblind, en ze bracht haar vrije hand omhoog om haar ogen af te schermen. Het was een bekend gebaar, een bekende omgeving, en ze werd overvallen door een kortstondig déjà vu. In deze kerk was ze getrouwd, en op net zo'n dag was ze naar buiten gekomen. Ze wist het nog precies: waar Chicks arm nu zat, had de arm van Carl gezeten, met haar eigen hand eronder gestoken.

Lucy reed met Chick in zijn oude Ford Fairlane naar de begraafplaats. Hij had hem net schoongemaakt, en het interieur rook naar schoonmaakmiddel en naar een restje sigarettenrook. De begraafplaats lag op een kleine heuvel ten oosten van de stad, en ze moesten de snelweg en het spoor oversteken om er te komen. Lucy stapte niet meteen uit. Ze zat voorin en rookte een van Chicks sigaretten, terwijl de dragers Carls kist van de baar naar zijn graf droegen. Lucy had het warm in haar begrafenispak. Het was een paar jaar oud en onmodieus; ze had het gekocht in de winter waarin haar vader was overleden. De achterkant van haar benen was nat van het zweet en haar panty voelde plakkerig aan tegen de stoel van de Fairlane. Chick stond buiten bij het portier aan de chauffeurskant te wachten tot Lucy zou uitstappen. Hij had zijn handen in zijn zakken en ze hoorde hem met kleingeld rinkelen.

Het graf was koel en schaduwrijk; de onderkant en zijkanten waren bekleed met een paar centimeter dik beton. De grond was zacht en de hakken van Lucy's schoenen zakten weg in de graszoden. De voorganger zei een paar woorden, Eleanor gooide wat aarde op de kist en dat was het dan. Lucy voelde muggen op haar hoofdhuid, samengedromd op de plek waar ze haar scheiding had.

Alles was zo snel gegaan dat Carls steen nog niet was gearriveerd. Aan de kop van het graf stond een tijdelijke markering: een dunne stok en een vlaggetje, met daarop GREENE, CARL. Naast de open plek lag nog een graf, een kleiner heuveltje dat goed bedekt was met graszoden van een paar jaar. De steen van dat graf lag plat op de grond, en vanwaar Lucy stond, kon ze de inscriptie niet lezen, maar ze wist wat erop stond. Als ze een gelovige vrouw was geweest, als ze had geloofd in de wederopstanding van het lichaam en in het eeuwige leven, zou de kleine gedenkplaat, de nabijheid van vader en zoon, haar wellicht getroost hebben: Carls lichaam en de baby lagen naast elkaar. Maar Lucy had weinig fiducie in het leven na de dood. Het enige wat ze zeker wist, was dat ze een zoon en nu ook een echtgenoot verloren had.

Chick en zij waren de laatsten die weggingen. Onderweg terug naar de stad liet Lucy haar broer bij de maïsvelden van Bud Nordgren de auto van de weg af rijden. Ze stapte uit en gaf over in de irrigatiegeul. Chick kwam naar haar toe, legde een hand zachtjes op haar schouder en hield haar haar met zijn andere hand naar achteren.

'Ik vind het heel erg voor je,' probeerde hij.

Lucy spoog, draaide zich toen om en keek naar haar broer op. 'Ik wil iets drinken,' zei ze.

Chick ging naar de auto en kwam terug met een kleine flacon en een pakje sigaretten.

Lucy nam een grote slok en ging met de rug van haar hand langs haar lippen. 'Wat moet ik doen?' vroeg ze. Ze deed haar vochtige panty uit en gooide hem op de akker van Nordgren.

'Het gaat over, Lucy.' Chick glimlachte zwakjes en keek in de richting waar de panty was beland. Het was een zwarte doorzichtige, een verfrommelde suggestie van de benen van zijn zus, als een afgelegde huid.

Kevin bleef tot en met de negende inning zitten en liep toen terug naar zijn hotel: een neutrale monoliet helemaal aan de andere kant van het winkelcentrum aan Sixteenth Street. De binnenstad van Denver was niet meer zoals hij zich die herinnerde van de halfjaarlijkse winkeluitstapjes die hij daar met zijn oma altijd maakte. Ze gingen er altijd aan het eind van de zomer heen voor schoolkleren, en dan met kerst weer een keer. Kevin herinnerde zich de lichtelijk chemische geur van nieuw polyester, de stijfheid van nooit gewassen smokingoverhemden, de grote boezems van de verkoopsters in het warenhuis. Soms liepen er hippies op straat, meisjes met lang steil haar die om wat kleingeld vroegen, bebaarde mannen met mocassins aan. Kevins moeder was er met zulk soort mensen vandoor gegaan; dat was tenminste wat zijn oma hem verteld had. 'Ze is 'm gesmeerd met een groep hippies,' zei ze altijd prozaïsch. En elke keer dat ze naar de stad waren gegaan, had hij met een mengeling van verlangen en afgrijzen naar hen gekeken, in de hoop, en toch ook weer niet, dat hij het gezicht van zijn moeder, dat hij zich vaag herinnerde, tussen hen zou zien.

Vandaag de dag zag Denver er net zo uit als elke andere welvarende stad in Amerika. Ze hadden Sixteenth Street dichtgemetseld en voor verkeer afgesloten. Het winkelcentrum zat vol Toscaanse bakkers en espressobars. Er zat een Wolfgang Puck naast een Banana Republic, naast een Barnes & Noble, naast een Gap, naast een Sharper Image. Geen hippies en daklozen, alleen een uitdrukkingsloze meute te dikke consumenten in gemakkelijke kleding.

Kevin ging niet meteen naar zijn kamer. Hij ging in de bar van het hotel zitten en dronk een paar glazen te duur plaatselijk gebrouwen bier en keek naar de Mets die van San Francisco verloren. Het feit dat Carl niet op hun afspraak was komen opdagen, beviel hem helemaal niet. Het was immers Carls idee geweest, en Kevin wist dat het *last-minute* vliegticket uit New York niet goedkoop geweest was. Hij wenkte de barkeeper. 'Hebt u een telefoonboek voor me?'

'Een gewoon telefoonboek of de Gouden Gids?'

'Een gewoon telefoonboek.'

De man dook achter de bar en kwam met een dik telefoonboek van Denver weer tevoorschijn. Kevin sloeg het open en bladerde naar de G. Het laatste wat hij wist, was dat Carl en Lucy in Arvada gewoond hadden, maar ze stonden er nu geen van beiden in vermeld.

'Is er hier ergens een telefooncel?' vroeg Kevin aan de barkeeper.

De man wees naar buiten, naar de lobby van het hotel.

Kevin knikte en stapte van zijn kruk. Grote kans dat het nummer van de Greenes er niet in stond, maar Kevin zou het niet opgeven voordat hij nog een paar andere mogelijkheden had geprobeerd. Hij draaide de inlichtingen van Boulder, maar kreeg te horen dat ze geen nummer voor Carl of Lucy Greene hadden. Toen hij de inlichtingen van Pryor probeerde, spuide een computerstem een hele riedel cijfers. Kevin schreef het nummer op en hing de hoorn weer op de haak.

Kevin kon zich nauwelijks voorstellen dat iemand weer in Pryor wilde wonen, vooral Lucy niet, die altijd een stapel *National Geographics* onder haar bed had liggen en die 's avonds bestudeerde, net zoals Kevin zijn beduimelde *Playboys*.

Kevin wachtte even en maande zichzelf tot kalmte. Toen nam hij de hoorn op en koos het nummer van Carl en Lucy Greene. Er kwam een plotselinge pijnlijke herinnering aan haar in hem op, uit de eerste zomer dat ze bieten hadden gerooid op de boerderij van Roy Miller. Ze waren een jaar of dertien, veertien geweest, en het beeld dat hij nog steeds bij zich droeg, was er een van Lucy in een

21

roze badpak en een afgeknipte spijkerbroek, haar hoekige benen onder de korsten modder, haar schouders en rug zo donker als gebeitst eiken. Toen ze naast hem neerknielde, had ze naar zonnebrandlotion met kokos en naar zweet geroken.

Het was zwaar werk geweest, die zomers dat Lucy, Carl, Chick en hij bij Miller hadden gewerkt. Kevin wist nog dat ze elke avond terug naar huis achter in Roys truck zaten en dat de lucht zo heerlijk voelde op zijn gezicht, dat zijn rug pijn deed en dat er onder zijn nagels halvemaantjes vuil zaten. Roy zette hem altijd als eerste af en dan stond hij aan het begin van de oprit van zijn oma en keek hij hoe ze wegreden en hoe Lucy tegen de wielkast aan zat, terwijl haar haar rond haar gezicht waaide.

Kevin kromde zijn hals en hield de hoorn tegen zijn schouder geklemd. In het huis van de Greenes ging de telefoon over, maar er werd niet opgenomen.

Lucy had nog nooit zo veel ovenschalen bij elkaar gezien. Er stond genoeg eten op haar eetkamertafel om haar een nucleaire winter door te helpen; elke schotel was afgedekt met plasticfolie en keurig gemarkeerd met een stukje afplakband met iemands naam erop. Nog meer dan over de hoeveelheid was ze verbaasd over de diversiteit. Natuurlijk stonden de klassiekers er, tonijnnoedels en kalkoen-*tetrazzini*, het soort gerechten dat ze zich uit haar jeugd herinnerde, uit de periode nadat haar moeder was weggegaan en voor ze officieel oud genoeg was om te koken. Elke dag had een van de buren op de stoep gestaan met een vuurvaste schotel en een schaal koekjes. Nu stonden er nieuwere, vreemdere gerechten: shii-take en quinoa, Marokkaans lam en couscous. Al die oude dametjes met satelliettelevisie en te veel tijd, dacht ze.

Iemand had de airconditioning anders ingesteld; Lucy dacht dat dat Eleanor wel geweest zou zijn. Hoewel Lucy een olieachtige film van hete lucht boven de velden achter de tuin zag liggen, kon het binnen niet warmer dan achttien graden zijn. Ze liep de woonkamer door en draaide de thermostaat hoger.

Ze was verbaasd dat er zo veel mensen gekomen waren, uit zo veel verschillende geledingen van Carls leven, uit zo veel verschillende geledingen van haar leven. Er waren leraren die Lucy zich nog uit de eerste klas kon herinneren. Carls basketbalcoach. Vrienden van haar vader. Vrienden van de Greenes. Het meisje dat op de middelbare school bij Spaans altijd naast haar had gezeten. De oude huisgenoten van Carl uit Boulder. Klasgenoten van vroeger. En heel wat mensen die Lucy niet kende, mensen van wie ze aannam dat Carl hen van zijn werk kende.

Lucy's familie was altijd een beetje excentriek in Pryor geweest, vooral nadat haar moeder was vertrokken. Hun vader, zonder vrouw, was op de een of andere manier gevaarlijk geworden. Maar ze hadden deel uitgemaakt van de stad, en de mensen hadden toch een beetje op hen gelet. Er was altijd eten geweest, en werk, en afgedankte kleren voor Lucy en Chick.

Carls familie was heel anders, afgezonderd. Lucy herinnerde zich dat nog uit haar jeugd, de keurige perfectie van hun huis. De enige keer dat ze dokter Greene ooit in de tuin had gezien was toen hij de jeneverbes aan het snoeien was, en toen droeg hij een stijve katoenen overall en tuinhandschoenen. Hij zat niet op de voorveranda bier te drinken, net als de andere vaders. Niemand zou hun te klein geworden winterjassen bij de Greenes op de stoep hebben gelegd, zoals ze wel voor Lucy en Chick deden. En op de een of andere manier was Lucy in de jaren dat ze met Carl getrouwd was ook afgezonderd geraakt.

Lucy ging tegen de deur naar de eetkamer staan en stak een sigaret op. Voorzover zij wist, had nog nooit iemand in hun huis gerookt. Zij waren de enige eigenaren geweest, en roken was iets wat Carl niet goedgevonden zou hebben. Ze inhaleerde en voelde de zoete steun ervan, de warme rook in haar longen. Ze hoorde haar schoonmoeder in de keuken, een kastdeurtje dat open- en dichtging, het geluid van stromend water en toen de kraan die werd dichtgedraaid.

Eleanor kwam de eetkamer binnen en pakte een van de schalen op.

'Ik zal die wel wegzetten,' bood Lucy aan. 'Neemt u er een paar mee?'

Eleanor schudde haar hoofd en veegde haar handen met een theedoek af. Lucy wist niet wat ze tegen haar moest zeggen; dat had ze nooit geweten.

'Het lukt wel,' zei ze tegen haar schoonmoeder, zonder het zelf te geloven.

'Ik heb het wel zo'n beetje aan kant in de keuken,' zei Eleanor. Ze zag er gekrompen, bleek en moe uit. Haar adem rook naar oude koffie. 'Dan ga ik maar eens,' mompelde ze.

In de keuken ging de telefoon, en Lucy liet hem overgaan. Omdat ze het niet meer aankon elke keer dat de telefoon ging Carls stem te horen, had ze het antwoordapparaat een paar dagen daarvoor uitgezet. Eleanor keek zenuwachtig om zich heen, alsof ze elk moment betrapt konden worden omdat ze iets stouts deden. 'Moet ik hem opnemen?' vroeg ze.

Lucy schudde haar hoofd, en ze stonden allebei zwijgend te luisteren tot het rinkelen ophield.

'Dan ga ik maar,' zei Eleanor ten slotte nog een keer.

Lucy liep achter haar schoonmoeder aan de hal in en deed de voordeur open. De lucht was drukkend, warm als een sauna, en ze voelde dat haar huid vochtig werd.

'Tot ziens,' zei Eleanor onhandig. Ze hing haar tas over haar arm en liep de trap af en de oprit op naar haar auto.

De deur ging met een klikje dicht, en voor het eerst was Lucy alleen in de stilte van het huis, met het zachte gebrom van koele lucht die door de ventilatiegaten werd geperst. Het geluid van de rest van haar leven, dacht ze, en ze was bang.

Lucy werd 's ochtends vroeg wakker, met haar armen en benen om een laken heen dat kletsnat was van het zweet. De ramen stonden open om de nachtlucht binnen te laten en de kamer rook naar de zuivelboerderij die aan de oostkant van haar huis stond, naar kunstmest en de brakke geur van water dat op de velden heeft gestaan. Lucy stak haar arm uit en ging met haar hand over Carls kant van het bed. Ze hoorde beneden iets en wilde dat Carl ging kijken of er iets was. Ze wilde in elk geval dat hij zou zeggen dat er niets was om zich zorgen over te maken. Maar ze lag alleen in bed.

Misschien was hij wakker, dacht Lucy toen haar vingers de lege plek naast haar vonden. Misschien hoorde ze Carl, maar op de een of andere manier wist ze heel zeker dat hij het niet kon zijn in het donkere huis beneden. Groggy, nog half in slaap, probeerde ze uit alle macht na te denken. Was hij weg? Naar een conferentie? Naar het kantoor in Seattle? Was hij aan het overwerken? Op de wekker aan zijn kant van het bed stond dat het 4:13 uur was. Lucy knipperde flink met haar ogen en dwong haar brein om wakker te worden. Haar tong lag zwaar in haar mond, haar ogen waren droog. Beneden in huis bewoog iets, een zool piepte op de hardhouten vloer, het metaal van scharnieren die tegen elkaar knarsten.

'Carl?' mompelde ze. Ze zwaaide haar benen over de rand van het bed en zocht de schakelaar van haar bedlampje.

Nu zag ze de kamer, de gordijnen die ze gemaakt had toen ze hier waren komen wonen, wit met piepkleine bloemetjes. Carls geruite kamerjas hing aan een haakje aan de achterkant van de deur. Op het nachtkastje stonden een halflege fles gin en een vol medicijnflesje Seconal. Heel even begreep ze er niets van, alsof er iemand terwijl zij lag te slapen naar binnen was geglipt en de twee vreemde flessen daar had neergezet. Toen kwamen de afgelopen paar dagen in volle vaart bij haar terug en voelde ze het gewicht van haar verdriet. Er was een ongeluk gebeurd. Nu wist ze het weer. Er was een ongeluk gebeurd en Carl was dood. Lucy voelde dat haar huid koud werd en dat haar armen kippenvel kregen. In haar borst kwam een strakke knoop omhoog.

Ergens in de verte, voorbij het uienveld van de buren, blafte een hond, en een andere hond gaf antwoord. Lucy hield haar adem in en spitste haar oren. Onder haar ging een la open, en toen werd hij weer dichtgeschoven. Mijn man is dood, zei ze tegen zichzelf, alsof ze de inventaris opmaakte van de dingen waarvan ze wist dat die waar waren, en er is iemand in mijn huis. Lucy deed het licht weer uit en liet haar ogen weer aan het donker wennen. Normaal gesproken zou ze bang geweest zijn. Ze vreesde de avonden waarop Carl overwerkte, de schemerige wintermiddagen. Ze vond het vreselijk alleen te zijn in het grote huis met zijn honingraat aan kamers, zijn inloopkasten en zware draperieën. Er waren zo veel plekken waar iemand zich kon verstoppen. Maar vannacht voelde ze zich vreemd genoeg vrij van angst, moedig gemaakt door haar verlies.

Lucy deed de bovenste la open van het tafeltje naast haar bed. Ze schoof de Kleenex en de handcrème opzij en tastte naar het 9mmpistool dat Carl voor haar gekocht had toen ze net getrouwd waren. Het was een compact, klein wapen, een Glock 26. Lucy was niet onervaren met vuurwapens. Ze had in haar jeugd altijd met haar broer en haar vader gejaagd. Toen Carl met de Glock thuis was gekomen, had hij erop gestaan haar les te geven, en ze had de eerste dag op de schietbaan al met gemak van hem gewonnen.

Lucy sloeg haar vingers om de Glock en sloop naar de slaapkamerdeur. Ze was naakt, en het windje dat van de velden aan kwam waaien voelde heerlijk aan op haar huid. Ze probeerde te bedenken wat de binnendringer zou willen: geld, waardevolle spullen, haar lichaam. Ze dacht heel even aan wat diegene met haar zou kunnen doen, aan de diverse manieren waarop ze verwond of verkracht of nog erger zou kunnen worden. En toen dacht ze aan Carl, aan zijn lichaam in de koude betonnen holte van zijn graf, en toen was ze niet bang meer.

De overloop en de gesloten deuren van twee logeerkamers, Lucy's werkkamer en de tweede badkamer werden verlicht door een nachtlampje. Een gewelfde balustrade voerde naar de ingang beneden. Lucy hield de Glock tegen haar borst en tuurde de hal in. Ze zette haar voet op de eerste met tapijt beklede tree, en toen op de tweede. In Carls werkkamer schoof een stoel over de grond.

'Wie is daar?' riep ze, tot haar eigen verbazing. Tussen haar schouderbladen viel één enkele zweetdruppel. Stilte was het antwoord.

'Wie is daar?' riep ze weer, terwijl ze onder haar blote voeten de koele tegels van de gang voelde. Ze klemde haar vinger om de trekker van de Glock en liep naar voren.

Naast de voordeur zaten twee hoge ramen waardoor al het eventuele licht van de velden naar binnen kwam: de fosforescerende gloed van een zuivelboerderij, het bleke licht van een sikkelvormig maantje, de blauwige lantaarns van de verkaveling. De deur naar Carls werkkamer stond open, en Lucy kon de eerste meter van de kamer zien, maar daarachter zag ze niets dan een zwart gapend gat. Lucy voelde zich plotseling onbehaaglijk, zich scherp bewust van haar naaktheid. Degene die zich in de werkkamer bevond, wie dat ook mocht zijn, kon haar heel goed zien.

'Ik ben gewapend,' zei ze tegen het donker, terwijl ze haar ellebogen strak hield en de Glock op de deur richtte. Ze was verbaasd over de gezaghebbende toon van haar eigen stem.

In de kamer klonk geritsel en er kwam iemand naar buiten gestormd. Lucy schoot blindelings en zette zich schrap tegen de terugslag. In de flits uit de loop van de Glock kon ze een donkere torso zien, en een gezicht met een zwarte bivakmuts. De persoon liep langs haar heen, duwde haar omver en stormde de voordeur uit. Ze was boos, en dat gaf een goed gevoel, beter dan het doffe waas van verdriet dat haar had overspoeld. Ze stapte met bonkend hart de veranda op. Van de indringer was geen spoor te bekennen. De velden aan de andere kant van de weg stonden vol manshoge maïs. Er stak een windvlaag op en de groene vliezen ritselden tegen elkaar.

Lucy leunde met haar rug tegen de deurpost en liet het pistool langs haar lichaam bungelen. Ze voelde zich ongebonden, van iets bevrijd, hoewel ze nog niet wist van wat.

3

Lucy ging niet meteen iemand bellen. Het politiebureau van Pryor was een klein kantoor, en ze zag er het nut niet van in om de enige bejaarde agent om vier uur 's ochtends uit zijn bed te bellen. Wat haar betrof had de Glock zijn werk gedaan. Ze dacht niet dat diegene terug zou komen, en eerlijk gezegd interesseerde het haar ook niet bijster veel. Ze hield zichzelf voor dat het een of andere knul uit Denver was geweest of een speedverslaafde uit Greeley, op zoek naar een mooie stereo en misschien naar wat sieraden om te verpatsen.

Lucy ging naar boven naar de slaapkamer, deed Carls kamerjas aan en stopte het pistool in een van de zakken. Ze pakte de Tanqueray en de Seconal en liep de trap af en naar de achterkant van het huis. De lichten van het zwembad waren aan, waardoor er waterachtige schaduwen op het plafond van de keuken vielen. Het zwembad zelf was kalm en lichtgevend, een volmaakte aquamarijne wond die uit de duisternis gehouwen was. Lucy pakte een glas uit een van de keukenkastjes, deed de deur naar de patio open en liep naar buiten.

In het oosten, ver voorbij de stad, voorbij de rivier en de snelweg en de spoorlijn, begon het blauw van de dageraad al de zwarte lucht in te lekken. Er hing een zware geur van diesel, van fabrieken die warmliepen voor de dag die komen ging. Doordat het land zo vlak en open was, kon Lucy van kilometers ver dingen horen: het gebrom van een motor ergens bij Frederick, de bedrijvigheid van voor het aanbreken van de dag bij de pleisterplaats voor vrachtwagens langs de autosnelweg, een trein die in noordelijke richting naar Cheyenne reed. Ze liep langs het zwembad naar haar atelier, deed de deur van het slot en glipte naar binnen.

Kevins vlucht terug naar New York stond geboekt voor iets na twaalven op zondagmiddag, maar hij had zich al voorgenomen dat hij niet zou vertrekken zonder op z'n minst met Carl gesproken te hebben. Als er een verhaal was, van het kaliber dat Carl had gesuggereerd, dan kon Kevin het zich niet permitteren géén poging te wagen om erachter te komen wat er gebeurd was. Hij had genoeg geld op de bank om het een tijdje uit te zingen, maar op een gegeven moment zou dat toch opraken. Het freelance werk was nou niet bepaald binnen komen stromen en als hij realistisch was, kon hij van die roman toch ook niet echt verwachten dat hij er de huur van zou kunnen betalen. Hij moest iets hebben waardoor men Nogales zou vergeten.

Bovendien had Carl iets gezegd wat hem maar niet los wilde laten. Het woord *belangrijk* ricocheerde die hele nacht door Kevins hoofd heen en weer. Het was lang geleden sinds hij op die manier naar een verhaal had gekeken, en de belofte van iets gewichtigs en nuttigs had beslist glans – iets anders dan de nieuwste minnares van een Congreslid, de meest recente echtscheiding van een filmster. Want daar was zijn televisiewerk de laatste tijd toch op neergekomen: het maakte niet uit wat het was, als je er maar voor zorgde dat de mensen met hun vingers van hun afstandsbediening afbleven.

Kevin kon zich niet herinneren wanneer de laatste keer was geweest dat een verhaal hem daadwerkelijk aan het hart was gegaan. Zelfs de reportage over Nogales was een greep naar de kijkcijfers geweest, een nachtelijk avontuur dat weinig te maken had met de echte kanten van illegale immigratie: armoede, vooroordelen en de prijs die de derdewereldlanden voor mondialisering betaalden. De echte onderwerpen trokken natuurlijk nooit kijkers.

Toen hij zondagochtend wakker werd, was Carl het eerste waar

Kevin aan moest denken. Hij rolde zijn bed uit, kleedde zich aan, scheerde zich, probeerde het nummer van de Greenes nog een keer en belde toen de garage voor zijn huurauto.

Het was een prachtige dag, de lucht elektriserend blauw met hier en daar een paar hoge, donzige wolken. Kevin nam de snelweg in noordelijke richting naar Pryor, door de alom aanwezige voorsteden van Denver. Het was al warm, en hij zette de airconditioning voluit. In het westen rezen de vuursteenachtige rotsen van de Rocky Mountains – hoewel het augustus was, waren ze nog steeds besneeuwd – abrupt uit de vlakten op. Nadat hij in Manhattan gewoond had, vond Kevin zo'n ritje door open landschap wel prettig. Hij trapte het gaspedaal in en joeg de kilometerteller tot over de honderd.

Zijn oma ging nooit over de snelweg. Zelfs toen hij klein was, ging die haar te snel. Ze kropen over een kleinere autoweg uit de stad naar huis, langs de conservenfabrieken en graansilo's van Brighton en Fort Lupton. In de zomer stopten ze dan bij een boerderij in Ione voor suikermaïs en bonen. Kevin beschouwde zichzelf graag als een realist, en zijn herinneringen aan Pryor waren dienovereenkomstig weinig sentimenteel. Hij was de armoede en de teloorgang van verwachtingen niet vergeten. Hij had op dezelfde school gezeten als het meisje van wier ouders de Ione-boerderij was, en hij wist nog dat ze 's ochtends soms in de klas verscheen met felrode striemen op de achterkant van haar benen. Ze had de hele winter geen handschoenen aan. Maar wat Kevin zich nog het best herinnerde, was zijn eigen intense verlangen om de boel te ontvluchten.

Er was weinig verkeer, en Kevin was binnen drie kwartier in Pryor. Hier woonde ik, bracht hij zichzelf in herinnering toen hij op de oude tweebaansweg in oostelijke richting de stad in reed. Alles was vertrouwd: de geur van de zuivelfabriek van Jorgenson, de oude boerderijen langs de weg, een groepje populieren in de verte die aangaven waar de rivier de Platte lag. De auto dook omlaag naar een kleine rivier en kwam weer omhoog. Links van de weg, waar vroeger de bietenvelden van Roy Miller hadden gelegen, stonden een paar nieuwe bouwsels: grote, saaie voorstedelijke huizen met zwembad en cederhouten veranda. Even voorbij Miller was de afslag naar het voormalige huis van zijn oma. Hij herinnerde zich het huis nog goed: het behang met de vetvlekken in de keuken, de aanbouw die zijn opa tot bergschuur had omgebouwd, de slaapkamer waarin hij achttien jaar had geslapen.

Kevin reed rechtstreeks naar het centrum, sloeg op Main Street links af, weg uit een gloednieuwe wijk met doodlopende straten. Toen hij bij het huis van Carls ouders kwam, parkeerde hij de huurauto tegen het trottoir en zette hij de motor uit.

Het huis van de Greenes was nog precies zoals Kevin het zich herinnerde: breed en laag, een bakstenen ranchwoning met een keurig gazon en groene groepjes jeneverbesstruiken in de bloembedden. In Kevins jeugd was de vader van Carl de enige dokter in de stad geweest. Hij hield praktijk aan huis, in een omgebouwde zonnekamer met een eigen ingang achterom. Tussen het huis van de Greenes en de autoweg hadden geen huizen gestaan, alleen lege percelen en een uienveld. Vanuit de wachtkamer kon je de graansilo zien, de passerende treinen en Cemetery Hill, waar ze in de winter altijd gingen sleeën. Kevin herinnerde zich vaag knokige handen onder zijn hemd, het koude rondje van een stethoscoop dat tegen zijn rug drukte, de houtachtige smaak van een tongspatel.

Hij draaide het raampje omlaag en bleef even in de auto zitten om zich te vermannen. Hij wilde dat hij nog rookte, wilde dat hij een sigaret kon opsteken en de tijd kon verdrijven door die op te roken. Het gras was onlangs gemaaid en de randjes waren bijgewerkt. Het patroon van de maaimachine was nog te zien: smalle banen die de tuin diagonaal overstaken, dan keerden en weer terugkwamen. De oprit en de trottoirs waren netjes en schoon, de gordijnen waren dicht. Het leek of er niemand thuis was – alsof er misschien nooit iemand thuis was geweest.

Kevin kwam uit de auto en liep naar de overschaduwde veranda. Om hem heen sprongen sprinkhanen op en ze bestookten zijn broekspijpen. Hij klopte op de voordeur en wachtte. Na een paar seconden ging de deur open en verscheen er een vrouw, met haar haar onder een netje weggestopt en met een vragend gezicht.

'Mevrouw Greene?' zei Kevin, terwijl hij zich realiseerde dat hij Carls moeder eigenlijk nog nooit eerder had gezien. Carls vrienden mochten nooit bij de Greenes thuis komen, en hij herinnerde zich uit zijn jeugd alleen maar een vage gestalte achter het raam.

De vrouw knipperde met haar ogen. Ze was op blote voeten en haar huid was bleek, doortrokken met dikke aderen. 'Ja?'

'Het spijt me dat ik u stoor,' ging Kevin verder, 'maar ik kwam hier vroeger toen ik klein was altijd – voor dokter Greene.' Hij gebaarde naar de achterkant van het huis. 'Ik heet Kevin Burns.' Hij wachtte even, in de hoop dat er iets van herkenning zou komen.

'De dokter is al een tijd geleden overleden,' zei de vrouw met een uitdrukkingsloos gezicht.

'O, dat spijt me,' zei Kevin. Ze hield haar hand op de deur alsof ze op het punt stond hem dicht te doen. 'Ik ben eigenlijk een oude vriend van Carl. Ik weet dat het vreemd klinkt, maar we hadden gisteren een afspraak en hij is niet komen opdagen. Ik heb geprobeerd hem te bellen, maar er neemt niemand op. Ik hoopte dat u me zou kunnen vertellen waar hij woont.' Hij deed zijn mond open en glimlachte breed: een jongeman die je kon vertrouwen, een vriend van Carl van de middelbare school. 'Ik heb wel het telefoonnummer, maar niet het adres.'

Mevrouw Greene keek langs Kevin over zijn schouder, alsof ze iets in de tuin of op straat zocht. 'Wéét u het dan niet?' vroeg ze.

'Pardon?'

'Het spijt me.' Ze wachtte even en keek nu voor het eerst naar Kevins gezicht. 'Het spijt me,' herhaalde ze. 'Carl is dood.'

'O, o,' stamelde Kevin, terwijl hij zijn ogen onwillekeurig strak op de oude vrouw gericht hield. Haar huid was los en grauw. Onder haar ogen zaten twee donkere kringen.

'Er is een ongeluk gebeurd,' zei ze vermoeid, en hij wist dat ze die zin al heel vaak had moeten uitspreken.

Kevin maakte zijn ogen van haar los en keek omlaag naar het groene buitentapijt waarmee de trap bekleed was. Hij rook de jeneverbessen, de steenachtige kalkgeur van de bakstenen en de peperige geur van geraniums. 'Wat erg voor u.'

De vrouw zei niets.

'En Lucy?' vroeg Kevin.

'Zij maakt het goed.' Het was of er in haar stem een heel vaag zweempje bitterheid doorklonk, woede om hoe het had uitgepakt.

'Ik moet naar haar toe,' zei Kevin.

Mevrouw Greene knikte. 'Hun huis ligt aan Magpie Road, naast de Millers. Je kunt het niet missen. Het is het grootste huis dat er staat.'

De oude vrouw had gelijk gehad. Zelfs in een groepje huizen met een opvallend brede en diepe garage, viel dat van Carl en Lucy Greene op. Het was een enorme voorstedelijke kolos met twee verdiepingen, en het kon niet ouder dan vijf jaar zijn. De bomen eromheen waren spichtig en onhandig, en gaven maar een klein beetje schaduw. Kevin reed de lange oprit op en parkeerde achter een witte Mercedes. Hij schakelde de motor uit, ging met zijn vinger langs de van zweet doordrenkte boord van zijn hemd, stapte uit en liep de oprit op.

Op de veranda was het een zee van bloemen. Opzichtige snoepkleurige impatiens hingen in mosmandjes aan de overhangende dakrand. Twee enorme terracotta potten stonden vol wasachtige begonia's. Een pot alyssum was omgevallen, misschien door de wind, waardoor er her en der aarde en potscherven lagen. Kevin stapte over de troep heen en drukte op de bel. Binnen klonk geklingel en daarna stierf dat weg. Kevin wachtte tot er werd opengedaan, en klopte toen aan.

De deur gaf mee onder zijn knokkels, en draaide langzaam open in zijn scharnieren. Kevin stak zijn hoofd naar binnen en riep: 'Lucy?' Zijn stem sprong weg en echode door de hal. 'Lucy?' riep hij weer. Toen niemand antwoord gaf, liep hij naar binnen.

Het was koel in het huis, stil en rustig. De vloer van de hal was van crèmekleurig marmer, met aderen in traditionele bruintinten. Een rondlopende trap leidde naar de eerste verdieping. Rechts van Kevin was een overwelfde doorgang waardoor je in een neutraal smaakvolle woonkamer kwam. Een andere deur kwam uit in een gang, met daarachter de keuken. De wanden en tapijten en meubels waren uitgevoerd in niet-agressieve woestijnkleuren: alsem, coyote, zonsondergang, duinen. Achter een derde deur bevond zich zo te zien een werkkamer. Op een donker kersenhouten bureau lagen allemaal papieren.

'Lucy?' Kevin liep door de woonkamer en ging met een lus door de eetkamer terug naar de keuken. Op een stuk of tien verwelkte bloemstukken na en wat schoenafdrukken in de dikke pool van het ivoorkleurige tapijt leek het huis wel onbewoond, zo keurig was het er.

Diverse olieverfschilderijen, allemaal duidelijk van de hand van dezelfde kunstenaar, sierden de muren. Het waren grote en kleurige doeken die deden denken aan deuropeningen en portalen, drempels, allemaal tot de essentie teruggebracht. Die waren van Lucy, dacht Kevin, hoewel haar stijl behoorlijk was veranderd sinds de laatste keer dat hij werk van haar gezien had, op de tentoonstelling van de bovenbouw op de middelbare school.

De keuken was luxueus, met een hoog plafond en een terracotta vloer. Hoge ramen keken uit op het zwembad en de tuin en op de velden daarachter. Kevin bekeek de overdadige accessoires: het roestvrijstalen Viking-fornuis, de granieten aanrechtbladen, de Italiaanse tegels. Hij had lang genoeg in New York gewoond om te weten wat die dingen kostten.

Op de voorkant van de Sub-Zero-koelkast hing een foto van Lucy en Carl. Ze stonden onder aan een skihelling, met een lang sneeuwspoor dat achter hen wegdraaide. Het stel was volledig toegerust, met skischoenen, een skibroek en een dikke donsparka; hun ski's stonden rechtop in de sneeuw gestoken naast hen. Carl had zijn skibril nog op en achter het spiegelende plastic waren zijn ogen niet te zien. Lucy had haar bril omhooggeschoven, waardoor witte kringen rond haar ogen te zien waren, daar waar haar huid niet door de zon was gebruind. De jaren en de welstand hadden het goed met haar voorgehad. Ze was harder geworden sinds Kevin haar voor het laatst had gezien, en ze was van een knap meisje nu een mooie vrouw geworden. Ze glimlachte, een glimlach die Kevin zich nog precies kon herinneren. Het viel hem zwaar haar zich hier gelukkig, of tevreden, voor te stellen, en toch leek ze dat te zijn. Dat hád ze in elk geval geleken.

De glazen deur schoof open. Toen hij het geluid hoorde, draaide Kevin met een ruk zijn hoofd om, en zijn ogen vielen op Lucy. Ze had hem beslopen, en hij voelde de verrassing in zijn borst. Ze kwam van de patio naar binnen, met een wolk warme lucht om zich heen.

'Wat doe jij hier?' vroeg ze. Haar haar was aan één kant samengeklit, in de war en in de knoop. In haar bovenlip zat een sneetje, een korstje opgedroogd bloed. Ze was op blote voeten en had een witte badstof badjas aan; ze haalde haar hand uit een van de zakken, en hij zag de donkere vorm van een pistool.

Kevin deed voorzichtig een stap naar rechts, vanachter de console met het slagersblok dat tussen hen in stond. Hij had haar al eerder een wapen zien gebruiken, en hij wist zeker dat ze, ook al was ze nu wat van slag, er uitstekend mee overweg kon. Toen ze op de middelbare school zaten, gingen ze in de herfst altijd met Chick in het Burle Reservoir eenden jagen. Lucy had haar limiet altijd al vroeg op de dag binnen. Negen van de tien keer kreeg ze ook nog wat van de quota van Chick of Kevin, of van hen allebei.

'Ik ben het, Kevin,' zei hij nu, terwijl hij zijn handen langzaam in de lucht stak om te laten zien dat hij niets te verbergen had. 'Kevin Burns.'

Lucy keek niet verbaasd. Over haar gezicht speelde een glimp van herkenning, en ze stak het pistool weer in de zak van haar badjas. 'Heb je sigaretten bij je?' vroeg ze. Ze stond enigszins onvast op haar benen en wankelde, maar ving zichzelf tegen de deurpost op.

Kevin schudde zijn hoofd. 'Ik ben gestopt,' zei hij.

'Ik ook,' zei Lucy. Toen legde ze haar handen tegen haar gezicht, en Kevin hoorde het zachte geluid van haar snikken.

Kevin nam een slokje van zijn koffie en zette de beker neer op het glazen tafelblad. Omdat hij niets beters wist te doen had hij een pot koffie gezet en was hij de stad in gegaan om sigaretten te halen. Toen hij terugkwam, zat Lucy aan het zwembad. Ze had zich een beetje opgeknapt toen hij weg was. Ze had nog wel haar badjas aan, maar haar haar was gefatsoeneerd. Geen van beiden had nog met een woord over Carl gerept.

'Je ziet er goed uit,' zei Kevin, en dat meende hij. Lucy mocht dan getekend zijn door verdriet en vermoeidheid, maar als hij naar haar keek, golfde zijn maag nog steeds. Ze verschoof in haar stoel, en haar badjas viel rond haar kuit open. Haar huid was volmaakt gebruind, glad en glanzend.

Lucy rolde haar glas tussen haar handen heen en weer en besteedde geen aandacht aan de koffie die Kevin voor haar had neergezet. Hij rook de gin in het glas, een bloemachtige geur, als van goedkope aftershave, hoewel hij wist dat het geen goedkope gin was geweest. Het glas was van geslepen kristal, zwaar en kloek. 'O, ja?' zei ze. 'Ik voel me anders klote.'

Achter het donkergroene gazon van de achtertuin zag Kevin de restanten van de boerderij van Miller. Een groep seizoenarbeiders was over de voren uitgewaaierd en werkte gestaag de rijen spichtige uiensprieten af. Als ze klaar waren met rooien, was het veld bezaaid met jutezakken, bultig en half menselijk, als het hoofd van ontvoerde mensen met een zak eromheen, of van gevangenen in afwachting van hun executie.

De laatste zomer dat ze voor Miller hadden gewerkt, was Lucy het grootste deel van de maand juli ziek geweest. Dat was de zomer voordat hij naar Columbia ging, en Kevin wist nog hoe ze in elkaar gedoken in de laadbak van de truck had gezeten, met een grijs en wasachtig gezicht. Hij herinnerde zich dat hij door een voor terugliep naar waar zij gewerkt had en dat hij de bleke vlekken van haar gal in de modder zag. Hij was in september naar New York vertrokken, en toen hij voor kerst terugkwam, had ze al verkering met Carl.

'Ik vind het heel erg,' zei Kevin nu, en dat meende hij ook. Over de tafel heen legde hij zijn hand op Lucy's arm. Waar haar badjas van haar dij viel, waren de vorm en het gewicht van het pistool te zien. Een vorm van wanhoop, dacht Kevin, en hij vroeg zich af wat ze met het pistool van plan was geweest, of het voor haarzelf of voor iemand anders bedoeld was.

Ze haalde haar arm onder zijn vingers uit, dronk haar glas leeg en zette het met een dreun neer.

'Ik ben eerst bij het huis van Carls moeder langs geweest voor ik hierheen kwam,' zei Kevin voorzichtig, omdat hij niet goed wist waar hij moest beginnen. 'Zij vertelde me dat er een ongeluk was gebeurd.'

Lucy knikte. 'Ze zeggen dat hij achter het stuur in slaap gevallen moet zijn.' Ze pakte het lege glas op en zette het schuin tegen haar lippen om de laatste paar druppels op te vangen. 'Hij was in Seattle, voor zijn werk.'

'Hij heeft me in New York gebeld. Ik had gisteren een afspraak met hem, in Denver.'

Lucy liet het lege glas voor wat het was en pakte haar koffie, nam een slok en kreunde. Ergens in het huis ging de telefoon. Lucy besteedde er geen aandacht aan, nam nog een haal van haar sigaret en schoot de peuk toen in het weelderige gras aan de rand van de patio. Ze keken elkaar aan, en allebei wachtten ze tot het gerinkel zou ophouden.

'Hij wilde ergens over praten,' zei Kevin eindelijk. 'Hij zei dat hij een verhaal voor me had. Heb jij enig idee waar hij op doelde?'

Lucy haalde haar schouders op.

'Hij leek nogal van streek,' voegde Kevin eraan toe.

'Ja, nou, Carl raakte nog wel eens van streek.' Ze keek Kevin eens goed aan. Hij transpireerde en de punten van zijn haar waren nat en glansden, alsof hij er een soort olieachtige pommade in had gesmeerd. Ze begreep niet waarom hij was gekomen, waarom hij over Carl wilde praten, en ze was te moe om ernaar te vragen. Ze dacht aan haar flesje Seconal, aan de donkere cocon van de slaap.

Kevin frutselde met het pakje sigaretten en plukte aan de naad in het cellofaan. Lucy kon merken dat hij er ook een wilde, dat het flink wat van zijn concentratie vergde om niet te roken. 'Ik vind het heel erg,' zei hij weer, en Lucy kreeg het gevoel dat hij daarmee niet alleen Carl bedoelde.

'Ik ook,' zei ze.

'Schilder jij nog?' vroeg hij, na even geaarzeld te hebben. Lucy was helemaal murw van de emotie en de drank, dus Kevin zag het nut er niet van in nog meer vragen te stellen over Carl en over het ongeluk.

Lucy nam een slok koffie en bedacht wat ze moest zeggen. Ze gebaarde naar haar atelier aan de andere kant van het zwembad. 'Dat houdt me van de straat,' zei ze met een schouderophalen. Ze was verlegen met de vraag en met wat haar antwoord impliceerde: dat zij iemands vrouw was, met te veel vrije tijd en dat ze niets anders kon. Ze verlangde er plotseling naar nuchter en helder van geest te zijn.

Kevin glimlachte. 'Zijn die dingen binnen van jou?'

Lucy knikte en ging er verder niet op in. Ze nam nog een sigaret uit het pakje en stak hem op.

Ze bleven een tijdje zwijgend zitten, terwijl Kevin uit alle macht iets probeerde te bedenken wat hij kon zeggen, iets om haar aan de praat te houden, om zelf hier bij haar te kunnen blijven. 'Hoe is het met Chick?' vroeg hij toen maar.

'Had hij al die baan bij Fort Ward toen jij hier de laatste keer was?'

Kevin schudde zijn hoofd.

'Nou, je zult wel gehoord hebben dat ze de centrale hebben gesloten. Chick is daar nu alweer een tijdje toezichthouder.' Ze nam een haal van de sigaret en hield de rook in haar longen alvorens hem uit te ademen. 'Hij is veel ziek.'

'Ziek? Hoe dat zo?'

'Sinds hij terug is uit de Golfoorlog voelt hij zich niet goed, maar de laatste tijd is het erger geworden. De meeste jongens die daar zijn geweest, zijn er niet best aan toe.' Ze voelde dat ze de grens van dronkenschap naar vermoeidheid overging. 'Hoor eens,' zei ze, 'ik ben moe.'

Kevin knikte. 'Ik kan wel blijven, hoor, terwijl jij wat slaapt.'

Lucy schudde haar hoofd.

'Echt, geen punt,' hield Kevin vol. 'Ik loop je niet voor de voeten.'

'Nee,' zei ze, 'het lijkt me beter als je gaat.' Ze keek op en produceerde een zwak glimlachje. 'Ik red me wel, echt.'

Kevin stond op, hoewel hij nog steeds niet bij haar weg wilde, en haalde zijn portefeuille uit zijn broek. 'Het nummer van mijn werk is vervallen,' zei hij terwijl hij een kaartje zocht, 'maar je kunt me wel mobiel bereiken. Lucy, als je iets nodig hebt, wat dan ook, moet je me echt bellen.'

'Ga je terug naar New York?' Lucy pakte het kaartje aan, bekeek het en liet het toen in de zak van haar badjas glijden.

'Nee, nog niet meteen. Ik denk dat ik nog een paar dagen hier blijf.'

Lucy kwam niet overeind. Ze keek hoe Kevin de patio overstak en aan de zijkant van het huis verdween. Even was alles stil; toen hoorde ze hem het autoportier dichtslaan en de motor starten. Het was lunchtijd, en vanuit het veld van Miller hoorde ze heel vaag geluiden van lachen en praten, een vrouwenstem en toen een mannenstem, het melodieuze ritme van het Spaans.

Lucy bleef een tijdje zo zitten en keek hoe het windje het oppervlak van het zwembad deed rimpelen, terwijl ze haar hoofd helder liet worden. Toen ze haar koffie op had, stond ze op, liep naar de voorkant van het huis, ging de trap op en de voordeur door. Ze bleef even staan in de hal en nam haar omgeving in zich op.

Rechts van haar was de woonkamer. Door de grote overwelfde deuropening kon ze de televisie en de stereo zien, een kristallen vaas die Carl en zij voor hun huwelijk hadden gekregen, twee zilveren kandelaars. Recht voor haar, aan het eind van een brede gang, was de keuken. Even links liep de trap met een bocht naar boven naar de eerste verdieping, en links van de hal, weggestopt achter de trap, was de kleinere deur naar de werkkamer van Carl.

Het was een vreemde keus voor een binnendringer, vooral in het donker, als de deur van de werkkamer bijna niet te zien was, terwijl de andere opties hoogstwaarschijnlijk veel lucratiever hadden geleken. Zelfs met het licht uit zouden de lantaarns door de ramen aan de voorkant hebben geschenen en de woonkamer, en ongetwijfeld ook wat dingen die erin stonden, hebben verlicht.

Lucy liep naar de open deur van de werkkamer en keek naar binnen. Uit de half openstaande laden van de archiefkast staken papieren en dossiers. De bureauladen waren ook opengemaakt en daarna slordig weer dichtgedaan, alsof degene die erin had gekeken, wie dat ook geweest mocht zijn, naar iets speciaals op zoek was geweest. Op het bureaublad lag, onaangeroerd, een gouden briefopener die Carl van zijn vader had geërfd, en twee Waterman-pennen. Geen kroonjuwelen, maar ze hadden gemakkelijk verkocht kunnen worden, en nog tegen een redelijke prijs ook. En toch waren ze niet meegenomen.

Lucy liep de hal weer in, ging op de trap zitten en keek door de open voordeur naar het stralend groene gazon en de van zijden pluimen voorziene horizon daarachter. Helemaal in de verte trok een wit stoomspoor in westelijke richting door de wolkeloze hemel.

Lucy was buiten net haar ochtendrondje aan het joggen geweest toen de twee politieagenten haar kwamen vertellen dat Carl dood was. Zodra ze voorbij de maïsvelden was, zag ze hun bruin-met-zwarte auto op de oprit staan, en meteen wist ze dat er iets loos was. Ze moesten haar in hun achteruitkijkspiegel gezien hebben, want ze stapten samen uit de surveillancewagen en hielden haar halverwege het gazon staande.

'Mevrouw Greene?' vroeg een van hen.

Lucy bleef staan. Ze had haar handen op haar heupen gezet en keek om zich heen, naar het huis, de tuin, de begonia's op de veranda, de zonnebloemen die langs de rand van de maïsvelden groeiden, de stof van het uniform van de mannen. Er was iets helemaal mis. Ze voelde plotseling de behoefte om alles goed in zich op te nemen voor haar perspectief voor altijd veranderd werd.

'Er is zeker iets met Carl?' zei ze.

'Het spijt ons heel erg, mevrouw Greene,' zei de jongste van de twee plechtig.

Dat zal ik vaker horen, dacht Lucy. 'Wat is er gebeurd?'

De mannen keken elkaar even aan, en toen, alsof ze dat stilzwijgend overeen waren gekomen, schraapte de tweede man zijn keel en begon te praten. 'Er is een ongeluk gebeurd, buiten Seattle, vlak bij een stadje dat Elwha Beach heet. Ze zijn er vrijwel zeker van dat uw man in slaap is gevallen, mevrouw. Hij reed op een slechte weg, nogal gevaarlijk. Ze zeggen dat hij zo over de rand is gereden; zelfs op de plek waar hij misschien geprobeerd heeft te stoppen waren geen remsporen.'

De jongste man deed een stap naar Lucy toe en legde zijn hand op haar schouder. De huid op zijn gezicht en hals was bezaaid met rode zweertjes, een combinatie van acne en scheeruitslag. 'Het was laat,' zei hij, 'en het regende. Dan verlies je gemakkelijk de controle.'

Dat was een belachelijke opmerking. Lucy had dat toen al gevonden en ze vond het nog steeds. Niemand die Carl kende, zou zoiets gezegd hebben, zou hem er ooit van beschuldigd hebben dat hij niet genoeg controle had.

Toen ze een keer van skiën terugkwamen, waren Carl en zij honderdvijftig kilometer lang door een sneeuwstorm met white-out gereden, waarbij er zo veel sneeuw in de lucht was dat ze gedacht had dat ze zouden stikken. Terwijl zij in stilte voor zichzelf zat te bidden had Carl doodkalm Bob Marley-liedjes zitten zingen.

Een andere keer, toen ze 's avonds uit Denver naar huis reden, was er vlak voor hen op de tweebaanssnelweg een damhinde de weg op geschoten, een paar kilometer voor de afslag naar hun huis. Lucy had het dier niet eens aan zien komen, maar Carl draaide rustig het stuur om en remde pompend. 'Niet geraakt,' zei hij tevreden, zonder achterom te kijken, terwijl ze in volle vaart verder naar huis reden.

Zelfs toen Eric was overleden, toen ze in het ziekenhuis buiten zinnen was geraakt, was Carl erin geslaagd kalm te blijven.

Lucy probeerde zich Carl die laatste dag in de auto voor te stellen, het groen van Washington dat buiten voorbijschoot, de bomen verfomfaaid door de wind, de weg glanzend van de regen. Ze zag een plek bij het water, de naam van de stad, Elwha Beach, net zo diep in haar gedachten gekerfd als initialen in een boomstam. Ze probeerde zich Carl voor te stellen zoals hij naar verluidt geweest moest zijn, slapend of onoplettend, maar dat lukte haar niet.

Ze leunde achterover, plantte haar ellebogen op het tapijt van de tree boven haar en draaide haar gezicht naar het hoge plafond. Ze had het gevoel alsof haar leven uiteen begon te rafelen, alsof die ene knoop die alles bij elkaar hield was losgeraakt. *Hij leek nogal van streek*, had Kevin gezegd. Dat sloeg nergens op. Lucy begreep om te beginnen al niet waarom Carl Kevin gebeld had. Er was iets loos. Zelfs door de wegtrekkende roes van de gin, door de wattige nevel van de Seconal heen, wist Lucy dat zeker.

4

Darcy Williams betaalde mopperend de zes dollar voor een toegangskaartje voor volwassenen en liep door het draaihekje de Pioniersstad van Rawhide Bob binnen. Het was bijna twaalf uur en de
acteurs die de stadsbewoners speelden, verzamelden zich langs
Main Street voor het dagelijkse vuurgevecht. Een vrouw met een
jurk van geitenleer en Nikes aan liep haastig voorbij en keek onder-
tussen op haar digitale horloge hoe laat het was. Voor een negen-
tiende-eeuwse indiaanse prinses had ze een beetje te veel make-up
op, vond Darcy.

Darcy had een hekel aan Rawhide Bob en zag des te meer tegen
deze confrontatie met de gevangenisdirecteur op vanwege de plek
waar die plaatsvond. Er was te veel geforceerde opgewektheid, te
veel zweterige toeristen die zich door de stoffige straatjes repten, te
veel limonade en lollies. Om nog maar te zwijgen over de slechte
herinneringen die deze plek bij haar opriep. Hoewel het volgens
haar nog erger had gekund. Toen ze in de gevangenis zat, had ze andere vrouwen horen zeggen dat hij hen mee had genomen naar het
gevangenismuseum. Dát getuigde pas van slechte smaak.

Van de andere kant van de straat galmde een stem die klonk als
een laag gegrom, en de acteurs namen hun positie in langs het houten plankier. Een vrouw met haar grijze haar in een strakke knot

stond buiten de winkel in wildwestartikelen en wuifde zich afwezig koelte toe, terwijl haar mond een stuk stevige kauwgum vermaalde. Voor de saloon was een groepje met rode veren uitgedoste hoeren samengekomen om naar de schietpartij te kijken. Een van hen haalde een pakje Camel uit haar korset en deelde rond.

'Sheriff Dooley!' bulderde een stem. 'Sluit vrede met God of met de duivel!'

Darcy mimede die woorden tegelijk met de misdadiger. De gevangenisdirecteur kwam bij voorkeur op het middaguur, en Darcy had dit aan het gevecht voorafgaande spel al tientallen keren gehoord. Ze dook onder de klapdeuren van de saloon door en keek om zich heen, terwijl ze haar ogen aan het plotselinge gebrek aan daglicht liet wennen.

In het halfduister leek de gevangenisdirecteur, wiens koppelriem over de houten leuningen van de stoel hing, net een iets afgeslankte versie van Jabba the Hutt. Hij had nagenoeg geen nek, alleen een onnatuurlijk klein hoofd, dat uitliep in kwabbige schouders. Hij glimlachte naar Darcy, en ze voelde dat haar maag zich omdraaide. Haar laatste jaar in de penitentiaire inrichting voor vrouwen van Canyon hadden de gevangenisdirecteur en zij heel wat zondagen samen doorgebracht. Hun afspraakjes begonnen altijd in Pioniersstad; daarna reden ze naar Pueblo, en dan aten ze in De Rode Kreeft. Op de terugweg reed de gevangenisdirecteur de snelweg af en dan moest Darcy hem op de achterbank van zijn grote crèmekleurige Lincoln pijpen.

Darcy had heel wat misdrijven op haar geweten, maar ze had nooit de hoer gespeeld. Als het alleen aan haar had gelegen, had ze liever haar tijd in de isoleer uitgezeten dan dat ze ook maar vijf minuten tussen de worstachtige benen van de gevangenisdirecteur doorbracht, maar het lag niet alleen aan haar. Haar zusje Angie moest een lange straf in Canyon uitzitten voor een zwaar drugsmisdrijf, en Darcy en de gevangenisdirecteur hadden een afspraak die voor hen allebei gunstig was.

Toen Darcy een halfjaar daarvoor was vrijgekomen, dacht ze dat haar aandeel in die afspraak voorbij was, maar de gevangenisdirecteur was het daar duidelijk niet mee eens geweest. Toen hij haar thuis belde, zei ze om te beginnen op alles wat hij vroeg *nee*. Toen begon hij over Angie, dat ze erover dachten haar over te plaatsen, dat het in die andere gevangenis heel vervelend zou worden voor een broodmagere blanke junk als zij.

Darcy had uitdrukkingsloos voor zich uit staan kijken, daar in het bijna lege eenkamerappartement dat ze had weten te huren van het magere salarisje dat ze verdiende met wc's schoonmaken in een restaurant voor vrachtwagenchauffeurs ten zuiden van Castle Rock. Ze wilde niets liever dan op het rechte pad blijven. Ze wilde niet meer naar Canyon, of naar wat voor inrichting ook, en wat de gevangenisdirecteur haar vroeg, beviel haar niets. Maar plotseling zag ze haar zusje duidelijk voor zich, zoals ze zich naast haar gevoeld had toen ze klein waren en samen in één bed sliepen. Daar lag ze, in een Strawberry Shortcake-nachtjapon, met haar mond open tegen het kussen, en één plukje haar die op haar adem op- en neerging.

De gevangenisdirecteur gebaarde dat ze in de stoel tegenover de zijne moest gaan zitten, en dat deed Darcy. Van buiten de saloon klonk het geluid van pistoolschoten. Mensen schreeuwden. Een paar kwamen naar binnen en gingen in elkaar gedoken achter de klapdeurtjes staan. Dit keer zou er in elk geval geen 'intimiteit' zijn, zoals de gevangenisdirecteur het noemde. Strikt zakelijk, had hij gezegd. Ze had zich voorgenomen dat ze zou weglopen als dat niet zo was.

'Wat is er gebeurd?' vroeg hij, en hij klonk als een teleurgestelde vader.

'Wat er gebeurd is, is dat de vrouw des huizes wakker werd en ik bijna neergeschoten ben.'

De gevangenisdirecteur nam een slokje uit een hoog glas limonade. Omdat Rawhide Bob voor gezinnen bedoeld was, werd er in de saloon geen sterkedrank geschonken. 'Dat is pech,' merkte hij op. 'Wanneer was je van plan terug te gaan?'

'Hoe gaat het met mijn zusje?' vroeg Darcy.

'Goed, heel goed.' De gevangenisdirecteur knipoogde en vouwde zijn kleine handen over zijn borst. 'Ze heeft zelfs al een paar bewonderaars. Ik heb gemerkt dat Odetta een oogje op haar heeft. Er gaan geruchten over een adoptie.'

Darcy kreunde. Odetta was niet bepaald iemand door wie je opgemerkt wilde worden. Ze had levenslang, en haar opvatting van het moederschap stond zo ver af van verhaaltjes voor het slapengaan en een bekertje warme melk als maar denkbaar was. Toen Darcy net in Canyon zat, had ze een terloopse belangstelling voor haar gehad, en Darcy had ruim twee maanden alle deuren en donkere hoekjes gemeden.

'Over een paar dagen ga ik terug,' zei Darcy.

'Mooi.' De gevangenisdirecteur glunderde. 'Zal ik iets te drinken voor je halen? Limonade? Chocolademelk?'

Darcy schudde haar hoofd. 'Het gaat toch nog steeds om hetzelfde, hè? TB-onderzoeken bij Pioneer? Even voor de zekerheid, want er ligt daar ontzettend veel papierrommel die ik moet doorspitten, en ik ga niet nog een keer.'

De gevangenisdirecteur knikte zwijgend en haalde zijn kleine handjes uit elkaar. Ze waren bleek, glad en damesachtig, met volmaakt halvemaanvormige nagels, in een doffe glans gepolijst. 'Ik heb iets voor je.' Hij boog iets voorover en haalde een papieren tas tevoorschijn, een witte met rode strepen. 'Snoep,' zei hij, 'van de wildwestwinkel.'

'Nee, dank je.' Darcy maakte aanstalten om op te staan.

'Neem nou,' drong de gevangenisdirecteur aan, terwijl hij zich naar voren boog en met zijn vrije hand haar elleboog beetpakte. Hij had een stevige greep. Darcy wist nog hoe ze, de eerste keer dat ze dat gevoeld had, geschrokken was van zijn kracht.

Darcy pakte de tas aan.

De gevangenisdirecteur trok haar dicht naar zich toe. 'Als ze weer wakker wordt,' fluisterde hij in Darcy's oor, 'maak jij daar korte metten mee.'

Darcy maakte de tas niet meteen open. Ze wilde wel geloven dat het snoepgoed was, ook al wist ze met haar hele wezen dat het dat niet was. Ze moest nog bijna een uur wachten voor het bezoekuur van Canyon begon, dus reed ze de stad door en naar het ravijn. Ze kocht een paar hotdogs en een cola in het café in het bezoekerscentrum en at ze in haar Dart op.

Al voordat Darcy zelf tijdelijk in Ophir was gaan wonen, had ze het een vreemd stadje gevonden. Ophir moest het van twee dingen hebben: het ravijn en de gevangenissen. Ondanks deze publieks trekkers wist het stadje nauwelijks het hoofd boven water te houden.

Het ravijn van Ophir was mooi om te zien; de granieten wanden waren hoog en steil genoeg om je duizelig te maken. Van de ene rand naar de andere liep een kabelwagen; de wagons dansten als kerstboomlichtjes in de wind op en neer. Rawhide Bob had een treintje dat naar een uitzichtspunt reed vanwaar de mensen omlaag konden kijken naar de rivier die door de smalle kloof onder hen kolkte. Er was een cadeauwinkel en er waren wandelpaden en een hangende brug. Maar vergeleken met zoiets als de Grand Canyon of de Niagara-watervallen was het ravijn een natuurfenomeen van de B-categorie.

De gevangenissen daarentegen waren van wereldklasse; ze waren op zijn minst indrukwekkend door hun alomtegenwoordigheid. De stad Ophir en de omgeving boden onderdak aan een stuk of tien verschillende penitentiaire inrichtingen. Alleen al in het oostcomplex waren zeven verschillende inrichtingen ondergebracht, waaronder de penitentiaire inrichting van de Staat, de State Pen, Darcy's oude verblijfplaats, en Pioneer, een kleine inrichting die begin jaren tachtig was gebouwd als tijdelijk onderkomen voor de zwaarst bewaakte gevangenen terwijl de nieuwe State Pen in aanbouw was.

Darcy at haar tweede hotdog op en leunde achterover in haar stoel. Voor het bezoekerscentrum was een touringcar gaan staan en een stroom bejaarden kwam achter elkaar naar buiten. Ze stonden op de parkeerplaats verbaasd met hun ogen te knipperen en zetten hun petjes en zonnekleppen recht. Darcy nam een slok van haar cola, pakte de tas die de gevangenisdirecteur haar gegeven had van de andere stoel en zette die op haar schoot.

Ze moest door een laag snoepjes heen graven voor ze bij het cadeau van de gevangenisdirecteur belandde. Onder de half doorschijnende papiertjes was elk snoepje versierd met een ander icoon van het Wilde Westen: een indianenhoofd, een buffel, een cowboyhoed. Ze voelde tussen de bundeltjes en kwam toen met haar vingers tegen iets hards; eindelijk kwam haar hand weer boven met de zwartgeruite geweerlade van een pistool ter grootte van haar handpalm. Darcy keek instinctief op en zocht met haar ogen de parkeerplaats af. Ze observeerde de groep oudjes, een zwaarlijvig gezin van vier personen, een paar medewerkers van het Ophir-ravijn, allemaal irritant uitdrukkingsloos en zo onschuldig als wat.

Ze legde het wapen op haar schoot en kneep haar ogen half dicht om de woorden te lezen die in de roestvrijstalen afwerking stonden: COLT PONY, stond er. Ze voelde met haar duim aan de onderkant van de geweerlade, wipte toen het magazijn open en telde de zes kogels.

Dit hele zaakje stonk en ging nog erger stinken. Darcy voelde zich plotseling misselijk worden, en dat kwam niet van de hotdogs. Ze overwoog even om uit de auto te stappen, een paar meter langs het ravijn te lopen en het pistool in de rivier te gooien. Ze overwoog de gevangenisdirecteur te zeggen dat hij het lazarus kon krijgen.

Het alarm van Darcy's digitale horloge piepte twee keer, ten teken dat het bezoekuur van Canyon begon. Ze stopte het pistool weer terug in de papieren tas, schoof de tas onder de voorbank en reed in oostelijke richting de parkeerplaats af, naar het complex toe.

De penitentiaire inrichting Pioneer was een lelijk, hoekig, vrijwel raamloos gebouw, dat diep in het oostcomplex was weggeborgen. Achter de hekken van prikkeldraad van het terrein noemde niemand de gevangenis Pioneer. Zowel de gevangenen als het personeel noemden de zielloze betonnen kolos gewoonweg *de Doos*.

Darcy had nooit het genoegen mogen smaken de binnenkant van het gebouw te zien. Ze had alleen een glimp van de buitenkant opgevangen – een hoek van het dak dat je vanaf de binnenplaats van Canyon kon zien, een lange blinde muur die ze door het raampje van de Lincoln van de gevangenisdirecteur had gezien -, maar die vluchtige indrukken waren genoeg geweest om haar kippenvel te bezorgen.

Terwijl ze door het oostcomplex in de richting van de parkeerplaats voor bezoekers van Canyon reed, reikhalsde Darcy om de Doos beter te kunnen zien. Om een reden die Darcy niet kende en ook niet wilde kennen, had de gevangenisdirecteur grote belangstelling voor TB-tests die bijna twee decennia geleden binnen de muren van Pioneer waren gedaan. TB, dacht ze: tuberculose. Ze had een vage herinnering aan een verpleegster op de lagere school, de prik van een naald in haar onderarm, bezorgd het plekje controleren en opnieuw controleren. Natuurlijk was zij niet ziek geweest.

Niemand leek het ooit gekregen te hebben. Was tuberculose niet een van die ziekten die alleen in geïsoleerde delen van de derde wereld voorkwamen?

Tussen twee gebouwen doemde een ruimte op, en Darcy zag de voorkant van de Doos: een korte gang, dubbele veiligheidsdeuren, bruin gras en een hek dat onder stroom stond. Ze kon de hand van de gevangenisdirecteur op haar arm voelen, zijn stem in haar oor. 'Maak korte metten met haar,' had hij gezegd.

Ze remde af, reed de parkeerplaats van Canyon op en parkeerde de Dart. Over een paar minuten zou ze binnen zijn, door de fouillering en samen met de andere familieleden de bezoekruimte in. Dan zouden de deuren openklikken en zou Angie op haar af gewandeld komen.

5

Lucy pakte de gin en de Seconal-pillen van haar nachtkastje en spoelde alles door de wc. Toen zette ze de douche in de badkamer van de grote slaapkamer aan en liet hem lopen tot hij warm was. Misschien was het door Kevins bezoekje gekomen, of door het plotseling verstoorde evenwicht in haar leven, maar om de een of andere reden moest ze aan de baby denken. Hij zou nu natuurlijk geen baby meer geweest zijn. Lucy ging in de dampende sproeiregen staan, liet het water op haar rug prikken en telde terug. Vijf jaar, dacht ze. Omdat ze geen kinderen had, kon ze zich maar moeilijk voorstellen wat dat inhield. Zou een jongen van vijf zich 's ochtends zelf aankleden? Zou hij zijn veters strikken? Zouden zijn vingertjes moeite hebben met de rits van een winterjas? Hij zou op de kleuterschool zitten, zoveel was zeker.

Op een dag zou hij haar in de steek laten, het podium betreden waarover ze haar ouders had horen praten, het deel van zijn leven waarin volwassenen alleen maar lastig zijn. Maar dan nog, dacht ze, wat zou het moederschap een verlichting betekenen, een vorm waar ze zich omheen kon wikkelen, een afleiding van de pretentie van haar leven.

Toen Lucy onder de douche uit kwam, ging de telefoon, hard en dwingend. Voor het eerst sinds de begrafenis besloot ze hem op te nemen. Ze deed snel haar badjas aan, liep de slaapkamer in en nam de hoorn op.

'Lucy? Jezus, Luce, ik begon me al zorgen te maken. Is alles goed met je?' Het was Chick. Lucy hoorde aan de vage echo dat hij van zijn werk belde.

'Niet echt.'

'Ik kom naar je toe,' zei haar broer, en hij hing op.

Lucy legde de hoorn weer op de haak. Het nachtkastje aan Carls kant van het bed lag bezaaid met dingen die hij daar had neergelegd: een berg kleingeld, voornamelijk penny's; een heel klein zilveren zakmesje; een paar papiertjes met aantekeningen erop. En tekeningetjes: een grof, haastig getekend plaatje van een huis te midden van dennenbomen, een ruimteschip met wolken rook eromheen. Dat had Carl gewild, om ertussenuit te kunnen. Een huis in het bos, een reisje naar de maan. Ze haalde zich hem voor de geest zoals ze hem zo vaak gezien had, met de telefoon tussen hals en schouder geklemd, terwijl zijn potlood lukraak een of ander tekeningetje krabbelde.

Ze was niet meteen verliefd geweest op Carl. Toen Kevin was vertrokken om te gaan studeren, had ze een baantje gekregen bij het pluimveebedrijf in Fort Lupton, waar haar vader mecanicien was. Ze werkte dat hele najaar en de hele winter in de nachtdienst en reed in het donker over de gladde snelweg heen en terug. In die paar maanden was ze haar leven als iets koppigs en onverzoenbaars gaan beschouwen; elke dag verdween net zo koud en onverschillig als de vorige, daar viel niets aan te veranderen, en ze had zichzelf gehard voor de toekomst zoals zij die zag, voor de monotonie van veren en bloed, het snelle en efficiënte slachten.

Rond Thanksgiving belde Carl voor het eerst. Hij was voor deze korte vakantie terug uit Boulder, en hij was rusteloos en verveelde zich bij zijn ouders. Hij zat op de Columbia-universiteit, woonde in een studentenhuis, en Lucy kon zich het leven zoals hij dat beschreef, nauwelijks voorstellen. Op hun eerste afspraakje nam hij haar mee naar Boulder, waar ze in een restaurant in het centrum aten, en daarna liepen ze langs de winkels aan Pearl Street. Tegen de kerst bracht Lucy de weekends bij hem in zijn smalle tweepersoonsbed aan de CU door.

Nee, ze was niet meteen verliefd geweest op Carl, maar ze had in hem een manier gevonden om te vluchten, en ze had zich met alle heftigheid en toewijding van een vluchteling aan hem vastgeklampt. En van het begin af aan had ze geweten dat Carl van haar hield. Ze had een ongelooflijke ernst bij hem gevoeld, een verlangen om zelfs de eenvoudigste dingen goed te doen. Die zorgvuldigheid had haar nog het meest aan Carl getroffen, een weloverwogenheid die zelfs zijn liefde gewicht verleende.

Ze ging op Carls kant van het onopgemaakte bed liggen. De dag nadat hij was vertrokken had ze de lakens verschoond, en nu had ze daar spijt van. Ze legde haar handen kruislings over haar borst, deed haar ogen wijdopen en staarde omhoog naar het plafond. Ze voelde hoofdpijn opkomen, en de doffe trek die veroorzaakt werd doordat de alcohol langzaam uit haar lichaam verdween.

De telefoon ging weer, en Lucy nam hem op; ze verwachtte Chicks stem weer, maar nu was er een vrouw aan de andere kant van de lijn. 'U spreekt met Maria, van het Hilton in Seattle. Is meneer Greene er?'

Lucy drukte de hoorn tegen haar oor. 'Nee,' stamelde ze.

Aan de andere kant viel een ongemakkelijke stilte, en toen zei de vrouw: 'Spreek ik met mevrouw Greene?'

'Ja.'

'Neemt u mij niet kwalijk, mevrouw. Uw man heeft vorige week bij ons gelogeerd, en hij is vertrokken zonder uit te checken. Waar kan ik de rekening naartoe sturen? En ik heb ook nog wat persoonlijke spullen.'

'Persoonlijke spullen?'

'Ja, mevrouw. Een tas en nog wat andere spulletjes, geloof ik.'

'O.' Lucy wist niet goed wat ze moest zeggen.

'Hij heeft een adres in Pryor, Colorado, achtergelaten. Dat wil ik voor de zekerheid nog even checken. Zullen we de spullen daar dan maar naartoe sturen?'

Lucy dacht even na. Ze hoorde het bloed tegen haar slapen kloppen.

'Mevrouw Greene? Is alles goed met u?'

'Ja, prima, hoor. Stuurt u ze daar maar naartoe.'

Het was maar een kort ritje van de centrale naar Lucy's huis, en de weg sloeg in volmaakt rechte hoeken door de lappendeken van gewassen. Aan het eind van de zomer, als de hoge maïs het onmogelijk maakte dat je iets zag onder het rijden en je bij elke stoffige kruising vaart moest minderen, duurde de rit iets langer dan gebruikelijk. Vandaag had Chick zijn voet aarzelend op het gaspedaal van de Fairlane, terwijl hij van de centrale naar Magpie Road reed.

Lucy zat op de veranda op hem te wachten; ze zat op de trap met haar knieën opgetrokken tegen haar borst en haar armen om haar scheenbenen geslagen. Vanaf de weg, met het gazon tussen hen in en het huis dat achter haar opdoemde, zag ze er kleintjes uit, bijna als een kind. Omdat hij dacht dat ze wel even alleen wilde zijn, had hij haar vlak na de begrafenis niet lastiggevallen, maar hij had het blijkbaar verkeerd ingeschat.

Chick had zijn zwager nooit erg gemogen, en nu Carl dood was, voelde hij zich lichtelijk schuldig ten aanzien van zijn zus, alsof zijn gevoelens iets te maken hadden gehad met Carls dood. Niet dat hij een hekel had aan de man van zijn zus, maar het was meer dat hij zich in diens aanwezigheid niet op zijn gemak had gevoeld. Zelfs toen ze jong waren en allemaal samen bij Miller werkten, had hij Carl anders gevonden.

Chick en zijn zus waren uit noodzaak bij Miller gaan rooien. Het grootste deel van wat ze verdienden ging op aan winterkleding en andere benodigdheden, alles waar het loon van zijn vader niet toereikend voor was. Maar Carl Greene hoefde niet op de boerderij te werken. Hij deed dat omdat zijn vader dacht dat hij dan wat om handen had, dat hij van de straat was en er een beter mens door zou worden. Carl gebruikte zijn zomergeld om een auto voor zichzelf te kopen, een aftandse Camaro waarin hij elke dag de vijf korte straten naar school reed.

In het najaar waarin Lucy iets kreeg met Carl, was Chick weg; hij was gestationeerd op een legerbasis in Saudi-Arabië, voor zijn tweede periode van vier jaar in het leger, en hij had zich verbaasd over de keuze van zijn zus. In haar brieven aan hem had ze het niet over liefde, maar over een angstaanjagende berusting. Hij had zich hulpeloos gevoeld, omdat hij altijd één stap achterliep in hun door jetlag vertraagde correspondentie. En toen Lucy en Carl uiteindelijk trouwden, was Chick boos op zichzelf, kwaad dat hij er in het begin niet was geweest.

Het had het nieuwe huis afgrijselijk gevonden: het lelijke tuinmeubilair, de dure bierglazen, de kleden waar je niet op kon lopen. Zelfs het atelier dat Carl voor Lucy had laten bouwen was afstotelijk; de kleinerende manier waarop hij over haar schilderen sprak, dat het zo'n leuke hobby was. Chick en zijn zus waren altijd arm geweest. Chick was dat niet vergeten, en hij begreep dat Lucy zo'n leven niet meer wilde. Maar Carl was rijk op een manier die Chick ernaar deed verlangen arm te blijven, die maakte dat hij trots was op hun armoedige jeugd.

Chick parkeerde zijn auto achter de crèmekleurige Mercedes van zijn zus en stapte uit, waarbij hij het open portier met één hand bleef vasthouden. 'Kom,' zei hij over het dak van de Ford heen, 'dan gaan we lunchen.'

Lucy stond langzaam op en stak het gazon over. Ze had een kaki korte broek aan, een oranje T-shirt met aangeknipte mouwtjes die vlak boven de ronding van haar biceps ophielden, en oude tennisschoenen. De huid rond haar ogen was donker, bijna als bij een blauw oog, en haar gezicht stond mat en afgepeigerd.

Chick ging achter het stuur zitten en reed achteruit de oprit af. 'Ik ben aan het werk,' zei hij terwijl hij de weg op draaide, 'maar misschien kunnen we even in de centrale lunchen.'

Lucy knikte. 'Bedankt dat je me bent komen halen.'

'Heb je wel geslapen?' probeerde Chick, terwijl hij naar het vermoeide profiel van zijn zus keek. Ze had haar raampje helemaal omlaag gedraaid, en haar haar wapperde in haar gezicht.

'Ik geloof van wel,' zei Lucy. Ze dacht aan de kalmeringspillen, de warme zwarte muil van de droomloze vergetelheid. Ze verzette zich tegen dat deel van haar dat weer onder de dekens wilde kruipen en wilde slapen. 'Er heeft vannacht iemand ingebroken.'

Chick keek naar haar. 'Wat bedoel je?'

Lucy haalde haar schouders op. 'Precies wat ik zeg: er heeft iemand ingebroken. Ik heb ze verjaagd met mijn Glock.'

'Godver, Lucy, waarom heb je me niet gebeld?'

'Het was hoogstwaarschijnlijk gewoon een jongen,' zei Lucy, met hetzelfde excuus dat ze zichzelf de vorige nacht had proberen

te verkopen. 'Een of andere junk. Ik denk niet dat ze terugkomen.'
'Jij blijft vannacht bij mij,' zei Chick.

Lucy schudde haar hoofd; ze had spijt dat ze het hem verteld had. Ze wilde zijn bezorgdheid niet; het idee alleen al dat ze de stad in zou moeten stond haar tegen. Wat ze op dit moment nodig had was rust, het huis voor haar alleen. 'We hebben het er nog wel over, oké?'

Toen ze bij de oude kerncentrale kwamen, stapte Chick uit en maakte het hek open; ze parkeerden de auto en liepen naar binnen. Chicks kantoor was gevestigd in de oude onderhoudskamer van de centrale. Hij had een televisie, een pc, een bank en een aanzienlijke bibliotheek in de benauwde ruimte gepropt. In één hoek van de kamer bevond zich een provisorisch keukentje: elektrische kookplaat, minikoelkast, tafel en stoelen. Fort Ward was maar kort in bedrijf geweest en was toen vanwege diverse onoverkomelijke problemen gesloten; de centrale was al een tijd geleden in de mottenballen gedaan. Chick was de enige vaste werknemer, en zijn werk bestond uit niet veel meer dan kijken hoe het stof zich er verzamelde.

Chick deed de koelkast open en begon erin te rommelen. Op de bovenste plank stonden een stuk of zes medicijnflesjes, en op de tafel stonden er nog zes netjes naast elkaar. Daarnaast lag een slordige stapel documenten, sommige losjes ingebonden, andere aan elkaar geniet: Chicks meest recente vondsten over de Golfoorlog-ziekte. Lucy keek het bovenste document door, een rapport met de titel 'Russische poppencocktails en de Golfoorlog-ziekte'.

Het grootste deel van de informatie die Chick verzamelde, was afkomstig van internet of van andere veteranen. Lucy vond het vooral verkeerde informatie, paranoia, of gissingen, gecamoufleerd door medisch of wetenschappelijk klinkend jargon. Maar Chick doorzocht alles wat hij vond op mogelijke antwoorden. Geleuter, noemde Carl het altijd, en Lucy werd er wel eens kwaad om hoe haar broer zich aan elke nieuwe theorie vastklampte.

Chick was ziekelijk geweest voor hij werd uitgezonden, maar pas toen hij weer thuis was, ging het met zijn gezondheid echt bergafwaarts. Hij was bij het leger gegaan met de bedoeling daarna te gaan studeren, en toen zijn vier dienstjaren voorbij waren, schreef hij zich in aan de CU. Carl en Lucy waren toen al getrouwd, hadden een huurhuis in Boulder, terwijl Carl afstudeerde, en Chick woonde gedurende zijn eerste jaar bij hen.

In dat najaar waren er tekenen dat er iets goed mis was: hoofdpijnen die dagen duurden, slapeloosheid. Chick kwam dan somber en moe van college, met blauwe kringen onder zijn ogen. Tegen Kerstmis moest hij elke ochtend overgeven, klaagde hij over gevoelloosheid in zijn benen en over voortdurende pijn. Hij werkte zich met moeite door het tweede semester en haakte toen toch af. Die zomer, toen hun vader zijn eerste beroerte kreeg, verhuisde Chick maar al te graag terug naar het oude huis in Pryor om voor hem te zorgen.

Chick wankelde door een paar jaar van werkloosheid heen. Toen hun vader was overleden, bleef hij in het oude huis in Pryor wonen. Hij maaide het gazon voor oude dametjes uit de stad en deed seizoenwerk in de conservenfabriek. De baan bij Fort Ward kwam als een geschenk uit de hemel. Het betaalde goed en Chick was bezig, zonder dat het al te veel van hem vergde. En zo had hij alle tijd om internet af te struinen voor andere veteranen als hijzelf; soldaten die in de windrichting van het wapendepot van Khamisaya hadden gezeten of die in de woestijn van Saudi-Arabië scuds hadden geprobeerd te ontwijken, of die gewoon onverklaarbaar ziek waren.

Het ergste aan de ziekte van haar broer vond Lucy niet de lichamelijke klachten, maar dat hij zo boos was geworden. Chick was altijd een boos jochie geweest. Hij was een jaar ouder dan Lucy. Toen hun moeder was weggegaan had hij zich dat persoonlijk aangetrokken, en Lucy wist dat hij zich een groot deel van zijn jeugd bedrogen had gevoeld. Maar sinds hij terug was uit de Golf was het allemaal erger geworden. Hij was boos op het leger dat ze hem erheen gestuurd hadden, boos op het veteranenbestuur omdat ze hadden gezegd dat er helemaal niet zoiets als een Golfoorlog-ziekte bestond, en boos op iedereen van wie hij vond dat die een beter leven had.

Voor een deel begreep Lucy de woede van haar broer wel; dat was het deel dat wist dat hij te slim was voor Pryor, te goed voor de baan bij Fort Ward. Maar er was nog een ander, killer deel van haar dat wist dat je niet te veel van het leven moest verwachten. Dat deel wilde zeggen: zet het van je af.

'Werken die nieuwe medicijnen?' vroeg ze.

Chick haalde zijn schouders op en gaf zijn standaardantwoord: 'In sommige opzichten wel, in andere niet. Ik val niet meer zo vaak.' Hij stond op en draaide zich naar haar toe. 'Dat zou je eens moeten lezen,' zei hij, terwijl hij naar de stapel papieren onder Lucy's hand gebaarde. 'Dat is het interessantste wat ik sinds lange tijd gevonden heb.'

Chick zette een paar gesmeerde boterhammen en een zak chips op de tafel. 'Het komt erop neer dat ze de ene biologische bom in een andere stoppen, laten we zeggen een kleine hoeveelheid van het Marburg-virus in een anthraxwapen. Zoals die Russische poppen, weet je wel, die je openmaakt en waar dan telkens een kleiner popje in zit. Het is een soort camouflagesysteem. Daardoor is het honderd keer moeilijker uit te zoeken waar je mee te maken hebt.'

Lucy keek naar de boterham en probeerde zich te herinneren wanneer ze voor het laatst gegeten had.

'Het is rosbief,' zei Chick. 'Wil je een ginger-ale?'

'Ja, lekker.'

Chick hengelde in de koelkast en haalde twee beslagen bruine flesjes tevoorschijn.

'Kevin Burns is vanochtend bij me langs geweest,' zei Lucy, terwijl ze haar tanden in de boterham zette. Hij was lekker. Ze had het gevoel dat ze niet snel genoeg kon eten.

'Werkt hij nog steeds voor die nieuwszender in het oosten?' Chick zette de flesjes neer en kwam bij Lucy aan tafel zitten. 'cnn was het toch?'

Lucy schudde haar hoofd. 'Dat was vroeger. En het was mnsbc, niet cnn. Hij is ongeveer een maand geleden ontslagen. Hij heeft een of ander verhaal vervalst, over illegale immigranten, geloof ik. Het was daar een tijdje in het nieuws.'

'Wat een oplichterij, hè?' zei Chick, waarmee hij, wist Lucy, de media in het algemeen bedoelde – weer zo'n doelwit voor zijn toorn.

'Hij zei dat Carl hem gebeld had; ze zouden elkaar zaterdag bij de wedstrijd van de Rockies zien.'

'Ik wist niet dat die nog contact hadden.'

'Dat hadden ze ook niet.' Lucy maakte de zak chips met haar tanden open. 'Hij zei dat Carl hem vorige week gebeld had en ergens met hem over wilde praten – een verhaal, zei hij.'

'En moest hij daarvoor helemaal naar een honkbalwedstrijd komen? Konden ze het niet over de telefoon af?'

Lucy schudde haar hoofd. 'Ik weet het niet. Er is iets mee. Kevin zei dat Carl van streek leek.'

Chick keek haar snel van opzij aan. 'Was dat zo?'

'Niet dat ik weet.' Ze wachtte even. 'En dan die inbraak van vannacht.'

'Wat wil je daarmee zeggen? Ik dacht dat je zei dat het gewoon een jongen was.'

Lucy schokschouderde. 'Ik weet het niet. Je komt bij ons door de voordeur binnen en dan staan er voor je neus minstens een stuk of tien dingen die je zo kunt verpatsen. Maar die inbreker is meteen naar Carls werkkamer gegaan, naar zijn dossiers, zonder iets anders aan te raken. Dat is toch vreemd?'

Chick legde zijn boterham neer. 'Weet jij wat er in die dossiers zit?'

'Onderzoek, neem ik aan. Spullen van zijn werk en financiële papieren, dingen over het huis. Ik betaalde elke maand de rekeningen, maar alle investeringen, alle belangrijke financiële dingen, daar zorgde Carl altijd voor.'

'Was er de laatste tijd iets vreemds aan de hand? Geldproblemen? Problemen op zijn werk?'

'Als dat al zo was, dan wist ik er niets van.'

Chick dacht even na. 'Dit bevalt me niet,' zei hij eindelijk. 'Ik wil dat je een tijdje bij mij in de stad blijft.'

Lucy schudde haar hoofd. 'Nee, ik red me wel.'

'Doe het voor mij, oké?'

Lucy gaf geen antwoord. Ze nam nog een hap en kauwde. Ze at haar boterham in stilte verder op. Toen ze klaar was, keek ze haar broer over tafel heen aan. 'Chick?' vroeg ze.

'Ja?'

'Wat nou als het geen ongeluk was?'

Chick legde zijn arm over de tafel tot zijn vingers de hare raakten. 'Wat er met Carl gebeurd is, was verschrikkelijk,' zei hij, 'maar je krijgt hem er niet mee terug.'

Het was al laat in de middag toen Lucy Magpie Road in liep en aan de laatste halve kilometer naar het huis begon. De lucht was vochtig, zwaar van de belofte van een onweersbui in de avond. De bergen stonden als kartelige silhouetten in de verte, zwart en peinzend. Boven de rafelige punten van de maïs zag Lucy de bovenkant van de eerste paar huizen van haar wijk. Na de lunch met Chick had ze besloten dat ze de bijna zes kilometer naar huis wilde lopen. De ritmische beweging deed haar goed, de eenvoudige werking van haar spieren, haar voeten die tegen de stenen van de weg kwamen. Haar hoofd begon weer helder te worden, en voor de tweede keer die dag betrapte ze zichzelf erop dat ze aan Eric dacht.

Toen hij werd geboren had Lucy meteen geweten dat er iets mis was – nog voor ze de gezichten van de verpleegsters zag, en de snelle en nette manier waarop ze hem inpakten en met hem de kamer uit renden. Ze had het gemerkt aan de manier waarop hij uit haar lichaam gleed: passief, levenloos, alsof hij niet wilde meedoen aan wat hem te wachten stond.

Twee uur later overleed hij, en pas toen, pas toen Lucy was gaan tieren dat ze hem wilde zien, hadden ze hem teruggebracht, met de plooien van zijn gezichtje nog onder de korsten van het slijm en de nageboorte. Toen ze hem ingepakt in een dekentje had gezien, had ze aanvankelijk niet begrepen wat er in 's hemelsnaam verkeerd kon zijn gegaan. Hij zag er volmaakt en compleet uit, met zijn kleine vingertjes tot boze vuistjes opgekruld, met zijn gezichtje als een gerimpelde vrucht. Maar toen ze hem van de verpleegster aanpakte, voelde ze de zak sponzig weefsel op zijn achterhoofd, de gezwollen huid waar zijn schedel niet aan elkaar was gegroeid.

De avond voordat Carl naar Seattle zou vertrekken was hij laat naar bed gekomen. Lucy sliep al, maar ze werd wakker van zijn aanwezigheid in het donker. Hij sloeg het laken open en gleed naast haar in bed, met de volle lengte van zijn lichaam tegen haar rug gekruld. Hij legde zijn knie tussen haar benen, zijn hand op de holte van de spier aan de binnenkant van haar dij, en ze gleed door zijn greep heen en draaide haar gezicht om om hem te kussen.

'Liefste,' zei hij voorzichtig, 'misschien moeten we het nog een keer proberen. Het is tijd dat we doorgaan met ons leven.'

Heel even was ze niet bang geweest. Ze had zichzelf laten geloven dat Carl gelijk had: misschien was het wel tijd om door te gaan. Ja, wilde ze zeggen, en toen had de oude angst haar weer in zijn greep gekregen, de angst die zich al zo lang tussen hen in staande hield. Haar lichaam was verstijfd geraakt en ze had zich voor de laatste keer van hem af gewend.

De wind stak op en in de droge modder onder Lucy's voeten explodeerden de eerste regendruppels, waarbij ze stof en rivierdonderpadjes deden opstuiven. Ze versnelde haar pas en rende nu. Dit zou ze haar hele leven met zich meedragen, dacht ze, dit laatste gebaar, deze eenvoudige beweging van weigering die zich steeds weer voor haar geestesoog afspeelde.

Ze bewoog haar armen op en neer en rende nu sneller, waarbij haar longen hard moesten werken en haar hart bonkte. De zijkant van haar huis kwam in beeld, het groene stuk dat de voortuin was. Er stond een auto op de oprit; achter haar Mercedes stond een onbekende zilveren sedan geparkeerd, die vanbinnen leeg en donker was. Lucy bleef meteen staan, zette haar handen op haar dijen en probeerde weer op adem te komen. Ze wist zeker dat ze het huis had afgesloten toen ze wegging. Maar nu was er iemand binnen. De ramen van Carls werkkamer waren fel verlicht, als de holle ogen van een pompoen met Halloween.

6

Kevin had zich laten verleiden door een met de hand geschilderd bordje dat voor negenendertig dollar per nacht een keukentje en kabeltelevisie beloofde, en hij was ten zuiden van Brighton van de weg af gereden en had ingecheckt bij het Mountain Aire Motel. In elk geval zat hij ergens ten zuiden van Brighton, dacht hij. Door de uitgebreide voorsteden van Denver was het onmogelijk te zeggen waar de ene stad eindigde en de andere begon. Het was of de plekken die hij uit zijn jeugd kende in hun geheel waren opgeslokt en of hun grenzen door goedkope huizen en cederhouten hekken waren overschreden. Kevins geheugen was niet meer zo precies, en hij was al lang geleden ermee opgehouden te proberen zich erdoor te laten leiden.

Zijn kamer was netjes en schoon, op een armoedige, sleetse manier. Er stond een tweepersoonsbed, een televisie en er was een keukentje, met de nadruk op 'tje'. Kevin zette zijn tas en zijn laptop binnen en liep naar de even verderop gelegen King Soopers om boodschappen te doen.

De supermarkt was bijna tot een pooltemperatuur gekoeld, en Kevin rilde in zijn korte mouwen en dunne broek. Hij was vergeten dat er in het westen overal airconditioning was, dat je zo min mogelijk tijd buiten doorbracht. De winters waren te koud en de zomers te warm. Waar mogelijk haastten de mensen zich van de ene hermetisch afgesloten omgeving naar de andere.

In New York was dat heel anders; daar lag elke vierkante centimeter gras in de zomer vol halfnaakte lichamen. Zelfs in de dampige maand augustus aten de New Yorkers buiten. Ze zaten uren in geleende auto's om op een strand of een kampeerterrein in de Catskills te komen.

Hier waren de mensen niet ver genoeg van de plaggenhutten van hun voorouders verwijderd om van het buitenleven te genieten. Ze hadden te lang moeten vechten om het land te verdedigen om airconditioning en verwarmde zwembaden als iets anders te beschouwen dan als een geboorterecht. Dat was iets wat Kevin wel kon waarderen. Hij kon zich nog goed de woonkamer van zijn oma in de zomer herinneren, met de gordijnen dicht tegen de zon, terwijl de oude airconditioner in het raam stond te reutelen en te neuriën. Hij herinnerde zich dat hij na het werk bij Miller in dat heiligdom kwam en dat zijn poriën dan dichttrokken, het zweet onder zijn armen afkoelde en dat zijn opa, in т-shirt en versleten Wranglers, in zijn lievelingsstoel de krant zat te lezen.

Ruimte moest hier bedwongen worden, niet geconserveerd. De waarheid van zo'n uitspraak kon je aflezen aan de extra brede gangen van de supermarkt, de rijen diepvriessinaasappelsap en de voorafjes voor in de magnetron, de honderden meters ontbijtgranen en blikken soep, en aan de afstand die mensen hier tussen henzelf en de anderen lieten bestaan, de huizen die als stuurloze schepen, bevrijd van hun trossen, reddeloos op de vlakte stonden. Nu veiligheid zich aandiende in een andere gedaante dan in die van getallen, nu de plunderende indianen en de wilde dieren buiten het kampvuur tot diep in het bos waren teruggedrongen, waren buren, net als de federale overheid, niet meer dan een lastige bijkomstigheid.

Kevin struinde de onbekende gangen af en gooide een pak diepvrieslasagne, een doos Pepperidge Farm-koekjes, een paar donuts en een pak vers gemalen koffie in zijn mandje. Hij betaalde met zijn Visa-card en liep over de parkeerplaats terug naar het Mountain Aire en naar zijn kamer.

Aan de oostkust liep het tegen zondagavond. Kevin nam zich voor de volgende ochtend als eerste zijn huisbewaarder te bellen om hem te laten weten dat hij voorlopig nog niet terug zou komen en hem te vragen zijn post op te halen en zijn planten water te geven. Daarmee waren zijn verantwoordelijkheden aan het thuisfront geregeld.

Kevin zette de televisie aan in een poging de stilte van de lege motelkamer te verdrijven. Hij vond een adapter in zijn tas, plugde zijn mobiele telefoon in het stopcontact en zette de lasagne in de magnetron. Hij haalde het telefoonsnoertje uit zijn jas, verbond dat met zijn laptop, maakte verbinding en typte, omdat hij geen beter begin kon verzinnen, het adres in van de website van de *Denver Post*.

In de on line-archieven vond hij het overlijdensbericht van Carl: niet meer dan een paar beknopte alinea's met een kort overzicht van zijn leven. De paar feiten die in de tekst stonden, waren Kevin voor het grootste deel al bekend: dat Carl was opgegroeid in Pryor, dat hij was afgestudeerd aan de cu en dat hij met Lucy was getrouwd, dat hij onderzoeker was voor een bedrijf dat luisterde naar de naam Bioflux. Kevin wist nog dat Carl die baan zes jaar geleden, toen hij Lucy en Carl voor het laatst gezien had, net had gekregen.

Toen Kevin het overlijdensbericht gelezen had, verliet hij de site van de *Post* en ging naar een zoekmachine. Volgens Lucy was Carl in Seattle geweest voor zijn werk, dus het leek Kevin geen slecht idee om eens te kijken wat de vestiging van zijn bedrijf in Seattle precies deed. Hij tikte het woord BIOFLUX in, het scherm flikkerde en er verscheen een lijst websites: een Franse site over diepzeeonderzoek; een artikel over energietherapie van het holistisch gezondheidscentrum van Massachusetts; iets wat 'het prikbord over buitenaardse wezens' heette, en wat beschreven stond als een humoristische kijk op bezoek van buitenaardse wezens; de mailinglist van de cytometrieafdeling; een Duitse site over muziek die vroeger op school in was. Zoeken naar echte informatie op internet was als zoeken naar reserveonderdelen op een autokerkhof. Kevin ging naar de volgende pagina en liet zijn cursor bij het eerste item stoppen. Bioflux Corporation, stond er: bedrijfsprofiel, onderzoek, ontwikkeling, marketing…

Het signaal van de magnetron ging. Kevin klikte op de link naar Bioflux, stond op en keek hoe het met zijn maaltijd was. Hij rommelde wat in een la, vond een vieze vork, spoelde de tanden onder de lauwe kraan af en ging met de dampende lasagne terug naar de laptop.

De website van Bioflux Corporation was grofweg wat Kevin ervan verwacht had: ongekunsteld en niet bijzonder informatief. Er stond een heleboel medisch jargon op waar Kevin niets van begreep, grotendeels over onderzoek naar het immuunsysteem en naar HIV en aids. Er stonden kleurenfoto's op met de onderzoeksfaciliteiten in Seattle en Denver, allebei neutrale gebouwen in een bedrijvenpark met goed onderhouden groenblijvers. Eronder stond een kleinere foto van de productiefabriek in Denver, een veel groter gebouw, voorzover Kevin zag. Er stond een korte geschiedenis van het bedrijf bij, vanaf de oprichting in 1970, en een lijst van de huidige bestuursleden: een handjevol namen die hem niets zeiden.

Kevin ging weer terug naar de zoekresultaten. Er was nog een aantal vermeldingen inzake Bioflux Corporation: een artikel uit de *New England Journal of Medicine* over een nieuwe behandelmethode voor hooikoorts; het bedrijf stond vermeld op een website voor astmapatiënten; een bespreking van mogelijke HIV-vaccins.

Kevin scrolde door en stopte bij een link naar de on line-database van de staatssecretaris van Colorado. BIOFLUX CORP., zei de beschrijving, JAARVERSLAGEN, STATUTEN. Kevin klikte met zijn muis en keek hoe de webpagina in het scherm liep. Er verscheen een lijst met documenten, in chronologische volgorde, en Kevin koos het oudste. Weer flitste het scherm dat hij voor zich had weg en verscheen er een document: een gescande kopie van het eerste verzoek tot oprichting van Bioflux. Boven aan het scherm stond een datum: 12 SEPTEMBER 1970.

Kevin keek de korrelige tekst vluchtig door. Wederom stond er niets in wat bijster interessant was, alleen stijve zakelijke taal, de officiële werkwijze van het onervaren bedrijf. Het was een standaardformulier, hoogstwaarschijnlijk door de advocaten van Bioflux opgesteld. Waar er specifieke informatie gevraagd was, waren de open ruimten met de hand ingevuld. Pas toen Kevin de derde pagina van het oude formulier aanklikte, viel zijn oog ergens op. Onder de kloeke kop BESTUURSLEDEN stonden een stuk of zes open ruimten. Ooit waren er met de hand vijf namen ingevuld, maar die waren niet meer leesbaar. Iemand had het oorspronkelijke document met een dikke zwarte viltstift bewerkt en de namen zorgvuldig afgedekt, zodat er nu alleen nog maar langwerpige donkere vlekken te zien waren.

Lucy stak het gazon over en liep op de voordeur af. Wat als regen was begonnen, was al snel in hagel omgeslagen. Hij kletterde tegen het dak van het huis en sprong uit het gras omhoog. Ze dook onder de overkapping van de veranda, maakte rustig de deur open en liep de hal in.

De deur naar Carls werkkamer stond open. Vanwaar zij stond kon ze degene die daarbinnen waren niet zien, maar ze kon hun stemmen wel boven het geroffel van de hagel uit horen. Er klonk geritsel van papier, het scherpe geluid van een metalen lade die met een klap dichtgeschoven werd.

'Verdomme!' zei een mannenstem geïrriteerd. 'We kunnen net zo goed alles meenemen.'

Buiten was het broeierig geweest, maar de airconditioningkoelte van het huis en Lucy's natte T-shirt maakten dat ze kippenvel kreeg. Ze dacht even aan haar pistool in de slaapkamer boven en overwoog de deur waardoor ze net binnen was gekomen.

'Wil je de harddisk ook?' vroeg dezelfde stem.

Lucy deed een stap naar voren, toen nog een, tot de verlichte rechthoek van de open deur in haar gezichtsveld gleed. Ze kon de hoek van Carls bureau zien, en een man die ertegenaan stond, zijn hoofd geconcentreerd gebogen, zijn donkere colbert strak over zijn schouders. De huid van zijn nek was wit en onbedekt, met een vaag driehoekje donkere stoppels.

'Jezus!' riep degene die het woord voerde, wie dat ook mocht zijn. Hij bevond zich in de uiterste hoek van de werkkamer, waar Carl zijn dossiers bewaarde, en hij was nog steeds aan Lucy's zicht onttrokken. 'Hij heeft een hele kast vol NBA-spullen.'

'Zorg dat je alles hebt,' zei de man bij het bureau, terwijl hij het dossier van manillapapier waarin hij had staan lezen weglegde. Toen draaide hij zijn hoofd om en keek naar Lucy, nonchalant, aandachtig, alsof hij de hele tijd al had geweten dat ze daar stond. Zijn ogen keken recht in de hare en zijn lip krulde op in de schaduw van een glimlach.

'Mevrouw Greene,' zei hij, alsof hij haar bij een sociale aangelegenheid verwelkomde, alsof dit zijn huis was en zij een ongewenste gast. 'We zijn even langsgekomen om een paar dossiers van uw man op te halen. U weet dat hij heel belangrijk onderzoek voor Bioflux deed. Dat zouden we niet graag verloren zien gaan.'

Er klonk een impliciete dreiging in zijn stem door, een soort zelfverzekerdheid die louter uit macht voortkwam. Hij wenkte de andere man. 'Craig Weldon kent u wel, geloof ik.'

Lucy knikte, sloeg haar armen over haar borst en klemde haar kaken stijf op elkaar om te voorkomen dat ze zou gaan klappertanden. Craig kwam in de deuropening staan en glimlachte als de lafaard van het schoolplein die van zijn ouders net een pitbull heeft gekregen.

'Lucy,' zei hij, op dezelfde toon waarop hij een kind zou aanspreken. 'Het spijt me dat we je moeten lastigvallen.'

Craig was een van de toponderzoekers van Bioflux. Hij was een paar jaar ouder dan Carl, onderdeel van het zachtbuikige golf-en-martinigezelschap van het bedrijf, met een vrouw wier behamaat minstens het dubbele was van haar IQ.

Lucy keek naar de twee mannen. Ze was in de minderheid, en dat wist ze. 'Doe of je thuis bent,' zei ze koeltjes, en ze draaide zich om en liep de trap op naar haar slaapkamer.

Ze hadden er ruim een uur voor nodig om alles ingepakt te krijgen. De hagel hield ongeveer een halfuur nadat hij was begonnen weer op, en door de open deur van haar slaapkamer kon Lucy Craig Weldon horen vloeken en hijgen terwijl hij heen en weer zwoegde van de werkkamer naar de auto. Toen ging de voordeur dicht en reed de sedan krakend het gravel van de oprit af.

Toen Lucy zeker wist dat ze weg waren, ging ze weer naar beneden. Ze hadden bijna alles uit Carls werkkamer meegenomen. Zijn dossierkasten waren leeg, in de laden van zijn bureau lagen alleen nog een paar verdwaalde paperclips. Waar zijn processor had gestaan zag je een vage contour van stof. Alleen het uitdrukkingsloze beeldscherm stond er nog, en het nutteloze toetsenbord.

Lucy ging naar de keuken en vond een pakje sigaretten. De storm was weggetrokken in de richting van de vlakten, en achter het zwembad was de lucht gevlekt met de eerste donkere gloed van de geleidelijk opkomende schemering van de avond. Ze had niet veel details over het werk van haar man geweten. Op bedrijfsfeestjes deed ze mee met de andere vrouwen, de mevrouwen Weldon in hun pastelkleurige bloesjes en bermuda's, hun cocktailjurken die bij lange na niet sexy waren. Ze deed net of ze geïnteresseerd was in de banen waarover zij deden of ze erin geïnteresseerd waren, binnenhuisarchitectuur of makelaardij. Ze merkte dat ze zorgvuldig om het onderwerp 'kinderen' heen laveerden als zij erbij was.

Maar Craig Weldon had één ding gezegd dat Lucy dwarszat, iets over een kast vol NBA-dossiers. Waarop de andere man zei: *Zorg dat je alles hebt*. NBA – neuraalbuisafwijkingen – was een onderwerp waar Lucy wel iets over wist. Een open ruggetje was een NBA, net als een uitstulping van de hersenen, allebei geboorteafwijkingen. Hun zoontje was met die laatste afwijking geboren, en was daaraan overleden. Het verbaasde Lucy dat haar man onderzoek naar NBA had gedaan, dat hij zo veel jaar na dato nog steeds een antwoord wilde. En om de een of andere reden deed het haar pijn dat hij dat geheim had gehouden, dat hij het hier nooit ofte nimmer met haar over had gehad. Het is tijd om door te gaan met ons leven, had Carl gezegd. Lucy had altijd geloofd in zijn vermogen om zich door zijn leven voort te laten stuwen. En toch had hij zich niet helemaal van de dood van Eric losgemaakt.

Maar dat was niet wat Lucy niet beviel. Het zat haar dwars dat ze niet begreep wat het bedrijf voor belang bij deze kwestie had. Lucy wist zeker dat de NBA geen deel hadden uitgemaakt van Carls werk bij Bioflux.

Ze keek de donker wordende tuin door en voelde dat de haartjes in haar nek overeind gingen staan. Er was iemand anders in Carls kantoor geweest, iemand die het zich om de een of andere reden niet kon permitteren zich open en bloot te vertonen. Hoogstwaarschijnlijk was diegene naar hetzelfde op zoek als wat Craig Weldon zo graag wilde vinden.

7

12 september 1970. Kevin krabbelde de datum van de oprichting van Bioflux in zijn opschrijfboekje en zette zijn computer uit. Je hoefde geen genie te zijn om je te realiseren dat mensen niet de moeite nemen om informatie onleesbaar te maken tenzij ze iets geheim willen houden. En voorzover Kevin wist, betekenden geheimen meestal niet veel goeds. Kevin voelde aan zijn water dat Carl Greene iets niet erg vleiends over Bioflux had geweten. En nu was hij dood.

Kevins mobiele telefoon ging, en hij beende naar de andere kant van de kamer en griste hem van de oplader.

'Kevin Burns,' zei hij, terwijl hij de telefoon openklikte.

Het was stil aan de andere kant van de lijn, en toen, na een moment van aarzeling: 'Met Lucy. Waar zit je?'

'In Brighton. Dat geloof ik althans.'

'Ik moet je spreken. Kun je hierheen komen?' Ze klonk duidelijk, nuchter en klaarwakker.

'Ik kan er over een halfuurtje zijn.'

'Oké,' zei ze. En toen, voor ze ophing: 'Breng nog een pakje sigaretten mee, als je wilt.'

Ze zaten weer op de patio, aan de tafel waar ze eerder die ochtend ook al gezeten hadden. De zwembadverlichting was uit en het water was zwart en glasachtig. De bliksem scheurde in kromme vingers boven de vlakten, waarbij de grillige flitsen steeds een glimp lieten zien van wat in de duisternis eromheen verscholen lag: de knoestige takken van een groepje populieren en het geometrische silhouet van een schuur. Het enige licht in de tuin was afkomstig van de keukenramen. Nachtvlinders zwermden op de gloed af en ze fladderden met hun poederachtige vleugels tegen de ruiten.

'Ik dacht dat je niets over Carls werk wist,' zei Kevin, terwijl hij een sigaret pakte uit het geopende pakje dat tussen hen in lag. 'Ik dacht dat je alleen maar de echtgenote was.'

Lucy had Kevin net verteld over de plotselinge belangstelling voor Carls werkkamer, zowel van de nachtelijke bezoeker als van Craig Weldon en de andere man van Bioflux.

'Eén ding weet ik zeker,' zei ze vol overtuiging. 'Wat Carl deed met neuraalbuisafwijkingen was weekendwerk, en strikt persoonlijk. Als zijn werk bij Bioflux ook maar iets met NBA te maken had gehad, zou ik het geweten hebben.'

'Vreemde hobby.'

Lucy verschoof in haar stoel, zodat haar gezicht nu in de schaduw viel. Kevin kon haar ogen zien, glinsterend in de schemering, en de witte sikkel van haar tanden.

'Een jaar of vijf geleden hebben we een kind gekregen, een jongetje. Hij had een neuraalbuisafwijking: uitgestulpte hersenen. Bij de geboorte lag een deel van zijn hersenen buiten zijn hoofdje. Hij heeft maar twee uur geleefd.'

'O god, Lucy, wat erg. Sorry, dat wist ik niet.'

'Dat kon je ook niet weten,' zei ze zakelijk, terwijl ze haar blote arm om haar schouder sloeg.

Kevin stak de sigaret aan en leunde achterover in zijn stoel. Hij had al jaren niet gerookt, en de tabak steeg hem rechtstreeks naar het hoofd, waardoor hij duizelig en onsamenhangend werd. Hij zag dat Lucy opstond.

'Ik ga een trui halen,' zei ze. 'Ik ben zo terug.'

De patiodeur schoof open, en toen weer dicht. Kevin draaide zich om in zijn stoel en keek hoe ze door de helverlichte keuken liep en in de gang verdween.

Plotseling moest hij eraan denken dat ze naast hem had gezeten in de lelijke groene Impala van zijn oma. Ze had een rode spijkerbroek aan – dat wist hij nog steeds – en een roze T-shirt waardoor de naden en beugels van haar katoenen beha te zien waren. Over haar schouder, door het raam van de Chevrolet, kon Kevin het blauwe licht van de televisie in de voorkamer van haar vaders huis zien flakkeren. Hij boog zich dichter naar haar toe en rook lipgloss in de smaak van wat iemand zich bij aardbei of kers voorstelde, en de vage, bijna ingebeelde, medicinale geur van de kliniek.

'Het spijt me,' had hij gezegd, en ze schudde haar hoofd. Haar gezicht stond moe, haar schouders hield ze naar voren ingetrokken, alsof ze zichzelf wilde beschermen.

Ze was niet boos op hem, hoewel Kevin wilde dat ze dat wel was. Ze was veranderd, wereldwijs op de ergst denkbare manier, en Kevin wist dat alles nu anders tussen hen zou worden. Ze deed het portier open, stapte uit en liep de oprit van haar vader op.

Nu knipperde er achter een raam op de eerste verdieping van het grote huis een licht aan en uit, waardoor er heel even een volmaakte rechthoek op het wateroppervlak van het zwembad viel. Lucy verscheen weer in de hal beneden, en Kevin bedacht dat alles voor hen beiden heel anders had kunnen lopen. Hij zag dat ze de koelkast opendeed en twee biertjes pakte. Toen liep ze weer naar buiten, deed de deur achter zich dicht en dook opzij om de wolk muggen te ontwijken.

'Alsjeblieft.' Ze zette de biertjes op tafel en gaf hem een trui. 'Van Carl.'

Kevin trok de trui over zijn hoofd en werkte zich in de mouwen. Carls kleding was ruim twee maten te groot voor hem. De wol rook vaag naar aftershave.

'Hoe goed kenden jullie het personeel van Bioflux?' vroeg hij.

Lucy haalde haar schouders op. 'We waren beslist niet asociaal. We gingen naar alle vaste evenementen – je weet wel: skiweekendjes, kerstfeesten. We kenden natuurlijk niet iedereen. De onderzoeksafdeling was vrij groot, en dan had je nog alle mensen van de productieafdeling en de mensen die in Seattle werkten.'

'Heb je enig idee wie het bedrijf heeft opgericht?'

Lucy dacht even na en schudde toen haar hoofd.

'Oude bedrijfsbobo's? Namen die mensen hebben laten vallen? Begrafenissen?'

Lucy pakte haar biertje en hield het flesje tussen haar handpalmen. 'Er is een mevrouw Beckwith. Viviane, geloof ik. Een bedrijfsweduwe, voorzover ik weet. Ze komt elk jaar naar het kerstfeest en gaat om met de andere vrouwen. Niet van mijn leeftijdscategorie natuurlijk, maar van het martini-en-bontjassenslag. Maar ze heeft zonder meer iets van een cultstatus.'

'Heb je een telefoonboek van Denver?' vroeg Kevin.

'Ik heb iets veel beters.' Lucy glimlachte en stond op. 'Ik heb de telefoongids van het bedrijf.'

Ze dook de keuken weer in en kwam terug met haar vinger in de telefoongids.

'Mevrouw David Beckwith,' zei ze. 'Ze woont in Golden. En ik bedacht net iets. Toen Carl net bij Bioflux werkte, werd er iemand na gigantische heibel met pensioen gestuurd. Die man was wel oud, maar het was geen standaardafscheid.'

'Weet je nog hoe hij heette?'

'Canty,' zei ze. 'Herman Canty.'

Ze ging weer in het licht staan en bladerde naar voren door de telefoongids, terwijl ze met haar vinger alle namen af ging. Ze schudde haar hoofd. 'Hij staat er niet in. Wat is er trouwens met die lui?'

'Ik ben vanmiddag de oprichtingsstatuten van Bioflux tegengekomen. De namen van de oorspronkelijke bestuursleden waren allemaal onleesbaar gemaakt.'

'Waarom zou iemand dat doen?' vroeg Lucy, terwijl ze haar plaats tegenover hem weer innam.

'Dat is nou precies de hamvraag.'

Darcy was van plan geweest een paar dagen te wachten alvorens terug naar Pryor te gaan, maar ze was van slag door het bezoek aan haar zus. Angie zag er slecht, overspannen en uitgeput uit. Ze had de nerveuze energie van iemand die voortdurend over haar schouder kijkt, zich bewust van wat, of wie, er gillend uit de volgende donkere hoek kon komen. Toen de bel klonk die het einde van het bezoekuur inluidde en Angie haar benen braaf onder het formica picknicktafeltje vandaan haalde, werd Darcy overspoeld door paniek.

'Je belt me morgen, hè?' Ze pakte de hand van haar zus en kneep er hard in.

Angie knikte, maar haar doffe ogen keken al weg.

Het was een lange rit terug naar Castle Rock, met alleen de storende AM-radio om Darcy af te leiden van haar zus, van de zware klik van de deur waardoor Angie de bezoekruimte uit was gegaan, waarna de bovenkant van haar hoofd nog door het draadglas te zien was en daarna de hoek om uit beeld bewoog.

Darcy had toen ze in de gevangenis zat goed voor zichzelf kunnen zorgen. Ze had de fysieke kracht en de scherpzinnigheid om te voelen als er iets niet pluis was, wanneer je het best maar in de grijze achtergrond van de gevangenis kon opgaan. Maar Angie was zo klein dat ze in haar overall zwom, en haar armen waren bont en blauw en staken als luciferstokjes uit de mouwen. Ze was een junkie, geen crimineel, en ze had niet de overlevingsdrang van een crimineel.

Vroeg in de avond was Darcy terug in Castle Rock, en ze probeerde zich gereed te maken voor de nacht, maar haar flatje leek wel kleiner dan anders. Zelfs met de televisie aan heerste er een rusteloze stilte, het soort stilte dat haar deed wensen dat ze nog steeds dronk. Tegen negenen had ze haar donkere kleding aan en reed ze over de snelweg in noordelijke richting.

In de jaren waarin Darcy actief was geweest in het vak, had ze zichzelf heel veel over diefstal geleerd. Afgezien van die keer op de basisschool dat ze in het winkeltje op de hoek een Snickers in haar zak had gestoken, was ze nooit een gewone dief geweest. Dat had iets schandelijks, iets gênant gemakkelijks, en daarom had ze zich een hoger doel gesteld.

Darcy was inbreker geweest, net als Cary Grant op de daken van de Rivièra. Hoewel ze de consequenties van haar daden wel betreurde, kon ze nog steeds geen wroeging voelen over wat ze gedaan had.

Ze was opgegroeid in Casper, Wyoming, grootgebracht met kant-en-klare hamburgers en met oploslimonade. Ze zag er geen been in zo nu en dan een diamanten ketting of een zilveren theepot te stelen van mensen die in een Beemer of Range Rover reden en die zonder met hun ogen te knipperen aan een partijtje golf twee keer het equivalent van het maandsalaris van haar vader uitgaven.

Bovendien vond ze het leuk werk en was ze er een bepaald voyeuristisch genoegen in gaan scheppen om in andermans huis te zijn. Ze was er ook goed in geweest, voorzichtig en overdreven nauwgezet. Als ze niet had gedronken, als de Ierse whisky haar niet losser had gemaakt en ze niet zo loslippig was geworden, zou ze nooit gepakt zijn.

Toen de gevangenisdirecteur haar voor het eerst had gevraagd de klus in Pryor te klaren, had ze het huis eerst een paar dagen geobserveerd. Alleen de vrouw woonde er, maar die had een onregelmatig dagprogramma, en Darcy wilde zeker weten dat er niets verkeerd zou gaan. Ze had nog twee jaar voorwaardelijk voor de boeg, en ze wilde niet de fout in gaan en teruggestuurd worden naar Canyon. Het huis was gemakkelijk in de gaten te houden. Net als de meeste grote nieuwe huizen had het veel glas, en de omringende maïsvelden boden dekking te over.

De gevangenisdirecteur had haar niets over de vrouw of de echtgenoot verteld, dus in het begin wist ze niet dat hij dood was, maar na een paar nachten observeren wist ze wel dat er iets niet in de haak was. Het ritme van de vrouw was helemaal in de war. Soms ging ze om acht of negen uur naar bed, dan kwam ze er rond middernacht weer uit en ging ze achter op de veranda zitten. Later stond ze helemaal niet meer op. Darcy zag zo nu en dan wel eens licht in de gang branden, dan liep ze naar de keuken of de badkamer, en daarna de hele nacht niets meer.

Een paar dagen voordat ze naar binnen was gegaan, had ze het overlijdensbericht in de krant van Denver gelezen. Ze herkende de naam, Greene, van de brievenbus. Er stond een foto van hem bij, een korrelig portret. Hij was een aantrekkelijke man, jonger dan ze gedacht had. Op die manier kwam Darcy ook achter de naam van de vrouw. *Meneer Greene laat zijn vrouw achter, Lucy Greene, uit Pryor*, stond er in het overlijdensbericht. Darcy had bijna het gevoel alsof ze haar nu kende. Het was goed dat het gezicht, de eenzame figuur in het huis, nu een naam had gekregen.

Het was na tienen toen Darcy bij de verkavelingsgrens kwam, nog veel te vroeg. Ze werkte graag laat, in de doodstille uren tussen twee en vier uur 's ochtends, wanneer de mensen dieper in de koker van de slaap glijden, wanneer de oren dicht zijn en de ademhaling langzamer gaat en meer in de buurt van de dood komt. Ze reed langs het huis van de vrouw en draaide de Dart een landweg op, het belendende veld in. Ze zette de motor af, trok haar handschoenen aan en zette haar pet op, haalde haar gereedschapstas onder de stoel vandaan en liet de gestroomlijnde kleine Colt Pony in haar zak glijden.

Lucy Greene mocht dan geen vaste dagindeling hebben, haar buren hadden die wel, en Darcy had hen vrij goed leren kennen. De mensen in het huis meteen links gingen elke avond om klokslag negen uur naar bed. De buren rechts sliepen in gescheiden slaapkamers. De vrouw vond het rond halfelf welletjes, maar de man bleef altijd op om naar de *Tonight Show* te kijken. In het huis ernaast hadden ze kinderen: twee tieners en een kind dat nog niet naar school ging. De kleine legden ze om halfnegen in bed; de rest van het huis lag tegen elven in bed, op de oudste jongen na, wiens computerscherm Darcy in het raam van de slaapkamer op het westen nog tot in de kleine uurtjes kon zien gloeien.

Wat Darcy het meest verbaasde aan deze grote voorstedelijke droomhuizen, wat haar bij elke klus die ze gedaan had had dwarsgezeten, was dat die mensen eigenlijk maar heel weinig met elkaar praatten. Niemand diende zich ooit bij de buren aan, niet voor een ei of een kopje suiker of een vriendelijke beker koffie. Zelfs binnen, in hun huis, hadden de gezinnen curieus weinig aansluiting. Pa werkte in zijn studeerkamer aan de computer, terwijl ma in de woonkamer naar een kookprogramma keek en Janey in de speelkamer beneden Tomb Raider speelde. Geen wonder dat niemand merkte dat Tommy in zijn slaapkamer bommetjes in een ijzeren buis maakte.

Zij waren nooit alleen geweest in Casper. Er zat altijd wel iemand van de buren in de keuken: mevrouw Haywood van het huis ernaast met haar koffiebeker vol witte wijn, of Cliff Sears, de vriend van haar vader, die naar motorfietsenvet en gebakken uien rook. En als er iets naars was gebeurd, als er iemand was overleden of zelfs maar ziek was geworden, dan was het huis overspoeld geweest met mensen.

Misschien had het iets met geld te maken, dacht ze, of met het gebrek eraan. Misschien dat haar ouders en hun vrienden de behoefte voelden om hun voor het overige zo schamele leven op te vullen. Misschien is er een consumptieniveau waarop andere mensen plotseling irrelevant worden, lastig zelfs, waarop de angst voor beschadiging van je handgeknoopte kleed of je suède bank zwaarder weegt dan je verlangen naar menselijk contact, zelfs naar contact met je eigen kinderen. Wat de reden ook was, Darcy vond het maar onzin. Zij had het grootste deel van haar volwassen leven alleen en eenzaam doorgebracht, en ze zag niet in wat voor luxe dit soort afzondering betekende.

Darcy kroop naar de rand van het maïs en tuurde naar de andere kant van Magpie Road. Op de oprit van Lucy Greene stond nog een auto, een onopvallende personenwagen. De meeste lampen in het huis waren uit, maar door de ruiten aan weerskanten van de voordeur zag Darcy een lichtje schijnen vanaf de ingang van de keuken. Ze keek even of er niemand aankwam en schoot toen de weg over en langs de westkant van de tuin van de Greenes. De huizen stonden een eindje uit elkaar, door niemandsland vol onkruid van elkaar gescheiden. Het was een perfecte opstelling voor Darcy. Toen ze stilletjes naar de achterkant van het huis glipte, hoorde ze het zachte gemompel van een gesprek.

De zwembadverlichting was uit en de achtertuin was donker, maar in het licht uit de keukenramen waren twee mensen te zien: Lucy Greene en een man, die tegenover elkaar aan de patiotafel zaten. Lucy rookte, en gebaarde onder het praten. Het oranje kooltje van haar sigaret flitste als een vuurvliegje om haar gezicht. Darcy was te ver van het stel weg om te kunnen verstaan wat ze zeiden, maar het was een heftig gesprek. Lucy stond een paar keer op en ging toen naar binnen.

Het was na middernacht toen ze samen naar binnen liepen. Darcy repte zich om het huis heen naar de voorkant. Na een paar minuten ging de voordeur open en kwam de man tevoorschijn. Hij stapte in zijn auto, startte de motor en reed achteruit de oprit af en Magpie Road op. Darcy ging weer naar de achtertuin. De lamp in

Lucy's slaapkamer klikte aan en even verscheen haar hoofd voor het raam; toen verdween het weer.

Jezus, dacht Darcy, terwijl ze zich afvroeg of ze het hier maar bij moest laten voor vanavond en naar Castle Rock moest teruggaan. Het was al laat en ze moest de volgende ochtend werken, maar ze wilde het achter de rug hebben. Ze had genoeg van het verdriet van deze vrouw, van in de Dart zitten wachten tot ze in slaap viel.

Lucy's lamp werd uitgeknipt. Aarzelend strekte Darcy zich uit op een van de ligstoelen naast het zwembad. Volgens haar horloge was het 00:46 uur. Om 02:00 uur zou ze naar binnen gaan.

Kevin vond altijd dat hij het voor zijn doen wel goed had gedaan. Hij verdiende goed bij MSNBC en kreeg zelfs zo nu en dan een verbaasde blik van herkenning. Tuurlijk, een heleboel mensen zagen hem aan voor de held van dat programma over tijdreizen, maar dat was in elk geval wel een aantrekkelijke kerel. Kevin had door die verwisseling heel wat telefoonnummers gescoord en één keer wonderbaarlijk genoeg een *last-minute* tafeltje bij Nobu. Hij had een auto, een parkeerplaats in een garage, en naar New Yorkse maatstaven een leuk, zij het wat klein appartement in een vooroorlogs gebouw met portier in de wijk van East 80th Street.

Hij vond het daarom op de een of andere manier niet eerlijk dat de badkamer waar hij net in het huis van Lucy Greene naar de wc was geweest ruim twee keer zo groot was als zijn keuken. Wie had er nou zo veel ruimte nodig? vroeg hij zich af. In een hoek stond een canapé. Voor de keren dat je met je bezoek op de plee wilde gaan zitten soms? Of voor als je plotseling zo moe werd van je persoonlijke verzorging dat je echt even moest gaan zitten?

Toen hij aanbood te blijven slapen, had hij niet verwacht dat ze ja zou zeggen. Lucy had altijd iets stoers gehad, een onafhankelijkheid die Kevin vaak bedreigend vond. In hun eerste jaar op de middelbare school was Lucy drie keer weggelopen. Twee keer was ze naar Denver geweest en had de politie haar op het station van de Greyhound-bus weer opgepikt. De derde keer was ze helemaal naar Las Vegas gelift en toen weer op eigen gelegenheid naar huis gekomen.

Kevin had nooit begrepen wat de reden was dat ze wegliep. Voorzover hij wist, ging het bij haar thuis niet slecht. Lucy's vader was een rustige man die in de nachtploeg werkte en het grootste deel van de dag sliep, waardoor hij Lucy en Chick aan hun lot overliet. Kevin had de indruk gehad dat ze naar iets toe ging in plaats van bij iets vandaan. Hoe dan ook, ze had altijd goed voor zichzelf weten te zorgen, en Kevin kon zich niet voorstellen dat ze nu zijn hulp nodig had. Hij had gelijk.

'Ik red me wel,' zei ze op zijn aanbod, terwijl ze haar hand licht op zijn arm legde en met hem naar de deur liep.

'Ik zit in het Mountain Aire Motel in Brighton,' zei hij, 'voor het geval je iets nodig hebt.'

'Bedankt,' zei ze. 'Tot ziens.'

Hij liep de veranda op, hoorde de deur achter zich in het slot vallen en liep het gazon over naar zijn auto. Hij draaide zijn raampje omlaag en reed Magpie Road op. Op de snelweg sloeg hij de oostelijke richting in. Buiten scheurde een bliksemschicht uit het struikgewas op de vlakten van Morgan County omhoog. Een trein floot, op doortocht door Pryor, treurig, melancholiek, en Kevin werd van de donkere weg teruggevoerd naar de schone geur van de lakens van zijn oma en het heldere licht van een zomermiddag.

Zijn grootouders waren naar Greeley om naar de bioscoop te gaan, en Lucy was op haar fiets naar hem toe gekomen. Ze lag in zijn smalle bed, met haar bloes open zodat hij haar beha kon zien, waarvan het katoen met een smal randje kant was afgezet. Haar mond was vurig, gekloofd en rood van het kussen. Ze wurmde zich uit haar korte broek, keek naar hem omhoog en glimlachte. Haar rechterknie zat onder de blauwe plekken en deed pijn doordat ze van haar fiets met tien versnellingen was gevallen. Zelfs toen had hij al gedacht dat dit een gedenkwaardig moment was: haar ietwat gehaaste ademhaling, het tere bruin van haar schouders, wit waar haar badpak haar huid had bedekt. Hij legde zijn hand op haar buik en hoorde iets achter in haar keel reutelen.

Daar moest hij nu weer aan denken. Niet aan de seks, maar aan dat korte moment ervoor: het fysieke onderhandelen en het moment van instemming, Lucy's afstandelijkheid die net genoeg afzwakte om hem toe te laten.

Hij trapte het gaspedaal in en zette koers naar Brighton.

76

Lucy gooide haar kleren over de rug van een stoel en ging naar bed. Ze had Chick gezegd dat ze bij hem in de stad zou slapen, maar ze was doodmoe, te afgepeigerd om zelfs maar aan het korte ritje te denken. Ze strekte zich uit op haar buik en liet haar arm op Carls kussen rusten. Je krijgt hem niet terug, had haar broer gezegd, maar terwijl ze als een blok in slaap viel, voelde ze dat de hand van haar man de hare vastpakte. Ze waren in Lakeside en klommen in de oude houten achtbaan van het park naar de top van de heuvel. De wagentjes schoven over de rails omhoog en bleven dan even stilstaan. Toen ze aan de lange, stormachtige afdaling begonnen, voelde Lucy haar maag protesteren.

Toen Darcy wakker werd van het geluid van de sproei-installatie op de akker achter het huis, was het op haar horloge 04:17 uur. Ze ging rechtop zitten, wreef in haar ogen en schudde de kou van de nacht en de stijfheid in haar rug en benen van zich af. Ze was nog nooit eerder in slaap gevallen als ze met een klus bezig was, en het baarde haar zorgen. Dat was vast de prijs die je voor het ouder worden moest betalen – weer een teken dat dit werk niets meer voor haar was. Ze zwaaide haar benen van de ligstoel, stond op en liep naar de voorkant van het huis.

Ze had met gemak de glazen schuifdeuren van de patio kunnen forceren, maar dat zou betekenen dat ze het onbenullige slot moest openbreken, en ze wilde het liefst voorkomen dat ze ontdekt werd. Ze hurkte neer op de veranda en pakte haar puntige instrumentje en haar spanningsmeter van staaldraad uit haar gereedschapstas. Als ze voorzichtig was, zou niemand erachter komen dat ze zo was binnengekomen. Ze stak het puntige instrument en de spanningsmeter in het slot en wurmde het instrument voorzichtig rond tot ze de druk van de pennen tegen haar vingers voelde en het slot het herkenbare klikje liet horen. Binnen een paar seconden was ze binnen.

In de keuken brandde nog een lamp, waardoor de voorkant van het huis vaag werd verlicht. Darcy keek de hal rond, omhoog langs de bocht van de trap en de donkere woonkamer in. Toen haalde ze haar minizaklamp uit de achterzak van haar broek en draaide zich om naar de deur van de werkkamer van de overleden man.

8

'Wakker worden, Lucy Greene.'

Lucy werd gewekt door de stem van een vrouw in haar oor en door de druk van koud metaal in haar nek. Ze rolde op haar rug, terwijl haar ogen de duisternis afzochten en ze erachter probeerde te komen waar ze was.

'Waar zijn de dossiers, godverdomme?' vroeg de stem.

Er stond iemand over Lucy heen gebogen en een gehandschoende hand drukte de dikke loop van een pistool tegen haar slaap. Lucy hoorde een zachte klik: het dreigende en onmiskenbare geluid van de veiligheidspal die eraf ging.

'Wat voor dossiers?' Ze was klaarwakker en haar hart hamerde.

'De dossiers in het kantoor van je man, stom wijf. Er ligt niets meer, of was je dat niet opgevallen?'

Afgezien van de keren dat ze gedwongen was zichzelf te verdedigen, was Darcy niet gewelddadig. Ze had nog nooit eerder een pistool meegenomen op een inbraakklus. Dat was niet eens in haar opgekomen. Maar toen de lichtstraal van haar zaklamp door de lege werkkamer was gegleden, had ze meteen aan Angie moeten denken en was ze overspoeld door een zo hevige woede dat ze er bang van was geworden. Ze was blij dat ze de Colt vannacht bij zich had, maar ook bang dat ze hem zou gebruiken.

Lucy was ook bang. De andere vrouw was zo dicht bij haar dat Lucy haar wanhoop kon ruiken: de zure ammoniakgeur van adrenaline en angst.

'Weldon heeft ze,' zei Lucy; haar stem klonk helder, aangescherpt door de paniek.

'Wat?' Darcy drukte het pistool nog harder tegen Lucy's voorhoofd.

'Craig Weldon,' herhaalde Lucy, terwijl ze ontspannen probeerde te klinken in de hoop dat de andere vrouw iets van haar geforceerde kalmte zou overnemen. 'Hij is hier vanmiddag geweest met nog iemand van Bioflux. Ze hebben alles meegenomen.' Er klonk nog een klikje; het lampje naast haar bed werd aangedaan. Lucy keek op naar de indringer. Haar gezicht was verborgen onder een zwarte bivakmuts, maar Lucy zag wel een niet-begrijpende blik in haar ogen.

'Wat is Bioflux in godsnaam?' vroeg de vrouw.

'Het bedrijf waar Carl werkte,' zei Lucy, maar ze merkte dat dit haar niets zei. 'Mijn man,' legde ze uit.

'Sta op!' commandeerde Darcy.

Lucy ging rechtop zitten, terwijl haar ogen naar de badkamerdeur dwaalden, naar haar badjas, waar ze die eerder die dag had opgehangen, met de Glock nog steeds in de zak.

'Dus dat was jij, zaterdagnacht,' zei ze, in een poging tijd te rekken om te kunnen nadenken.

'Sta op!' herhaalde Darcy.

Lucy deed wat haar gezegd was. 'Voor wie werk je?' vroeg ze, terwijl ze haar benen van het bed af zwaaide en overeind kwam.

De andere vrouw zei niets. Het was of ze niet goed wist wat ze moest doen.

'Niet voor Bioflux dus,' ging Lucy verder. 'Voor een ander farmaceutisch bedrijf dan?'

Darcy keek omlaag in Lucy's gezicht. Ze was jonger dan Darcy verwacht had, maar wel harder, alsof alles wat ze te verliezen had haar al was afgenomen.

'Doe dat pistool weg,' zei Lucy, terwijl ze haar handen tot vuisten balde om het trillen tegen te gaan.

Darcy verroerde zich niet.

'Je wilt die dossiers?' vroeg Lucy, en toen, zonder op antwoord te wachten, zei ze: 'Ik weet waar ze zijn. Ik kan je wel helpen ze te pakken te krijgen.'

Darcy mompelde wat in zichzelf, een gefluisterde krachtterm, een vervloeking van haar eigen verwarring en de onmogelijke situatie. Ze wilde de gevangenisdirecteur niet zonder die dossiers onder ogen komen en moest er niet aan denken wat ze zou moeten doen als ze met lege handen bij hem kwam, en aan wat er dan met Angie zou gebeuren. En toch had ze geen enkele reden om aan te nemen dat deze vrouw haar zou helpen.

'Jezus,' zei Lucy. 'Laat me in elk geval even iets aantrekken.' Ze wees naar haar badjas aan de badkamerdeur.

Darcy deed een stap achteruit, met haar armen stijf en haar pistool nog steeds op Lucy gericht. 'Pak maar,' zei ze. 'Langzaam.'

Met haar rug naar de vrouw toe liep Lucy voorzichtig de kamer door, pakte de badjas van zijn haakje en stak haar armen in de mouwen. Ze haalde diep adem en deed haar ogen dicht. Eén soepele beweging maar, hield ze zichzelf voor, terwijl ze haar handen onder controle hield. Ze trok de ceintuur om haar middel en bond hem vast. Toen haalde ze het pistool uit haar zak en draaide zich naar Darcy om.

'Heb jij hem gedood?' vroeg ze, en ze bracht de Glock met een ruk op ooghoogte omhoog en richtte de loop op de borst van de andere vrouw.

Darcy knipperde niet eens met haar ogen.

'Mijn man,' voegde Lucy eraan toe, hoewel ze betwijfelde of deze vrouw iets met de dood van Carl te maken had. Als dat wel zo was, dacht Lucy, zou ze haar onderhand allang neergeschoten hebben. Bovendien leek ze niet erg goed op de hoogte. 'Heb jij hem gedood?'

'Nee.' Darcy schudde haar hoofd. Haar armen begonnen pijn te doen en haar handen zweetten tegen de loop van de kleine Colt.

'Wie heeft je gestuurd?' vroeg Lucy.

'Je zei dat je wist waar de dossiers waren.'

'Dat heb ik toch al gezegd? Craig Weldon heeft ze.'

'Waar?'

'Volgens mij op de eerste verdieping van het gebouw van Bioflux. Nou, wie heeft je gestuurd?'

Darcy verschoof haar vingers een beetje tegen de kramp. 'Gevangenisdirecteur Billings,' zei ze.

'Wie?' Nu was het Lucy's beurt om het niet te begrijpen.

'Roy Billings. Hij is gevangenisdirecteur in Canyon.'

'Bedoel je de vrouwengevangenis in Ophir?'

Darcy knikte.

'Wat heeft hij in godsnaam met neuraalbuisafwijkingen te maken?' vroeg Lucy zich hardop af.

'Wat is een neuraalbuisafwijking?' vroeg Darcy.

Lucy deed een stap naar voren. 'Wat zoeken jullie?'

Darcy zweeg en bleef zo staan.

'In de dossiers,' drong Lucy aan, en ze kwam nog dichterbij. 'Wat denken jullie daarin te vinden?' Vanachter het donkere masker keken twee ogen haar aan; de oogleden knipperden zweet weg. Nee, dacht Lucy, als deze vrouw van plan was haar iets aan te doen, zou ze het allang gedaan hebben. 'Ik kan jullie wel helpen,' zei ze. Ze deed de veiligheidspal voorzichtig weer op de Glock en waagde het erop het pistool weer langs haar zij omlaag te laten zakken. 'Ik zal helpen. Maar eerst moet je me vertellen waar jullie naar op zoek zijn.'

Het leek wel of het een volle minuut stil was. Lucy kon elke warme ademtocht van de andere vrouw horen. Er stak een briesje op en de mobiel van bamboe die naast de voordeur van Lucy's atelier hing klingelde: een geluid net zo hol en naargeestig als botten die tegen elkaar tikten. Een volle minuut, misschien zelfs langer, en net toen Lucy de moed begon te verliezen, zag ze dat de schouders van de vrouw zich enigszins ontspanden.

'Waarom?' vroeg Darcy.

'Wat bedoel je?'

'Waarom zou je me helpen?'

Lucy nam er de tijd voor en dacht goed na wat het beste antwoord zou zijn. 'Omdat ik ook wil weten wat er in die dossiers staat.'

Darcy knikte aarzelend. 'TB-tests,' zei ze. 'Iets uit de penitentiaire inrichting Pioneer. Daar ben ik naar op zoek.' Langzaam, voorzichtig liet ze het pistool zakken, toen ging haar hand omhoog en schoof ze de muts van haar gezicht.

'TB zoals in tuberculose?'

'Voorzover ik weet wel, ja.'

Lucy nam de vrouw even op. Ze leek van Lucy's leeftijd, met stoere, jongensachtige gelaatstrekken. Wat hadden tuberculose en neuraalbuisafwijkingen met elkaar gemeen? vroeg ze zich af. Het antwoord bevond zich ergens in de dossiers van haar man. 'Hoe heet je?' vroeg Lucy.

'Darcy.'

'Oké, Darcy, hoe goed ben jij als inbreker precies?'

Darcy schokschouderde. 'Er zijn niet veel gebouwen waar ik niet binnen weet te komen.'

'Moet je goed luisteren: als jij ervoor kunt zorgen dat wij in het gebouw van Bioflux komen, kan ik zorgen dat we bij die dossiers komen.'

'En alles over TB-tests in Pioneer is voor mij.'

'Erewoord,' zei Lucy.

Zo bleven ze even staan, nog steeds op afstand van elkaar. Geen van beiden vertrouwde de ander, en allebei hoopten ze dat ze geen spijt zouden krijgen van de deal die ze net gesloten hadden.

'Even voor de goede orde,' zei Kevin, terwijl hij een stuk pannenkoek aan zijn vork prikte en ermee zwaaide alsof hij er nog meer nadruk mee wilde geven. 'Die vrouw breekt bij je in en zet een pistool tegen je hoofd, maar dat maakt allemaal niet uit?'

'Laten we zeggen dat we onze meningsverschillen hebben overbrugd,' zei Lucy.

Ze zaten in Brighton in de Perkins, tegenover het Mountain Aire. Lucy had Kevin rond een uur of zes gebeld om te zeggen dat ze onderweg was.

'We hebben gepraat,' zei Lucy. Ze prikte de bovenkant van haar gebakken ei door en doopte een hoekje van haar geroosterde boterham in de zachte dooier.

'Waarover?'

De serveerster kwam langs, schonk hun koffie nog eens bij en ging weer snel naar de keuken.

'Weet je, toen Craig Weldon en die andere vent gisteren bij mij waren, dacht ik dat het om iets zakelijks ging. Zelfs het soort werk dat Carl bij het bedrijf deed was ontzettend concurrerend. Een nieuw astmamedicijn kon Bioflux miljoenen opleveren. En dat is nog niets vergeleken bij een middel tegen aids.'

'Denk je dat hier een ander bedrijf in biotechnologie bij betrokken is?'

Lucy nam een slok van haar koffie. 'Dat dacht ik aanvankelijk. Misschien heeft Carl voor zijn dood iets heel belangrijks ontdekt, en werkte degene die eergisteravond heeft ingebroken voor een ander bedrijf.'

'Dat ligt het meest voor de hand.'

Lucy schudde haar hoofd. 'Ik denk er inmiddels anders over. De vrouw van gisteravond was dezelfde als de avond daarvoor. Ik heb haar de eerste keer weggejaagd, voor ze de kans had te vinden waar ze naar zocht.'

'Laat me raden,' zei Kevin. 'Datgene wat Carl over neuraalbuisafwijkingen verzamelde.'

'Nee. Ze zoekt naar iets wat met tuberculosetests in de penitentiaire inrichting Pioneer te maken heeft.'

'Is dat ook zo'n hobby van Carl?'

'Niet dat ik weet. Maar nu begint het pas echt een vreemd verhaal te worden. Voor wie denk je dat ze werkt?'

Kevin haalde zijn schouders op.

'In Ophir heb je een vrouwengevangenis, Canyon genaamd. Ze werkt voor de gevangenisdirecteur.'

Kevin staarde haar aan. 'Enig idee wie dat is?'

'Geen idee, maar ik zie haar vanavond. Misschien dat ik erachter kan komen.'

'Wat bedoel je met dat je haar vanavond ziet?'

Lucy aarzelde even en vroeg zich af hoeveel ze Kevin precies kon vertellen. Hij zou niet blij zijn met wat ze te zeggen had. 'We gaan het gebouw van Bioflux in.'

Kevin lachte. 'O nee, vergeet het maar.'

'Ik meen het,' zei Lucy. 'Wat er met Carl gebeurd is, was geen ongeluk, en ik wil weten waarom. Ik moet weten wat er in die dossiers stond die Craig Weldon heeft meegenomen, en deze vrouw kan me helpen binnen te komen.'

'Als je het maar uit je hoofd laat,' zei Kevin, hoewel hij wist dat

Lucy hooguit door lichamelijke dwang van haar plan af te houden was.

'Nee, ik doe het wél,' zei ze.

'We weten niet eens wie die vrouw is.'

'Nou ja, maar we nemen haar dan ook niet aan als kindermeisje. Ik hoef alleen maar te weten dat zij ervoor kan zorgen dat ik in dat gebouw kom, en er weer uit. En volgens mij kan ze dat.'

Kevin wilde tegensputteren, maar deed dat niet. Hij nam zich voor dat hij het later nog wel eens zou proberen.

Ze aten verder in stilte hun ontbijt op. Toen Lucy klaar was, schoof ze haar bord opzij en keek naar hem op. 'Ik vroeg me af of we misschien nu naar Golden konden rijden,' zei ze, 'om bij Viviane Beckwith langs te gaan en te kijken of zij iets meer weet over het oorspronkelijke bestuur van Bioflux.'

Kevin nam nog een laatste slok koffie en gebaarde dat hij de rekening wilde. 'Ik moet eerst even bij mijn kamer langs. Ik moet een telefoontje plegen.'

Ze betaalden bij de kassa en staken de straat over naar het Mountain Aire.

'Dit duurt maar heel even,' zei Kevin toen ze binnen waren. Lucy ging op het bed zitten en hij wipte zijn mobiele telefoon open en tikte het nummer van Max Fausto in.

Max Fausto was meer een legende dan een echt persoon, een superheld op het gebied van informatie vergaren. Kevin had Fausto's nummer in zijn eerste jaar bij de nieuwszender gekregen van een oudere collega met wie hij toevallig na het werk iets was gaan drinken. De man ging met pensioen, en om een reden die waarschijnlijk meer te maken had met de hoeveelheid whisky die Kevin kon wegzetten dan met de kwaliteit van zijn werk, koos de oudere man hem als degene die zijn best bewaarde geheim in ontvangst mocht nemen.

Hoewel Kevin het niet graag toegaf, had hij door dit geschenk carrière gemaakt. Fausto's dienstverlening was niet goedkoop, maar het gelukkige handjevol journalisten dat gebruik van hem maakte, was er goed van doordrongen dat hij het geld meer dan waard was. Niemand wist hoe Fausto het allemaal voor elkaar kreeg, en niemand wilde dat weten ook, maar het werd op de koop toe genomen dat zijn methoden niet allemaal even zuivere koffie waren.

De telefoon ging aan de andere kant een paar keer over en toen nam een slaperige stem hem op. 'Ja.'

'Max? Met Kevin Burns.'

Fausto grinnikte, een soort zacht knarsende fluittoon. 'Ik heb gehoord dat MSNBC en jij ieder zijns weegs zijn gegaan.'

'Goed werk, Sherlock.'

'Ik dacht dat je op de school voor journalistiek ethiek kreeg. Heb je die lessen wel gevolgd?'

'Ik ga net doen of je dat niet gezegd hebt,' zei Kevin. 'Vooral aangezien jij degene was die me die idioot in Nogales aan de hand hebt gedaan.'

'Hé,' gromde Fausto. 'Altijd op je hoede zijn.'

'Luister. Ik moet je om een gunst vragen, en in mijn optiek ben je me die ook wel verschuldigd.'

'Ik ben jou helemaal niets verschuldigd, maar aangezien je werkloosheid gedeeltelijk het gevolg is van mijn informatie, en aangezien je zo'n goede klant van me bent, ben ik misschien niet te beroerd om een gebaar te maken.'

'Je moet iemand voor me zien te vinden.'

'Naam?'

'Canty. Herman Canty.'

'Is dat met een c of met een k?'

'Met een c. c-a-n-t-y.'

'Herman,' mijmerde Fausto. 'Die zal als kind flink gepest zijn. Wat weet je nog meer?'

'Ik denk dat hij een tijd in de buurt van Denver heeft gewoond; hij zat begin jaren zeventig in het bestuur van een bedrijf dat Bioflux heet. Hij moet op z'n minst vijfenzestig zijn, waarschijnlijk ouder.'

'Geen geboortedatum?'

'Nee, het spijt me.'

Fausto zuchtte. 'Dan zal ik maar niet naar zijn sofi-nummer vragen.'

'Jezus, als ik alles wist, zou ik jou niet bellen.'

'Heb je een nummer waarop ik je kan bereiken?'

Kevin gaf het nummer van zijn mobiele telefoon.

'Ta-ta,' zei Fausto raspend, en hij hing op.

Het huis van Viviane Beckwith, een soort monument voor wat je allemaal kon neerzetten als je maar geld genoeg had, stond hoog in de dorre heuvels ten westen van Golden. Het was een wonder van moderne techniek, met scherpe hoeken van hout en glas en natuursteen. Een hele vleugel was op ijle lucht gebouwd, zweefde boven de droge dwergdennen en de zondoorstoofde keien van de canyon eronder.

Viviane was trots op haar huis. Toen David en zij het vijfentwintig jaar geleden hadden gebouwd, waren ze de enigen op de heuvel geweest. De kosten en de voorzieningen om water aan te voeren waren zo hoog geweest dat buren zich erdoor hadden laten afschrikken, en de Beckwiths hadden hun eenzaamheid gekoesterd. Maar ergens halverwege de jaren negentig, toen de hightech-economie Denver en Boulder overspoelde, waren de bordjes van makelaars overal uit de grond geschoten, lelijk en oprukkend als uitheems onkruid.

Vanuit de over twee rijen verdeelde ramen van de woonkamer kon Viviane nu nog minstens een stuk of tien andere huizen zien, de opzichtige en smakeloze creaties van om en nabij de twintig software-designers. Ze kon niets doen om de bouw tegen te gaan, behalve dan misschien ecoterroristen in de arm nemen.

Op de richel vlak onder haar was een nieuw monstrum in aanbouw, een wonder van overdaad en pretentie. En het ergste was nog wel dat Viviane nu gedwongen zou worden haar weg te delen. De eerste helft van de ochtend had ze de nieuwe eigenaar zitten bekijken, een mafkees met een sikje die zichzelf aan haar voorstelde als Jason, en die het project met zijn aannemer aan het doornemen was. Alles aan haar nieuwe buurman bracht Viviane tot razernij: het gebleekte haar, de modieuze bril, die lichtelijk neerbuigende manier waarop hij haar naam uitsprak, alsof hij het tegen een seniel omaatje had.

Eén goed geplaatste bundel explosieven, hield Viviane zich voor, terwijl ze keek hoe Jason tegen de aannemer stond te gebaren. Hij schudde de oudere man de hand, stapte in zijn Range Rover en reed de heuvel af. Dat was niet de veiligste weg, en Viviane had de stille hoop dat de enorme suv op een dag uit de bocht zou vliegen. Maar Jason reed veilig door de eerste bocht, en toen door de tweede. Hij kwam onder aan de heuvel, passeerde een crèmekleurige Mercedes die de andere kant op reed, en verdween tussen een groepje bomen.

De Mercedes reed langs de bouwput en bleef haar kant op komen. Viviane verwachtte niemand, en de auto kwam haar niet bekend voor. Misschien waren ze verdwaald, dacht ze toen de Mercedes haar oprit op reed. De voorste portieren gingen open en er stapten een man en een vrouw uit. Viviane zag de hoofden onder het dak van de veranda verdwijnen. Een paar seconden later ging de bel.

Toen Lucy in de grote woonkamer van Viviane Beckwith stond, met de majestueuze heuvels van Colorado onder zich, begon ze duizelig te worden. Ze had het gevoel dat ze door een grote vogel gekidnapt was en dat die met haar naar een rotsig roofvogelnest vloog. Toen ze een stap naar Viviane en naar het raam toe zette, draaide haar maag zich om.

'Mevrouw Beckwith,' zei ze. 'Ik ben Lucy Greene. We hebben elkaar vast wel een keer bij een gelegenheid van Bioflux ontmoet.' Ze gebaarde naar Kevin. 'En dit is Kevin Burns, een journalist met wie ik bevriend ben. Hij is bezig met een artikel over de begintijd van de biotechnologie, over een paar pioniers van het vak. We vroegen ons af of u een paar vragen zou willen beantwoorden.'

Viviane knikte. 'Natuurlijk, maar ik weet niet of ik jullie van dienst kan zijn. Kan ik jullie iets inschenken? Koffie? Thee? Mineraalwater?'

Lucy schudde haar hoofd.

'Meneer Burns?'

'Nee, dank u.'

Viviane glimlachte kort, alsof ze net een hap van iets vies had genomen. Ze liep de kamer door naar de open haard en naar een groepje zware leunstoelen. 'Zullen we gaan zitten?'

Lucy keek hoe de oudere vrouw in een van de stoelen ging zitten. Ze was minstens een jaar of zeventig, maar nog wel bijzonder elegant en uitstekend geconserveerd. Ze had een zwarte linnen hemdjurk aan en droeg eenvoudige zilveren sieraden. Haar grijze haar zat met een klem van zilver en turkoois in een keurige knot. Toen ze jong was, was ze mooi geweest, en dat was ze nu ook nog.

'Goed, wat willen jullie precies weten?' vroeg ze toen Lucy en Kevin bij haar waren komen zitten.

'Ik heb begrepen dat uw man vrij lang bij Bioflux heeft gewerkt,' zei Kevin.

Viviane knikte. 'Ja, we hebben sinds 1970 bij het bedrijf gezeten.'

'Zat meneer Beckwith in het oprichtingsbestuur?'

De vrouw verschoof ongemakkelijk op haar stoel. 'Ja,' zei ze, terwijl ze haar lippen tuitte. 'Ja, daar zat hij in.'

'Mevrouw Beckwith,' ging Kevin verder, 'we proberen erachter te komen wie de andere bestuursleden geweest zijn.' Hij glimlachte – een glimlach die hij al honderden keren gebruikt had. Vertrouw me maar, hoopte hij dat die glimlach zou zeggen, ik ben je kleine broertje, je zoon, je kleinzoon. 'We weten dat Herman Canty een van de bestuursleden geweest kan zijn.'

Viviane draaide zich om naar Lucy. 'Jouw man is toch onlangs overleden,' zei ze vriendelijk, zonder acht te slaan op Kevin.

'Ja,' zei Lucy.

'Wat erg voor je, kind. Het is heel moeilijk, dat weet ik. Het is nu bijna tien jaar geleden dat mijn David is gestorven.' Ze verplaatste haar blik naar het hoge raam aan de voorkant van het huis, naar de wolkeloze hemel en de door hitte geteisterde vlakten beneden. 'Ik wou dat ik je kon helpen, heus, maar ik weet niets over Davids werk.' Ze keek weer samenzweerderig naar Lucy. 'Jij weet vast wel wat ik bedoel, kind.'

'Alles kan helpen, het maakt niet uit wat,' zei Kevin. 'De mensen met wie u omging, namen die uw man wel eens liet vallen.'

Viviane glimlachte. 'Ik wou echt dat ik jullie kon helpen. Het is heel lang geleden. En mijn geheugen is niet meer wat het geweest is.'

De vrouw had iets onvermurwbaars, iets in haar glimlach waar Lucy uit afleidde dat ze, ook al bleven ze de hele dag bij haar, niets wijzer zouden worden.

'En Herman?' probeerde Kevin. 'Weet u toevallig waar hij momenteel woont?'

'Eens kijken… Hij is een tijd geleden uit Denver vertrokken. Ik neem aan dat hij ergens zit waar hij kan vissen. Herman was dol op vissen.' Ze keek naar haar handen in haar schoot en frutselde met de stof van haar jurk. 'Het spijt me, jongens. Zoals ik al zei: ik weet niet zoveel.'

Er viel een ongemakkelijke stilte; toen stond Lucy op. 'Dan laten we u verder met rust. Mag ik voor we weggaan even bij u naar de wc?'

'Uiteraard.' Viviane stond op en liep met hen de trap af. 'Het damestoilet is daar,' zei ze toen ze in de grote hal beneden waren aangekomen. Ze wees naar een deur vlak achter de trap en draaide zich om om naar het voorportaal te lopen, met Kevin achter zich aan.

Damestoilet, dacht Lucy toen ze de kleine ruimte in liep en de deur achter zich dichtdeed. Wat een belachelijke naam. Er was grote zorg besteed aan de aankleding van de kleine toiletruimte. Het was een mannelijke ruimte, kloek en hoekig, net als de rest van het huis en de heuvel waartegen het gebouwd was. Naast de wastafel, boven het design-handdoekenrekje, hing een zwartwitfoto.

Het was een groepsfoto, met een stuk of vijfendertig mannen die op lengte in rijen waren opgesteld. De voorsten zaten geknield. Iedere man had hetzelfde militaire kapsel. Iedere man droeg een witte laboratoriumjas. Het was een stijve foto, maar ze zagen er niet ongelukkig uit, alleen ernstig, vakbekwaam. Het was niet met zekerheid te zeggen wanneer de foto genomen was: in de jaren vijftig, misschien in de jaren zestig. Er was geen landschap om hen heen te zien, geen bomen of bergen, alleen een vlakke, stoffige achtergrond en in een hoek van de foto was een deel van een groot, donker, rond voorwerp te zien.

Lucy bekeek de jongensachtige gezichten nog een keer, met hun ernstige uitdrukking, en vroeg zich af of David Beckwith zich ergens tussen die zee van witte jassen bevond.

Vanaf haar hoge plek bij het raam zag Viviane de Mercedes de oprit af rijden en aan de afdaling beginnen. Ze gaf het niet graag toe, maar ze had die vrouw wel aardig gevonden. Ze was slimmer dan de andere vrouwen van Bioflux. Mooier ook, en zonder alle franje. Gevaarlijk, dacht Viviane. De Mercedes denderde de heuvel af, waarbij hij stof en steentjes deed opwaaien.

Kevin Burns. Ze herhaalde de naam van de journalist voor zichzelf en probeerde haar hersenen een verband te laten leggen. Hij was televisieverslaggever, dat wist ze zeker, maar ze kwam er niet op bij welke zender hij werkte. Ze wist vrij zeker dat ze het spel van de oude vergeetachtige vrouw hadden geslikt. Maar toch zinde hun vragen haar niet.

Bij de bouwput kwam een graafmachine ronkend tot leven, terwijl zijn emmerachtige klauw in de oplopende heuvel achter het skelet van het huis graaide. Het zwembad, dacht Viviane woedend, terwijl ze zich in bikini geklede multimiljonairs voorstelde die op een zonneveranda van met de hand gebakken Portugese tegels aan een designer-margarita nipten.

Ze wendde zich van het raam af, pakte de telefoon en tikte de elf cijfers in die ze uit haar hoofd kende. De telefoon ging een paar keer over voor een bekende stem hem opnam.

'Met Viviane,' zei ze. 'Ik heb iets wat je moet weten: de vrouw van Carl Greene is hier net geweest om wat vragen te stellen. Ze wilde weten wie er in het oprichtingsbestuur van Bioflux zaten.'

'En wat heb je gezegd?'

'Ik heb me van den domme gehouden.'

'Verder nog iets?'

'Ze was hier met een man. Een verslaggever, ene Kevin Burns.'

'Denk je dat ze de waarheid gesproken heeft?' vroeg Lucy, terwijl ze aan de versnellingspook rukte en de oprit naar de snelweg op scheurde. Ze keek even naar Kevin en zag hem met zijn hoofd schudden. 'Denk je dat die vriend van jou Herman Canty zal weten te vinden?'

Kevin haalde zijn schouders op. 'Als iemand het kan, is hij het wel.' Hij leunde achterover in de leren stoel en keek naar de skyline van Denver, naar de glazen en granieten torens die in het harde zonlicht schitterden en twinkelden.

'Luce,' zei hij, 'misschien moet je je handen er maar van af trekken. Ik heb er geen goed gevoel over. Het zou wel eens verkeerd kunnen aflopen.'

Lucy stuurde om een andere auto heen de linkerbaan op.

'Misschien was het geen ongeluk,' zei hij. 'Misschien ook wel. Hoe het ook zij, je verandert toch niets aan wat er gebeurd is.'

Nee, dacht Lucy, daar kan ik niets aan veranderen. Maar of ze nu wilde of niet, ze moest denken aan de laatste nacht met Carl, dat ze in het donker wakker had gelegen en dat elke vezel in haar naar hem toe had gewild. En dat ze het toch niet had gedaan. Ze had hem teleurgesteld. Ze dacht niet dat ze met zichzelf zou kunnen leven als ze hem nog een keer in de steek liet.

9

Het was ruim honderdtwintig kilometer van Denver naar Ophir, maar ze reden grotendeels over de snelweg, vlak en open, en met Lucy achter het stuur waren ze er in net iets meer dan een uur. Toen Lucy en Kevin de parkeerplaats van de *Ophir Gazette* op reden, was het nog geen twaalf uur 's middags. Ze wisten allebei dat het een schot in het duister was, maar ze hadden verder geen aanknopingspunten. Kevin wist hoe het er bij kranten van een kleine stad aan toeging; als er ooit iets vreemds in de gevangenis Pioneer was gebeurd, dan zou dat volgens zijn gezonde verstand de krant hebben gehaald.

'Enig idee naar welke jaren we moeten zoeken?' vroeg Kevin toen ze de deur van het gebouw van rode baksteen door liepen.

'Ze had het alleen over TB-tests. Maar ik weet vrij zeker dat Pioneer pas begin jaren tachtig is gebouwd.'

'Twintig jaar betekent nog steeds dat je erg veel kranten moet doornemen.' Kevin bleef in de hal staan en keek Lucy aan. 'Hoe heet die gevangenisdirecteur?'

'Browning? Bunting? Ik weet het niet meer. Zoiets was het.'

Kevin haalde zijn telefoon uit zijn zak en tikte het nummer in voor Inlichtingen. 'Ophir,' zei hij tegen de mechanische stem die hem vroeg een stad te noemen, en toen: 'Penitentiaire vrouwenin-

92

richting Canyon.' Kevin wachtte op het nummer, hing toen op, zocht weer verbinding en koos opnieuw een nummer.

'Met de penitentiaire vrouweninrichting,' zei een vrouw.

Kevin zette zijn meest professionele stem op. 'U spreekt met Kevin Burns van MSNBC,' zei hij in de hoop dat, mocht zijn naam de vrouw bekend voorkomen, het wel in positieve zin zou zijn. Zijn ontslag was even in het nieuws geweest, maar het was zo lang geleden dat men zich zijn naam niet meer zou herinneren. Bovendien was dit zo'n verhaal waar alleen mensen uit het vak of mensen die Kevin kenden aandacht aan hadden besteed. 'Ik moet wat gegevens natrekken voor een reportage,' ging hij verder. 'Kunt u me vertellen hoe uw directeur heet?'

Ze leek teleurgesteld door de eenvoud van zijn verzoek. 'Billings,' zei ze, 'Roy Billings.'

'Dan heb ik nog een vraag, als u het niet erg vindt, maar in welk jaar is hij directeur geworden?'

'In 1990, geloof ik. Dat is het jaar voordat ik hier ben komen werken.'

'En hij is rechtstreeks van Pioneer bij Canyon gekomen?'

'Ja, meneer. Ik geloof van wel.'

'Dank u wel. U hebt me enorm geholpen. Nog één laatste vraag: hebt u voor mij het telefoonnummer van Pioneer?'

De vrouw noemde het nummer en Kevin bedankte haar. Toen verbrak hij de verbinding.

Hij draaide dezelfde riedel af tegen de man die bij Pioneer de telefoon beantwoordde. 'Wanneer was Roy Billings precies directeur van uw inrichting?'

'Dat moet ik even nakijken,' zei de man.

Het werd stil aan de andere kant van de lijn en Kevin werd in de wacht gezet. Eindelijk: 'Meneer? Bent u er nog?'

'Ja,' zei Kevin.

'Directeur Billings was hier werkzaam van september 1986 tot maart 1990.'

'Dank u wel.' Kevin klapte zijn telefoon dicht en stak hem weer in zijn zak. 'Van het najaar van 1986 tot het voorjaar van 1990,' zei hij tegen Lucy.

'Jim! Jimmieieie!' De vrouw bij de balie draaide haar hoofd om, brulde naar de open redactieruimte achter zich en draaide zich toen weer naar Lucy en Kevin om. 'Hij komt er zo aan.'

Bij een bureau tegen de achterste muur was beweging. Een puisterige jongen stond op vanachter een mammoetcomputerscherm en liep snel naar voren.

'Deze mensen willen de archieven zien,' zei de receptioniste; toen zei ze tegen Kevin en Lucy: 'Dit is Jim, onze stagiair van de middelbare school. Hij brengt jullie naar beneden.'

Jim keek naar Kevin en knipperde met zijn ogen. 'Kom maar mee,' zei hij. Hij gebaarde dat ze achter de balie moesten komen, liep toen op een deur aan de andere kant van de redactieruimte af en ging een trap af.

'We zijn al sinds '97 on line,' legde hun begeleider uit, terwijl hij hen door een schaars verlichte gang leidde en door een deur waar ARCHIEVEN op stond. Hij knipte een kaal peertje aan het plafond aan en ging Lucy en Kevin voor naar een rij stoffige planken. 'Maar alles van daarvoor is nog steeds papier.' Hij gaf een klap tegen een deel ingebonden kranten. '1986 begint hier. Veel succes, en vergeet het licht niet uit te doen als jullie klaar zijn.'

Hij liep de deur uit, maar bleef toen plotseling staan en draaide zich weer naar Kevin om. 'Hoe was het daar? Ik bedoel, dat moet toch godvergeten heftig zijn geweest, het echte werk.'

Kevin nam aan dat hij het over de Balkan had. De oorlog was Kevins eerste grote verslaggeving geweest. Hij was nog even 'gekidnapt' door Servische soldaten, en de beelden dat hij met een geweer in zijn rug het Servische hoofdkwartier in werd geduwd, waren telkens opnieuw vertoond, om de aandacht van de kijkers in Amerika te trekken, die plotseling geïnteresseerd raakten toen een van hun mensen door de oorlog ver weg in gevaar werd gebracht. In werkelijkheid waren de paar glazen slechte Servische cognac nog het zwaarst geweest.

'Ja,' was hij het schuldbewust met hem eens, 'het was heftig.'

De jongen wachtte even, en zijn gezicht werd doodernstig. 'Ze hebben u genaaid met dat immigratieverhaal,' zei hij. 'Dat weet ik zeker. Dat zou u nooit verzonnen hebben. Daar bent u een veel te goede journalist voor.' Hij verdween de gang in nog voor Kevin de kans kreeg hem te vertellen dat het anders zat.

Kevin keek hem na en draaide zich toen om naar Lucy. 'Hoe wil je dit aanpakken?'

'Begin jij met 1986, dan werk ik terug vanaf 1990.'

Kevin knikte en ging met de oude kranten aan de slag. In de *Gazette* van 18 september stond een voorpaginaverhaal over de nieuwe gevangenisdirecteur van Pioneer: een enthousiast verslag van het leven en werk van Roy Billings. Uiteraard was hij een toegewijde huisvader. Hij had een lange carrière in het gevangeniswezen en daarvoor had hij een militaire carrière gehad. Te oordelen naar de drie of vier onderkinnen die Billings op de foto had, dacht Kevin dat het al een aardig tijdje geleden was dat de directeur zijn gymnastiekoefeningen had gedaan.

Er stond niets verrassends in het artikel. Net als alle hogere managers beloofde de gevangenisdirecteur 'het systeem te stroomlijnen' en 'enkele broodnodige veranderingen door te voeren'. Hij vertelde dat hij blij was in Ophir te wonen en dat zijn vrouw en hij de nieuwste leden van de Kerk van Christus de Verlosser zouden worden. Kevin maakte een paar aantekeningen en werkte de rest van het najaar van 1986 en de winter door.

Ophir was een stadje waar weinig gebeurde. Misdaad kwam er opvallend weinig voor; Kevin vroeg zich af of het opdoemende gevangeniscomplex soms invloed op de wetsovertreders in spe had. Wapens waren goedkoop en in overvloed voorradig. De plaatselijke sportartikelenwinkels adverteerden tijdens de uitverkoop na het jachtseizoen met van alles, van Winchester-wapens tegen ongedierte tot Glocks. Zo nu en dan was er een discussie over gemeentelijke aangelegenheden, en er werd niet-aflatend gebakkeleid over de vraag of de stad nu wel of niet een verkeerslicht op de hoek van Fifth en Olive Street nodig had.

Kevin had de nacht ervoor ongeveer half zo weinig geslapen als normaal, en hij moest zijn uiterste best doen om wakker te blijven. De kelder was koel en stil; het enige geluid was dat van Lucy die stoffige kranten doorbladerde.

'Heb je iets gevonden?' vroeg hij, terwijl hij de laatste dag van november 1987 doorkeek.

'Ik heb een heleboel gevonden over compost bij de Boerenbond. En jij?'

Kevin lachte. 'Dan heb je meer dan ik.'

Lucy was even stil, en toen hoorde Kevin haar stem van de andere kant van de planken. 'Hoe was het daar nou?'

'Op de Balkan?'

'Ja.'

'Om je de waarheid te zeggen, zaten we het grootste deel van de tijd in het hotel voor de pers doodsbang Hongaarse champagne te drinken. Heb je ooit Hongaarse champagne gedronken?'

'Nee.'

'Dat is net of je koolzuurhoudende verfverdunner drinkt.' Kevin leunde achterover tegen de muur en dacht aan hoe vermoeiend en vervelend oorlogsverslaggeving was: de lange perioden van monotonie, onderbroken door plotselinge angstaanvallen en door zijn eigen onontkoombare lafheid. Hij vertelde Lucy niet over de dingen die hij zich het best herinnerde, zoals de keer dat zijn cameraman en hij hadden toegekeken terwijl twee soldaten een oude man doodsloegen, dat ze daar stonden, in hun broek pisten van angst en helemaal niets deden. Of dat hij verbaasd was geweest over het gemak waarmee hij de wreedheden van alledag aan zich voorbij liet gaan, dat hij 's nachts zo goed sliep.

'En dat voorval in Nogales?' vroeg Lucy. Uit een ander deel van de kelder klonk het geluid van de centrale airconditioning die doordenderde.

Kevin keek naar zijn met kranteninkt bevlekte vingers. 'Ik weet het niet.' Wat hij wilde zeggen was dat Nogales, net als alle reportages die hij gemaakt had, meer met ijdelheid te maken had dan met iets anders. 'Er speelde daar iets,' zei hij in plaats daarvan. 'Ik heb alleen niet kunnen ontdekken wat.'

Aan het eind van de middag kwam het speurwerk van Lucy en dat van Kevin samen in de zomer van 1988. Afgezien van het eerste artikel waarin Roy Billings in Pioneer welkom werd geheten en een kort bericht over zijn overplaatsing naar de vrouwengevangenis Canyon, had er in die vier jaar *Ophir Gazettes* niets van enig belang gestaan.

Lucy's handen waren zwart en stoffig en haar benen waren stijf van de koude betonnen vloer. Ze zette de laatste enorme stapel kranten weer op de plank en stond toen op, terwijl ze haar handen aan haar spijkerbroek afveegde. 'Zullen we dan maar?'

Kevin knikte en hees zichzelf overeind.

Darcy spoot het laatste hokje van de herendouches schoon, zette haar karretje weg in de bezemkast, trok haar werkpak uit en ging het kantoor in om uit te klokken. Ze wist dat het met haar strafblad heel moeilijk was om aan een baan te komen, maar toch vond ze het bij Flying J allemaal even vreselijk: de geur van pis en chemicaliën op het herentoilet, de dotten haar in de doucheputjes, de dikke secretaresse in het kantoor die haar tasje achter slot en grendel in de dossierkast opborg. Ze kon de ogen van de vrouw nu op zich voelen, verontwaardigd en bang, terwijl Darcy aan het hendeltje op de tijdklok trok, haar kaart weer in de gleuf stak en naar de deur liep.

Het was benauwd buiten; naarmate de middag plaatsmaakte voor de vroege avond nam de hitte van de dag een beetje af. Een trailer denderde de oprit naar de snelweg op en ging sneller rijden toen hij zich in de stroom auto's en andere trucks in zuidwaartse richting voegde. Darcy ging achter het stuur van haar Dart zitten, startte de motor en reed langzaam naar de rand van de parkeerplaats. Terwijl ze het gaspedaal intrapte, reed ze in oostelijke richting Castle Rock binnen. Ze stopte bij de King Soopers, kocht een stuk of vijf diepvriesmaaltijden en een six-pack ginger-ale, en reed naar haar flatje. Toen ze binnenkwam, was het zes uur: nog één lang uur te gaan voor haar zus zou bellen. Tijd om te douchen en wat te eten.

Lucy noch Kevin zei veel tijdens de terugrit uit Ophir. Ze waren allebei moe, uitgeput door de teleurstellingen van die dag: zowel de vruchteloze tocht naar Golden als de verspilde uren bij de *Gazette*.

'Luister,' zei Kevin toen ze voor zijn kamer in het Mountain Aire stilhielden, 'ik weet dat ik het je niet uit je hoofd kan praten achter die dossiers aan te gaan, maar zo'n krankzinnige actie kan ik je niet alleen laten ondernemen. Ik ga met je mee.'

Lucy schudde haar hoofd. 'Twee man is eigenlijk al te veel. Bovendien wil ik haar niet bang maken.'

'Je gaat dat niet zonder mij doen,' hield Kevin vol.

'Komt niets van in. Dat we met z'n tweeën naar binnen gaan is misschien al gekkenwerk, maar met z'n drieën is gewoon te stom voor woorden. Bovendien, als we gepakt worden, als er iets verkeerd gaat, heb ik je hulp misschien wel nodig. Ik bel je zodra ik thuis ben.'

Kevin klikte zijn autogordel los. 'Het bevalt me niet,' zei hij, terwijl hij uitstapte. 'Het bevalt me helemaal niet.'

'Dat hoeft ook niet,' zei Lucy.

Ze drukte met haar voet het gaspedaal in en ze voelde dat de motor toeren maakte terwijl ze Brighton uit reed, naar Fort Lupton en het oude weegstation buiten Ione. Ze nam de noordelijke toegangsweg naar Pryor en maakte een lus door de stad, langs de vrijwillige brandweer en de kleine videotheek en hun oude huis. Chicks Fairlane stond voor de deur, en ze overwoog even te stoppen. Ze had hem gisteravond niet eens gebeld om te zeggen dat het goed met haar ging, en hij maakte zich ongetwijfeld zorgen. Maar ze was moe en ze wist dat ze ruzie zouden krijgen als ze bij hem langsging. Chick zou ook niet willen dat ze vanavond alleen was, en ze had gewoon de kracht niet hem tegen te spreken.

Morgen, nam ze zich voor, zou ze bij de centrale langsgaan, maar nu had ze slaap, rust en eten nodig voor de nacht die voor haar lag.

Aan de telefoon had Angie goed geklonken, zo goed zelfs dat Darcy zich zorgen was gaan maken. De stem van haar zusje had de opgefriste, lichtelijk maniakale toon van een junkie die net een shot heeft gehad. En als Angie in Canyon kon gebruiken, wist Darcy dat er iemand in Canyon was die Angie misbruikte. Dat was een logische gedachtegang. Darcy probeerde haar hoofd leeg te maken en zich te concentreren op de klus die ze moest klaren.

Door de voorruit van de Dart kon ze het gebouw van Bioflux in al zijn grandeur zien liggen, een vierkant bouwwerk met twee verdiepingen met ramen. Het gebouw was grotendeels donker; de in de grond ingebouwde sproeiers sisten in de struiken langs de promenade aan de voorkant. Er stond een zenuwslopend aantal auto's op de parkeerplaats en een wit busje met daarop SPIC & SPAN, SCHOONMAAKBEDRIJF. Afgezien van een man die ze uit de achteringang van het gebouw had zien komen, in een grijze personenauto had zien stappen en had zien wegrijden, waren er bij Bioflux geen tekenen van leven te bespeuren.

Een Mercedes reed de parkeerplaats van de Taco Bell op, die de hele nacht open was, waar Darcy's Dart al geparkeerd stond. Het was Lucy, en ze was vroeg. Ze reed de plek naast die van Darcy op en zette de motor af. Stom, dacht Darcy toen ze de vrouw zag uitstappen en naar het portier aan de passagierskant van de Dart zag lopen. Dit moest wel het stomste zijn wat ze ooit gedaan had. Maar als ze gepakt zouden worden, zou ze weer naar Canyon gestuurd worden, waar ze in elk geval dichter bij Angie was. Met tegenzin reikte ze naar het portier en maakte het open.

Lucy ging op de passagiersstoel zitten. Ze had donkere kleding aan, zoals Darcy haar opgedragen had: een zwarte spijkerbroek en een zwart sweatshirt. 'Hoe lang ben je hier al?' vroeg ze.

'Een paar uur. Ik wil eerst altijd poolshoogte nemen. Er staan vreselijk veel auto's.'

'Ik weet dat ze de proefdieren op de derde verdieping houden. Daar zijn vierentwintig uur per dag mensen aanwezig om voor ze te zorgen. Ik kan me niet voorstellen dat er op dit uur nog gewone personeelsleden zijn. Zelfs als het heel druk was, was Carl altijd voor middernacht thuis.'

Darcy keek naar het gebouw. Boven de tweede verdieping was nog een raamloze derde verdieping. Ze hoefde niet te vragen waar die dieren voor waren. 'Ongeveer een halfuur geleden heb ik iemand zien weggaan.'

'En de mensen van Spic & Span?'

Darcy keek op haar horloge. Het was bijna kwart voor drie. 'Laten we proberen te wachten tot die weg zijn. Ik ga liever naar binnen als zij er niet meer zijn.'

'Dat lijkt me prima,' zei Lucy instemmend.

'Er is een achterdeur, hè?' vroeg Darcy, waarmee ze de informatie bevestigde die Lucy haar had gegeven toen ze de avond daarvoor grofweg een plan hadden gemaakt.

Lucy knikte en probeerde zich te herinneren wat ze nog wist van de indeling van de paar keer dat ze in Carls kantoor op bezoek was geweest. Ze had niet tegen Darcy gezegd dat ze al een paar jaar niet meer binnen was geweest. Wat haar betrof gingen ze op de tast naar binnen. 'Er zit zo'n stang op die je open moet duwen,' zei ze. Dat wist ze vrijwel zeker. 'Dan heb je een bord met iets erop in de trant van "Waarschuwing, het alarm gaat af".'

'Je zei dat het kantoor van je man op de eerste verdieping was, hè?'

'Ja. Ik weet vrijwel zeker dat er vlak bij de deur waardoor wij naar binnen gaan een trappenhuis naar boven gaat.'

Darcy keek haar bezorgd aan. 'Wat bedoel je: vrijwel zeker?'

'Er is een trappenhuis, oké?' hield Lucy vol. 'Ik weet zeker dat er een trappenhuis is.'

Stom, dacht Darcy weer, en ze wilde dat ze niet gekomen was. Ze pakte haar verrekijker en scande de ramen van het gebouw op zoek naar beweging.

'En hoeveel betaalt directeur Billings je nou voor zo'n klus?' vroeg Lucy.

'Niets.'

'Wat bedoel je?'

'Ik bedoel dat ik andere redenen heb om dit te doen.' Darcy legde de verrekijker op het dashboard. 'En ik bedoel dat jij daar geen reet mee te maken hebt.'

'Ik neem aan dat jullie elkaar niet bij de oudercommissie hebben leren kennen?'

Darcy gaf geen antwoord.

'Waarom zat je trouwens in Canyon?' vroeg Lucy.

'Wat denk je?'

'Ik dacht dat je hier zo goed in was.'

'Ben ik ook.'

'Waarom werk je dan voor Roy Billings?'

De voordeuren van het Bioflux-gebouw gingen open en een man in een blauw uniform, duidelijk een beveiligingsbeambte, kwam naar buiten. Druk babbelend liep de schoonmaakploeg achter hem aan naar buiten.

'Heb jij een zus?' vroeg Darcy, terwijl ze keek hoe de schoonmakers in hun busje stapten.

'Een broer,' zei Lucy. 'Hoezo?'

'Ik heb een jonger zusje in Canyon zitten. Ik doe dit voor de gevangenisdirecteur en hij houdt haar een beetje in de gaten.'

'Het spijt me,' zei Lucy.

'Als je eens wist hoe mij dat spijt.'

Het busje draaide de parkeerplaats af en de beveiligingsbeambte ging weer naar binnen. Darcy keek naar Lucy. 'Weet je zeker dat je dit aankunt?'

Kevin ging rechtop zitten, versuft en half in slaap, en probeerde te doorgronden waar hij was. Door een kier in de gordijnen kwam een dunne straal licht naar binnen. Hij zag een klein bureau en een televisie. Het bed was te groot voor thuis, de lakens te fris en te wit. Ergens in het donker ging een telefoon. Hij had heel even de illusie dat hij in een van de kamers aan zee in het Colony in Miami Beach was en dat het licht dat door de gordijnen viel de maan boven de Atlantische Oceaan was. Toen was hij in één keer weer bij de les en moest hij de teleurstellende werkelijkheid van het Mountain Aire onder ogen zien.

Kevin knipte het lampje naast zijn bed aan, sprong op en zocht op de tast zijn mobiele telefoon. 'Lucy?'

'Ik heb die vent die je zoekt,' mompelde de stem aan de andere kant van de lijn. Het was Max Fausto. 'Ben je klaar, amigo?'

Kevin greep een pen en een stukje papier. 'Zeg het maar.'

'Drie-twee-een-nul-nul Absaroka Road, Homer, Montana. Herman is nog steeds onder de levenden, hoewel dat volgens mijn bronnen niet lang meer kan duren.'

'Bedankt, maat.'

'Enne, voorlopig niet meer bellen, oké?' Max ging een fractie zachter praten. Er klonk een trilling in zijn stem die Kevin nog nooit eerder had gehoord. 'Dit is een smerige zaak. Knoop dit maar in je oren: jij gaat een paar heel machtige vijanden krijgen.'

Kevin deed zijn mond open om iets te zeggen, maar Fausto had al opgehangen.

Jezus, dacht Kevin, terwijl hij het in zijn nek voelde prikken, een elektrische combinatie van angst en opwinding; Fausto was bang geweest. Max Fausto, een man die ooit een huurmoordenaar van de maffia die volop getuigenbescherming genoot voor hem had gevonden en die, tegen de juiste prijs, iedereen met een Interpol-dossier wist op te sporen, was bang geworden door iets wat hij gevonden had. Kevin liep naar het raam en tuurde door de kieren in de gordijnen. Op de parkeerplaats van het motel was het stil. Zijn eigen huurauto stond op zijn plaats bij de deur naar zijn kamer. Aan de andere kant van de straat bewogen achter de ramen van de Perkins een paar hoofden op en neer. Niets ongebruikelijks, maar Kevin voelde zich toch naakt en kwetsbaar in zijn boxershort en T-shirt.

Een echt verhaal, hield hij zichzelf voor terwijl hij de gordijnen goed dichttrok. Hij ging aan het bureau zitten en zette zijn laptop aan. Toen hij verbinding met internet zocht en het adres intikte voor zijn favoriete plattegrondensite, trilden zijn handen. *Belangrijk*, hoorde hij Carl Greene zeggen. Hij was tot het uiterste gespannen, levend op een manier zoals hij zich sinds zijn studie niet meer gevoeld had, op die late en talmende avonden in de Hongaarse Pastry Shop aan Amsterdam Avenue, wanneer het lage plafond van de koffieshop zinderde van de serieuze gesprekken.

Op het scherm van de laptop flitsten beelden op, en Kevin voerde de informatie over Herman Canty in in de zoekmachine van de site. Een paar seconden later verscheen er een plattegrond. Absaroka Road kronkelde zich over het scherm, met de rode stip die het huis van Canty markeerde als enig zichtbaar herkenningspunt. Kevin klikte op zijn muis, zoomde uit, en de stad Homer kwam in beeld, met één hoofdstraat en een paar weggetjes die het lege land in draaiden, naar een boerderij toe.

Een en al verlatenheid, dacht Kevin, en hij zoomde nog verder uit, tot de steden op het scherm hem wat bekender voorkwamen. Gardiner en Livingston, de rand van Yellowstone Park, en, in het noordwesten, Bozeman.

Darcy ging naast Lucy op haar hurken zitten en zette haar tas op de betonnen bestrating van de weg die naar de achterdeur van het gebouw liep. De deur zat verzonken in de buitenmuur, waardoor hij een welkom blok duisternis vormde waarin de twee vrouwen zich weggedrukt hadden.

'Zijn er nog meer deuren hier aan de achterkant?' vroeg Darcy.

Lucy schudde haar hoofd.

'Oké dan maar.' Darcy deed haar tas open en gaf Lucy een kleine zaklantaarn. 'Hou vast,' zei ze, en ze haalde haar gereedschap tevoorschijn. 'Blijf op mijn handen schijnen.'

'En het alarm dan?' vroeg Lucy.

'Dat staat niet aan.'

'Hoe bedoel je: dat staat niet aan?'

'Ik zei toch al: toen ik op jou zat te wachten heb ik iemand het gebouw uit zien komen. Hij kwam van de achterkant, en dat betekent dat hij door deze deur gekomen moet zijn. Het alarm staat niet aan.'

'Vreemd.'

'Nee hoor.' Darcy bestudeerde het slot even en ging toen aan het werk. 'Ik denk dat die alarminstallaties driekwart van de tijd niet aanstaan. Werknemers zetten ze meestal uit; mensen die even naar buiten willen kunnen om een sigaretje te roken of die zich willen drukken.'

Lucy hield de zaklantaarn goed vast en keek naar Darcy's handen. Ze ging sierlijk en verfijnd met haar gereedschap om; haar vingers bewogen met een voorzichtige precisie. 'Hoe leer je dat?' vroeg Lucy.

'Veel oefening en geduld,' zei Darcy, terwijl ze naar het dunne metalen krulletje knikte dat als handvat aan de buitenkant dienstdeed. 'Als ik het zeg, moet je daaraan trekken.'

Lucy legde haar vrije hand op het metalen uitsteeksel en wachtte. Haar zwarte kleren waren veel te dik voor een augustusnacht, en ze had het vies warm. Langs haar ruggengraat rolde een straaltje zweet.

'Nú,' zei Darcy eindelijk, terwijl ze haar pols draaide. Lucy trok en de deur ging open, waarachter het zwarte trappenhuis en de gapende gang te zien waren.

Darcy nam de lantaarn van Lucy over en stapte naar binnen. 'Iemand heeft ons een heleboel werk bespaard,' zei ze, terwijl ze de lichtstraal op de bovenkant van de deur richtte. De lichtbundel flikkerde over een wirwar van diverse draden. 'En nog niet zo lang geleden ook, wil ik wedden.' Afgezien van een klein gebied rond de doorgeknipte draden, zat de muur boven de deurpost onder een laag stof en spinnenwebben. Ze knipte het licht uit en keek naar Lucy. 'Waar moeten we naartoe?'

De waarheid was dat Lucy niet precies wist waar ze heen gingen. Maar ze durfde te wedden dat de dossiers die Craig Weldon en zijn onsympathieke maat uit de werkkamer van Carl hadden meegenomen hier ergens in het gebouw van Bioflux lagen. 'Naar boven,' zei ze. Ze was nog nooit in het kantoor van Weldon geweest, maar ze wist dat de meeste onderzoekers op de eerste verdieping zaten. Ze liep de trap op, met Darcy achter zich aan.

Oude gewoonten ben je niet zomaar kwijt, en een van de obsessies die Darcy aan haar jarenlange inbraakpraktijk had overgehouden was een preoccupatie met de afmetingen van buiten en binnen. In de loop der tijd had ze veel over het aanschaffen van dingen geleerd, over de ingebakken menselijke neiging om dierbare bezittingen onder handbereik te bewaren. Wat heb je immers aan een diamanten ketting van tienduizend dollar als je hem niet trots aan je vrienden kunt laten zien? De meeste huizen die Darcy onder handen had genomen, hadden een of andere versie gekend van de geldbuidel die toeristen altijd dragen: een gemakkelijk toegankelijke bewaarplaats waar ze kostbaarheden in konden opbergen.

Ruimte kan schrikbarend misleidend zijn. Iedere amateur-binnenhuisarchitect kent de trucjes waardoor je een kamer groter kunt laten lijken. Maar Darcy had zo haar eigen trucjes geleerd, hoogstpersoonlijke regeltjes om een afstand in te schatten, om de geheime kast, de nepmuur, de verborgen kruipruimte te vinden. Toen ze achter Lucy aan door de gang van de eerste verdieping van het Bioflux-gebouw liep, had ze het sterke vermoeden dat de architectuur iets verhulde.

De plattegrond van het pand zat eenvoudig in elkaar: langs alle vier de buitenmuren zat een ring van kantoren met een raam, verbonden door een gewone gang. Aan de binnenkant van diezelfde gang zaten allemaal grotere ruimten, meestal laboratoria, waarvan de meeste een deur met een raam of een rij ramen hadden die uitkeken op de gang. Voorzover Darcy kon zien, kwam de ruimte die deze laboratoria en kantoren innamen bij lange na niet in de buurt van de buitenafmetingen van het pand. Aan de binnenkant van het bouwwerk ontbrak iets, iets als een heel grote luchtschacht. Maar als er een luchtschacht was geweest, zou Darcy verwacht hebben dat er ramen op uitkeken, of in elk geval dat er luchtgaten waren.

'Zijn alle verdiepingen op deze manier ingedeeld?' vroeg Darcy. Ze waren net een hoek omgeslagen en liepen nu langs de voorkant van het gebouw.

'Ik geloof van wel,' zei Lucy afwezig, terwijl ze snel het naambordje op de deur van elk kantoor bekeek. 'Ik heb er nooit goed over nagedacht. Maar ik geloof eigenlijk van wel.'

'En de derde verdieping?'

'Daar ben ik nooit geweest. Dat is verboden terrein, vanwege de dieren.' Lucy bleef staan, haar blik gefixeerd op de deur van het kantoor voor haar.

'Is het hier?' vroeg Darcy.

Lucy schudde haar hoofd. 'Dit was Carls kantoor,' legde ze uit. Op het nieuw aangebrachte naambordje stond JANE APPLETON.

Vanuit de gang klonk het geluid van een wc die doorgetrokken werd. Allebei de vrouwen bleven doodstil staan. Er klonk geruis van water in de leidingen, een deur ging piepend open en er liep iemand de gang in. Darcy legde haar arm over Lucy's borst en drukte hen allebei plat tegen de muur. De wc-deur ging dicht en de persoon bleef een fractie van een seconde staan, alsof diegene bedacht welke kant hij of zij op zou gaan. Darcy haalde oppervlakkig adem en hield die in. Eindelijk draaide de persoon zich van hen af. Toen, wie het ook geweest mocht zijn, om de hoek van de gang verdween, stierven de voetstappen weg. Vervolgens stopten ze; er ging een deur open en weer dicht. Darcy blies haar adem uit en telde een volle dertig seconden af voor zij en Lucy de muur verlieten en verder de gang door liepen.

Eindelijk vonden ze het kantoor van Craig Weldon, aan het eind van de gang, een paar deuren van de wc vandaan. Er brandde licht in zijn kamer; een doffe gloed die door het melkglas van het bovenlicht te zien was. Darcy legde haar vingers tegen haar lippen en gebaarde Lucy dat ze achter haar moest gaan staan. Ze liet zich op een knie zakken en legde haar oor voorzichtig tegen de deur. Nadat een paar minuten doodse stilte haar ervan hadden overtuigd dat er niemand binnen was, ging Darcy aan de slag met het slot.

'Dezelfde procedure,' fluisterde ze, terwijl Lucy de zaklantaarn voor haar vasthield. 'Als ik het zeg, doe je hem open.'

Lucy knikte, legde één hand op de deurknop en wachtte. Darcy had er langer voor nodig om dit slot open te krijgen. Lucy had het al bijna opgegeven, maar toen siste ze: 'Nu!'

Ze draaide de knop om en de deur ging open. Daar zagen ze Craig Weldon, nog steeds achter zijn bureau. Hij zat rechtop, met zijn hoofd achterover en zijn mond wagenwijd open, alsof hij in zijn stoel in slaap was gevallen.

Lucy kreunde zacht en hees, en deed een stap achteruit de gang in, terwijl ze instinctief naar haar pistool greep. Weldon sliep niet. Zijn armen bungelden langs zijn lichaam en zijn rechterhand, die net aan de zijkant van het bureau te zien was, hield een kleine zilverkleurige revolver vast. In zijn rechterslaap zat een gaatje, een nat, rood gat zo groot als een kwartje. Over zijn schouder was een dun straaltje bloed gelopen, over zijn arm en over zijn wijsvinger en het pistool, waarna het een vuurrood plasje op de grond had gevormd.

'Jezus,' fluisterde Lucy. 'Hij heeft zichzelf doodgeschoten.'

Darcy liep het kantoor in, dichter naar Weldon toe.

10

'Hij is nog niet zo lang dood,' zei Darcy, terwijl ze zich boog om Weldons hoofd te bekijken. De wond was vers, het bloed begon net donkerder te worden.

'Ik begrijp het niet. De schoonmakers waren er, en bovendien is er verderop in de gang nog iemand aan het werk. Hoe kan het dat niemand het gehoord heeft?' Lucy stapte het kantoor binnen en trok de deur voorzichtig achter zich dicht. Zodra ze die woorden gesproken had, wist ze het antwoord. Het geluid van een stofzuiger of een boenmachine zou de klik van het kleine pistool gemakkelijk overstemd hebben.

Het kantoor stonk naar urine, ontlasting en bloed. Lucy legde haar hand tegen haar mond en vocht tegen de golf van misselijkheid die door haar lichaam ging. Ze ving een glimp op van haar spiegelbeeld in het raam: een bleek gezicht met het kapsel van een voorstedelijke huisvrouw en donkere kleding. Waar was ze in godsnaam mee bezig: midden in de nacht met een ex-gedetineerde en nu ook met een lijk in het gebouw van Bioflux rondsnuffelen?

Darcy had het slot van een van Weldons dossierkasten al geforceerd en zocht de dossiers door. 'Enig idee wat mycoplasma is?' vroeg ze, terwijl ze de bovenste la dichtschoof en doorging met de la eronder.

'Nee.' Lucy liep om Weldon heen en keek over Darcy's schouder. Het woord kwam haar vaag bekend voor, te vaag om het te kunnen plaatsen. Ze moest het Carl een keer hebben horen zeggen, bedacht ze.

'Zo te zien was dat zijn specialiteit.' Darcy ging met haar duim over de plastic ruitertjes op Weldons dossiers. 'Mycoplasma fermentatis. Mycoplasma incognito.' Ze las de dossieraanduidingen hardop voor. 'Incognito met HIV env. Wat dat ook moge betekenen.'

Lucy trok er op goed geluk een dossier uit en bladerde dat door. Ze kon niet veel uit de wetenschappelijke tekst opmaken.

Darcy stootte haar aan. 'Kijk jij die even door,' zei ze, en ze wees naar een paar kartonnen dozen aan de andere kant van het kantoor. 'Ik had hier vijf minuten geleden al weg willen zijn.'

De dozen leverden niets op. Toen Lucy de deksels eraf haalde, zag ze dat er alleen maar blanco printerpapier in zat. 'Ik geloof niet dat de spullen van Carl hier liggen,' zei ze aarzelend, terwijl ze het kantoor nog eens goed bekeek voor het geval ze iets over het hoofd gezien had.

Darcy deed de laatste la van de dossierkast dicht. 'Hier zit ook niets in.'

Ze draaide zich van de kast af, zette haar handen op haar heupen en keek naar de dode man. Het bureaublad was keurig opgeruimd, met de muismat en het pennenbakje links van de computer, de komische scheurkalender rechts. Er stonden een paar fotolijstjes. De bekende gezinsfoto: een glimlachende Weldon met zijn vrouw en tienerdochter. Nog een foto van de dochter, dit keer in haar pakje als cheerleader. Weldon en zijn vrouw in badkleding, terwijl ze op een zandstrand van een koel drankje nipten. Op de laatste foto stond Weldon, terwijl hij de bal van de tee de lange green van een fairway op sloeg. Hij was aan het eind van zijn swing. Zijn knie was naar binnen gedraaid en zijn tevreden blik was omhoog gericht, naar de boog die zijn bal beschreef.

'We moeten weg,' zei Lucy.

'Golf jij?' vroeg Darcy.

'Wat?'

'Speel jij golf?'

'Soms. En niet zo best.' Lucy was afgeleid; ze dacht aan de vrouw van Craig Weldon en aan zijn dochter. Ze kon zich de naam van het meisje niet meer herinneren. Alyssa, Melissa, zoiets. Lucy had de Weldons nooit graag gemogen. Niet dat het vervelende mensen waren, maar ze hadden op Lucy nooit de indruk gemaakt dat het van die denkers waren. Voorzover zij kon beoordelen, draaide hun wereld om reünies van de studentenvereniging, skiweekendjes en de Bronco's.

'Doe mij jouw golfswing eens voor,' zei Darcy.

'Hier?' Lucy keek de vrouw ongelovig aan.

'Ja.' Ze knikte ernstig. 'Een slag van de tee, zo de fairway over.'

Lucy zette haar voeten neer en gaf een halfhartige swing tegen haar denkbeeldige bal. 'Zoiets?'

'Ben jij rechts- of linkshandig?'

'Rechtshandig.'

'En als je linkshandig was, zou je dan aan de andere kant van de bal gaan staan?'

Lucy knikte.

'Vind je het niet vreemd,' zei Darcy, terwijl ze naar het pistool in Craig Weldons rechterhand gebaarde, 'dat iemand links schrijft, met zijn linkerhand golft, maar dat als het moment daar is dat hij zich door het hoofd wil schieten, hij dat met zijn *rechter*hand doet?'

'Denk je dat het onze vriend met de draadtang was?'

Darcy knipperde met haar ogen. 'Als ik geld had, zou ik het daarop inzetten.'

Verder zou ze niet gaan, hield Darcy zichzelf voor terwijl Lucy en zij over de parkeerplaats van de Taco Bell terugliepen naar hun auto. Inbraak was tot daaraan toe, maar ze kon het zich niet veroorloven dat ze in een moordzaak verzeild raakte. De volgende ochtend zou ze Billings bellen, hem vertellen dat iemand anders de dossiers weggehaald had, en maar hopen dat hij een grootmoedige bui had.

'Wat mij betreft,' zei ze, terwijl ze haar hand op het portier van de Dart legde, 'is geen van ons beiden hier geweest. Begrepen?'

Lucy knikte.

'We hoeven geen afscheid te nemen, want we hebben elkaar nog nooit gezien.' Darcy ging in de auto zitten en ramde haar sleuteltje in het contact. De motor hoestte zwakjes en viel toen stil. De Dart had de laatste paar weken kuren gehad, en ze had geweten dat hij haar een keer in de steek zou laten, maar ze had niet gedacht dat hij daar het slechtst denkbare tijdstip voor zou kiezen. Ze probeerde het sleuteltje weer, maar er gebeurde niets.

Dat zat behoorlijk tegen. Die hele zaak trouwens. Net op het moment dat ze haar leven een beetje op de rails had, besloot de kosmos haar een enorme loer te draaien. In de tijd dat zij huizen leeghaalde, waren er in elk geval geen lijken bij betrokken geweest.

Ze probeerde de motor nog één keer, draaide toen het raampje omlaag en zwaaide naar Lucy, die net wilde wegrijden. De Mercedes bleef staan en het raampje aan de passagierskant werd omlaag gedraaid.

'Mijn auto start niet,' riep Darcy.

'Kom maar,' gebaarde Lucy.

Darcy stapte uit de Dart en in de Mercedes.

'Waar woon je?' vroeg Lucy.

'Castle Rock,' zei Darcy.

Een uur heen, berekende Lucy, en nog twee uur terug naar Pryor. Drie lange vermoeiende uren autorijden. 'Ik breng je er morgenochtend wel heen,' zei ze. 'Nu kun je beter met mij meegaan.'

Arlen Krill had zich niet meer zo slecht over een opdracht gevoeld sinds het incident in Nicaragua, toen zijn doelwit op het laatste moment was weggedoken en hij per ongeluk de hond van de man had gedood, een mooie collie, luisterend naar de naam Calypso. Het had hem twee weken gekost, waarin hij zich met een zestienjarige prostituee in een hotel in Managua had schuilgehouden, voordat hij niet meer over het dier droomde.

Weldon omleggen had hem niet veel gedaan. Hoewel hij niet alles wist wat Carl Greene had geweten, had hij toch genoeg informatie om een probleem te worden. Bovendien was die vent een imbeciel. De uren die Krill met hem had doorgebracht, had Weldon bijna alleen maar over de diverse aspecten van het spel van de Bronco's, in het heden en verleden, gesproken. Het was net of hij een soort *idiot savant* was, gespecialiseerd in John Elway en in biochemie.

Maar de vrouw was een heel ander verhaal; het was vervelend dat Krill haar uit de weg moest ruimen. Hij was onder de indruk geweest van de moed die ze had getoond die dag in het huis, de manier waarop ze Weldon en hem had bespot toen ze hen samen in de werkkamer van haar man had aangetroffen. Doe of je thuis bent, had ze gezegd, en hij had wel wat meer willen pakken dan alleen Greenes dossiers. Niet dat ze niet bang was geweest. Krill wist dat ze dat wel was. De meeste mensen hadden genoeg gezond verstand om bang voor Krill te zijn. Het was alleen net of het Lucy Greene niets kon schelen.

Hij had dat soort dingen wel eens eerder meegemaakt. In Laos was er een keer een oude vrouw met een roestige hark achter hem aan gekomen. Krill had haar man en zoon doodgeschoten, en hij nam aan dat ze haar eigen leven op dat moment niet meer zoveel waard vond. Hij schoot haar in de borst, maar niet voor ze een reep vlees uit zijn rechterschouder had gereten.

De vrouw van Greene was niet thuis geweest toen hij daar om twee uur in de ochtend arriveerde. Krill had de paar uur daarop alleen in het donkere huis doorgebracht, en hij had het gevoel alsof hij haar had leren kennen. Ze was schilder en een goede ook, voorzover Krill dat in het weinige licht van zijn zaklamp kon beoordelen. Haar doeken waren grote en intens kleurige, schemerige en sensuele werelden waaruit alle overbodige rommel, zowel mensen als dingen, waren verwijderd.

Ondanks het veel te grote voorstedelijke herenhuis, had de vrouw een eenvoud over zich die Krill wel waardeerde, een gebrek aan ijdelheid. Haar verbazingwekkend sobere badkamer leerde hem dat ze geen make-up gebruikte. Haar enige kunstgreep was een fles bodylotion met sinaasappelgeur. Toen Krill zijn neus in haar lakens drukte, had hij citrus en zweet geroken, de zure geur van een rusteloze slaap.

Hij had het leuk gevonden voor haar op te blijven, als een wachtende echtgenoot, maar het liep nu al tegen zonsopgang. Krill begon onrustig te worden, en hij was duidelijk niet de enige. Sinds hij hier was, was de telefoon minstens vijf keer gegaan; hij galmde door het lege huis en elke keer had Krill zich verzet tegen de aandrang om op te nemen.

Hij liep naar het raam aan de voorkant en tuurde de weg af. Het was al na vijf uur 's ochtends en Lucy Greene was nog steeds niet thuis. Misschien had ze een verhouding, dacht Krill. Het idee wond hem op. Misschien was ze bij die verslaggever. Krill wist dat hij dat zelf ook leuk werk zou vinden, mocht het er een keer van komen.

Voorbij de rand van de verkaveling, waar de weg de maïsvelden in verdween, rimpelde licht door de stengels en vanuit het westen kwam een auto aan gereden. Krill dook weg achter Lucy's gordijnen, haalde zijn Ruger met demper uit zijn schouderholster en bereidde zich voor op zijn volgende stap.

Chick kon niet slapen, hij had last van zijn benen. Zijn voeten voelden vervelend gevoelloos aan, en vanaf zijn enkels omhoog tintelden zijn spieren. Het waren zorgen die hem wakker hielden. Hij wist dat zijn zus heel koppig kon zijn, en het had hem niet verbaasd dat ze de avond ervoor niet was komen opdagen. Maar hij had wel verwacht dat ze minstens overdag een keer zou hebben gebeld, gewoon om hem te laten weten dat alles goed met haar was.

Chick draaide zich om en pakte de draagbare telefoon die naast zijn bed lag. Voor wat wel de tiende keer die nacht leek toetste hij Lucy's nummer in. Op zijn wekker was het even na vijven en er werd nog steeds niet opgenomen. Ze had hoogstwaarschijnlijk haar telefoon uitstaan, probeerde hij zichzelf gerust te stellen, maar hij voelde zich er niet beter door. Hij bleef nog tien minuten liggen, probeerde zichzelf ervan te overtuigen dat er niets was om zich zorgen over te maken en stapte toen uit bed en trok een spijkerbroek en sweatshirt aan. Hij liep naar de keuken, pakte een doos eieren en wat spek uit de koelkast en ging naar de voordeur. Dan kon hij in elk geval een ontbijt voor haar klaarmaken.

Hij reed in de Fairlane Pryor door, stak de rivier over en reed tussen het vee en de akkerlanden door naar het huis van Lucy. Misschien waren ze allebei wel aan een verandering van omgeving toe, dacht Chick. Hij zou wel een paar dagen vrij van de centrale voor zichzelf regelen en dan konden ze naar Copper Mountain of naar Steamboat rijden, een beetje vissen, lekker eten, in een mooi bed slapen met lakens die elke dag door iemand anders werden verschoond. Of ze konden met de tent naar het Rocky Mountain National Park gaan en daar kamperen.

De weg daalde iets en Chick zag de oude weg van Miller langs zijn raampje suizen, de landweg die leidde naar wat er over was van zijn bezit. Chick remde af en draaide Magpie Road op.

Net als in alle andere huizen in de buurt, was het donker in dat van Lucy. Haar Mercedes was nergens te bekennen, maar Chick nam aan dat ze die 's avonds in de garage zette. Hij stopte op de oprit, bekeek het onverlichte huis en overwoog of hij naar binnen zou gaan. Laat haar maar slapen, zei hij tegen zichzelf, ze heeft het nodig. Maar iets zei hem dat hij moest uitstappen, dat zijn bezoek een dringende noodzaak had. Hij nam de ontbijtspullen in zijn rechterarm, deed het portier open en stapte de oprit op.

Zelfmoord had de meest voor de hand liggende keus geleken toen Arlen Krill bedacht wat hij met de vrouw zou doen. Het zou snel afgedaan worden als het vanzelfsprekende gevolg van het verdriet van een jonge vrouw. Maar zelfmoord had zo zijn problemen. Een overdosis was uitzonderlijk moeilijk na te bootsen, aangezien je er normaal gesproken een bereidwillige deelnemer voor nodig had om de benodigde pillen door te slikken. Tenzij je zonder verdenking heel dicht bij het doelwit kon komen, zoals met Craig Weldon het geval was geweest, konden pistoolschoten veel rotzooi geven, en die waren moeilijk in scène te zetten.

Uiteindelijk had Krill besloten om maar voor de bekende inbrekerstactiek te gaan. Oké, die was niet erg fantasierijk, maar was tot nu toe altijd succesvol.

Toen hij de koplampen in het maïsveld zag, was Krill naar de hal voor in het huis gelopen. Het was zijn bedoeling de vrouw neer te schieten zodra ze de deur door kwam. Op die manier zou het snel en probleemloos verlopen. Hij had al eerder op de avond het onbenullige slot op de patiodeuren opengeslagen en de laden in de slaapkamer doorzocht, om alles zo authentiek mogelijk te laten lijken. Als het gladjes verliep, zou hij over tien minuten weer buiten kunnen staan.

Krill trok zijn muts tot over zijn oren, drukte zijn rug tegen de muur van de hal en gluurde door de hoge gespikkelde glazen ruiten naast de deur. De koplampen draaiden de oprit op en de auto stopte; hij bleef nog een tijdje stationair draaien voor de lampen werden uitgedaan en de motor werd afgezet. Er kwam iemand de oprit op gelopen, donker en wazig. Krill dook weg, uit het zicht, haalde diep adem en bracht zijn Ruger over naar zijn linkerhand.

'Achteruit,' zei Darcy, terwijl ze reikhalsde en de Mercedes over Magpie Road denderde en een wolk van stof en steentjes deed opwaaien. Ze wist het niet zeker, maar ze dacht dat ze een glimp van een andere auto had opgevangen toen ze langs haar vertrouwde parkeerplaats reden. 'Zet die auto godverdomme stil en rij achteruit!' Haar eigen stem klonk zo dwingend dat het haar zelf verbaasde.

Het verbaasde Lucy ook. Ze zette haar voet op de rem en kwam piepend tot stilstand. 'Wat mankeert jou?'

'Rijd gewoon achteruit, oké? Ik geloof dat ik iets zag.'

Lucy ramde 'm in z'n achteruit en reed naar achteren.

'Zo is het wel ver genoeg,' zei Darcy en ze gooide het portier open en stapte uit.

Lucy draaide haar raampje open en stak haar hoofd naar buiten. 'Wat is er?'

'Er staat een auto.' Darcy liep het landweggetje af en verdween even uit Lucy's gezichtsveld.

'Doe je lichten uit,' zei ze toen ze terugkwam. 'En zet de motor uit. Laat het sleuteltje in het contact.'

'Wat is er aan de hand?'

Darcy deed Lucy's portier open. 'Uitstappen,' zei ze. 'We gaan verder lopen.'

Er klonken voetstappen op de veranda en Krill hoorde het onmiskenbare raspende geluid van een sleutel die zijn weg in een slot probeerde te vinden. Eindelijk klonk er een klikje en ging de deur open. Het viel niet mee iemand op deze manier te verrassen. Het was de bedoeling dat je de persoon met je rechterarm tegen zijn of haar keel vastzette, en dat je dan met je linkerhand een snel en goed gemikt schot loste. De truc was dat je precies moest weten hoeveel kracht je moest gebruiken. Het was een kwestie van intuïtie, van inschatten hoe sterk je doelwit was.

Zodra Krill zijn arm om de gestalte in de deuropening heen had, wist hij dat het foute boel was. Om te beginnen was degene die hij beethad niet Lucy Greene. Het was een man, bijna net zo lang als Krill. Hij had iets in zijn armen vastgehad, maar toen Krill hem beetpakte, had hij dat laten vallen. Nu lag het pakketje als een prop tussen Krills voeten. Krill deed een stap achteruit, probeerde houvast te vinden, maar de zolen van zijn schoenen kwamen op iets glads en gleden onder hem uit. Hij vuurde blindelings en hoorde glas aan diggelen gaan. Tegen de tijd dat hij zich weer omhoog had gewerkt, was de man de deur uit.

Krill overwoog hem te laten gaan, maar zijn instinct zei hem dat als de man weg wist te komen, het hoogstwaarschijnlijk één grote klerezooi zou worden. Hij kon deze losse flodder maar het best uit de weg ruimen voor die verdere schade zou aanrichten.

De maïs nam een behoorlijk deel weg van het kunstlicht dat het veld normaal gesproken helder verlichtte. Het was donker op de weg, en de lucht boven Darcy en Lucy was bezaaid met sterren. Van ergens ver in het belendende veld klonk het *drup-drup* van een lekkende irrigatieleiding. Toen ze bij de rand van het maïs kwamen, ging Darcy langzamer lopen, en Lucy deed achter haar hetzelfde. Ze konden de voortuinen van de verkaveling nu zien; het gras baadde in het felle licht van de straatlantaarns, zodat elk sprietje grof en borstelig leek.

'Wiens auto is dat?' vroeg Darcy, terwijl ze naar de Fairlane op de oprit van de Greenes wees, maar voor Lucy antwoord kon geven stormde er een man de voordeur van het huis uit.

'Chick!' riep Lucy, en ze rende naar voren.

Chick keek op; zijn ogen leken zich op de twee vrouwen te richten. Hij gooide zijn handen in de lucht en zwaaide woest naar hen terwijl hij over het gazon rende.

'Chick!' riep Lucy weer.

Darcy rende achter haar aan, greep haar bij haar middel en trok haar terug.

Achter Chick stond een andere man, met de dreigende vorm van een pistool in zijn rechterhand. Hij bleef staan op de veranda, bracht het pistool omhoog en vuurde het geluidloos af.

'Achteruit,' siste Darcy tegen Lucy, terwijl ze haar wanhopig probeerde vast te houden.

De eerste paar schoten misten en kwamen terecht in de aarde rond Chicks voeten. Maar de derde kogel trof hem vlak onder zijn linkerschouder. Hij wankelde en viel voorover op het met dauw overdekte gras.

De schutter liep snel het trapje af en het gazon over, en bleef even staan om Chick nog een kogel door het achterhoofd te jagen. Toen keek hij op en rende beheerst de richting van de twee vrouwen uit. Zo uit de schaduw van de veranda kwam zijn gezicht Lucy bekend voor. Het was dezelfde man die met Craig Weldon naar het huis was gekomen.

'Kom!' gromde Darcy. Ze trok Lucy naar zich toe, en op dat moment explodeerde de maïs rechts van hen.

Lucy keek achterom naar haar huis, naar de levenloze vorm die ooit haar broer was geweest, met gespreide armen en benen op het netjes onderhouden gazon. De schutter vuurde nog een keer. Dit keer hoorde Lucy de kogel, een fluistering in de lucht als adem in de hals van een fles. Ze wurmde zich los uit Darcy's greep en rende naar voren.

'Chick!' gilde Lucy, nu volkomen wanhopig.

Darcy bleef een fractie van een seconde staan. Een paar meter voor haar stond de Mercedes, haar toevluchtsoord. De verchroomde bumper glansde als een baken op de donkere weg. Ze hoefde alleen maar in de auto te stappen en weg te rijden. Achter haar, buiten zichzelf en ongewapend, wankelde Lucy over het gazon naar voren, naar de man met het pistool en de in elkaar gezakte gestalte op het gras. Rennen, zei Darcy tegen zichzelf, ga nou, maar haar voeten weigerden dienst, wilden niet dat ze de andere vrouw in de steek zou laten, met de dood als gevolg.

De schutter schoot nog een keer, en miste, en Darcy hoorde dat zijn magazijn leeg klikte. Hij haalde de patroonhouder eraf en zocht in de zak van zijn jas. Darcy draaide zich om naar het huis en sprintte achter Lucy aan.

'Kom!' gilde ze, terwijl ze Lucy beetpakte en haar terugtrok. 'Je kunt hem niet helpen.'

'Nee!' Lucy sloeg naar de armen van de andere vrouw, maar Darcy hield haar stevig vast.

'Wil je hier dan doodgaan?' vroeg Darcy.

Lucy keek achterom naar de schutter. Hij haalde een nieuwe patroon uit zijn jas en ramde die in het magazijn van zijn pistool. Nee, dacht Lucy. Ze keek naar Darcy. 'We gaan.' En ze renden weg.

Terwijl de twee vrouwen snel instapten, ketsten er nog een paar schoten van de achterbumper van de Mercedes af. Lucy zette de motor aan en stak haar hand onder haar stoel. 'Hier.' Ze gaf Darcy de Glock en trapte op het gaspedaal. De achterwielen tolden in de droge aarde van de weg; toen kregen de banden grip en schoot de Mercedes naar voren.

Darcy leunde uit het raampje en vuurde twee keer op de auto achter hen, terwijl ze de chauffeur in het stoffige kielzog van de auto in beeld probeerde te krijgen. Er suisde nog een kogel langs, die tegen de rand van de zijspiegel ketste en het glas aan diggelen sloeg. De Mercedes reed de hoek om, en de weg achter hen verdween.

Ze kwam uit op de bestrate weg en Lucy trapte het gaspedaal flink in. Ze denderden de duisternis in. Met hun koplampen uit waren ze bijna niet te zien.

'Hij was het,' zei Darcy buiten adem, 'onze vriend van de achterdeur van Bioflux.'

11

Kevin deed zijn uiterste best weer in slaap te vallen, maar uiteindelijk haalden al zijn pogingen niets uit. Met zijn ogen wijdopen van uitputting en ongemak lag hij op zijn rug in bed, keek naar de rondspokende lichten van passerende auto's die over het plafond gleden, en dacht na over het eerste telefoontje van Carl. Ze hadden maar een paar minuten met elkaar gesproken, maar het was voor Kevin lang genoeg geweest om te voelen dat Carls angst oprecht was geweest, dat zijn beheersing enigszins gehaperd had. Carl had iets gezegd over een reportage die Kevin een paar maanden daarvoor had gedaan, over een reserveofficier uit het leger die inentingen had geweigerd en voor de krijgsraad was gebracht.

Kevin probeerde zich uit alle macht de naam van die man te herinneren – Soames? Stiles? Carl had het nog geweten. *Dat was een goede reportage van je, een paar maanden geleden*, had hij gezegd. Verdomme, dacht Kevin. Het was Stykes; nee, Sykes, dat was het: Earl Sykes. Hij was een beetje gestoord geweest, zo paranoïde dat Kevin hem moeilijk serieus kon nemen, maar het was wel een interessant verhaal geweest. En wees nou eerlijk, wie kon die vent nu kwalijk nemen dat hij geen anthrax in zijn bloed ingespoten wilde krijgen?

Zou het kunnen zijn dat Bioflux die vaccins maakte? vroeg Kevin zich af. Als dat zo was, zou dat beslist geen geheim zijn. Nee, er was iets anders gaande, iets waarvoor het loonde iemand om zeep te helpen, en op de een of andere manier had de gevangenisdirecteur er iets mee te maken. Kevin rolde zich op zijn zij en keek naar de wekker. Het was al bijna ochtend. Waarom had Lucy niet gebeld?

Er was plotseling toegenomen activiteit bij de Perkins aan de andere kant van de straat; het geluid van portieren die dichtsloegen en van slaperige gesprekken die het begin van de ochtendspits inluidden. Er reed een auto de parkeerplaats van het Mountain Aire op; de koplampen schenen als een spotlicht door Kevins gordijnen, waarna ze tegelijk met de motor werden uitgezet. Kevin hoorde eerst het ene portier dichtslaan, toen het andere, toen gedempte geluiden voor de deur van zijn kamer. Hij ging gespannen overeind zitten. De waarschuwing van Max Fausto speelde weer door zijn hoofd. *Dit is een smerige zaak.*

Er klopte iemand aan, eerst zachtjes, maar toen harder. Kevin voelde zijn maag samenknijpen.

Toen wachtte diegene even, en klopte daarna weer. 'Kevin!' De stem klonk dringend. 'Ik ben het: Lucy. Doe open!'

'Ik kom,' riep Kevin. Hij tastte naar het bedlampje, sprong op en liep naar de deur.

Lucy's gezicht was bleek en gespannen. Ze had de geïrriteerde blik van iemand die al lang geleden het punt van emotionele uitputting heeft bereikt. 'Ik moet je auto hebben,' zei ze, terwijl ze vlak langs Kevin naar binnen liep.

Er was nog een vrouw bij haar; ongeveer van Lucy's leeftijd en maar een fractie minder hologig. Lucy was veel te opgefokt om de moeite te nemen hen aan elkaar voor te stellen, maar Kevin nam aan dat dit de vrouw was die bij haar had ingebroken, de vrouw die Lucy geholpen had in het gebouw van Bioflux te komen. Er zat bloed aan de hals van de vrouw, een verzameling kleine wondjes, als van heel fijne granaatscherven. Ze liep achter Lucy aan naar binnen en deed de deur achter hen dicht.

'Ze hebben Chick doodgeschoten,' zei Lucy met vlakke stem, angstaanjagend kalm. 'We moeten hier weg.'

Kevin liet de woorden tot zich doordringen. 'Wie?' vroeg hij dommig.

'Jezus, heb je me gehoord of niet?' blafte ze, en ze liep naar het raam aan de voorkant, deed de gordijnen iets uit elkaar en keek de parkeerplaats af. 'Pak je spullen, dan kunnen we weg.'

Toen Lucy hem haar rug toekeerde, kon Kevin haar pistool zien, waarvan de kolf zorgvuldig achter de band van haar spijkerbroek gestoken zat.

'Waar gaan we heen?' vroeg hij, terwijl hij over zijn boxershort heen een broek aanschoot.

'Weet ik niet,' zei Lucy, nog steeds met haar gezicht naar het raam. 'We brengen Darcy naar Castle Rock. Daarna weet ik het niet.'

Kevin werkte zich in een t-shirt. 'Ik heb Canty gevonden.'

'Waar?' Lucy draaide als gestoken haar hoofd om.

'In Montana. Ten zuiden van Bozeman.'

Tegen de tijd dat ze Brighton uit reden, met achterlating van Lucy's Mercedes op de parkeerplaats van het Mountain Aire, was de zon al op. Ze namen de oostelijke tolweg en reden langs de ochtendspits van Denver. Kevin reed, en Lucy zat voorin naast hem. Darcy zat achterin, met haar wang tegen het koude glas van de ruit gedrukt en keek naar de vlakten die voorbijgleden. Aan deze kant van de stad had je nog steeds prairies, uitgestrekte gras- en graaslanden, hier en daar onderbroken door pasgebouwde bataljons eengezinswoningen, uniform als soldaten van een Romeinse slagorde. Achter de bruin hellende heuvels ving Darcy een glimp op van het nieuwe vliegveld, waarvan de witte kegels die het dak vormden glansden als door vuur verlichte tenten.

De auto zoefde voort, terwijl zijn schaduw achter hen aan snelde. Lucy was emotioneel weer enigszins in evenwicht en vertelde Kevin wat er die nacht allemaal gebeurd was. Darcy probeerde te bedenken wat ze nu moest doen. Of de gevangenisdirecteur nu ernstig in de nesten zat of niet. Als het zo erg was als zij dacht, zou de informatie die hij uit het huis van de Greenes wilde hebben hem heel wat meer waard zijn dan alleen een luizenbaantje en een aardige celgenoot voor Angie.

Een groen bord gleed in beeld, waarop de afslag voor Castle Rock aangekondigd werd. Voor haar, even voorbij de oprit, was de

Flying J: smerig dweilwater, een wekelijkse plastest voor haar parooloficier, boos kijkende secretaresses – zo zag de rest van haar leven op het rechte pad eruit, hield Darcy zichzelf voor.

Kevin gaf richting aan en ging langzamer rijden.

De rest van haar leven en van dat van Angie: de komende tien jaar zouden ze elkaar elk weekend in de bezoekkamer van Canyon zien. Als ze allebei geluk hadden, konden ze misschien terug naar Casper en samen met hun vader in de raffinaderij werken. En dat was dan de *goede* versie van de toekomst, de versie waarin Angie haar tien jaar in Canyon heelhuids uitzat.

Ze reden de afrit af. Darcy ging rechtop zitten en legde haar hand op Kevins schouder. 'Rijd maar terug de snelweg op,' zei ze. 'Ik ga met jullie mee.'

Kevin keek in de achteruitkijkspiegel. 'Jij stapt hier uit,' zei hij, en hij reed de parkeerplaats van een Conoco-station op.

'Hoor eens,' zei Darcy, 'er is niets veranderd. Ik wil alleen die testuitslagen voor Pioneer. Grote kans dat jullie voordat dit achter de rug is mijn hulp nog een keer nodig hebben. Je zei dat jullie richting Bozeman gingen. Nou, daar woont een vriendin van me. Dat is een veilige plek om neer te strijken.'

Kevin schudde zijn hoofd. 'Ik vind het een slecht idee,' mompelde hij.

Darcy draaide zich om naar Lucy. 'Dit ben je me op z'n minst toch verschuldigd.'

Lucy dacht aan de afgelopen nacht, aan hoe ze met elkaar gevochten hadden, aan hoe Darcy haar ervan had weerhouden terug te gaan naar Chick. Als Darcy er niet was geweest, was ze nu dood geweest.

'Ze gaat niet mee,' hield Kevin vol.

'Het gaat om mijn zusje,' zei Darcy tegen Lucy. 'Wat zou jij doen?'

Lucy keek omhoog naar de weg boven hen. 'Ga terug naar de snelweg,' zei ze tegen Kevin.

'Vind je echt dat we dit moeten doen?' vroeg Kevin, terwijl hij zijn handen rond zijn beker koffie legde. 'We weten helemaal niets over haar.'

Ze waren gestopt bij een restaurant voor truckers even ten zuiden van Cheyenne om te tanken en wat te eten. Darcy was naar de wc.

'En als ons eerste vermoeden eens juist is?' ging Kevin verder. 'Het kan best zijn dat ze voor een ander biotechnologisch bedrijf werkt. Misschien heeft zij Carl wel vermoord, weten wij veel. Dat hele verhaal over gevangenisdirecteur Billings is misschien wel uit haar duim gezogen. We hebben niets over hem gevonden, waar of niet? En die lulkoek over haar zus? Kom nou, zeg.'

Lucy nam een slok van haar koffie en stak een sigaret op. 'Ik weet het niet,' zei Lucy. 'Ze heeft wel mijn leven gered, terwijl ze dat net zo goed niet had kunnen doen. Ze had zelf ook wel gedood kunnen worden. Bovendien lijkt ze door de dingen die ze ons wél verteld heeft nou niet bepaald op Moeder Teresa. Als ik over mijn verleden loog, zou ik een beter beroep kiezen dan ex-gedetineerde. Ze had gelijk toen ze zei dat we haar hulp nog wel een keer nodig zouden hebben. Ik heb haar aan het werk gezien, en ze heeft een slot in minder tijd open dan ik nodig heb om mijn sleutels te vinden.'

Kevin wreef met de muis van zijn hand in zijn ogen. 'Het bevalt me nog steeds niet,' zei hij. Hij keek op en zag Darcy de wc uit komen. 'Het bevalt me helemaal niet.'

Darcy liep naar hen toe en ging op de stoel naast die van Lucy zitten. Ze had zich opgeknapt, maar de wondjes zaten er nog.

'Wat is er gebeurd?' vroeg Kevin, terwijl hij naar zijn eigen hals wees.

'Er kwam een kogel tegen de zijspiegel van de Mercedes,' legde ze uit, en ze bracht de beker koffie naar haar lippen. Ze wist niet goed wat ze van Kevin moest denken, maar ze merkte wel dat hij haar niet zo zag zitten.

'Ai,' zei hij.

Er verscheen een serveerster met hun ontbijt: volle borden met eieren, worstjes en pannenkoeken.

'Oké,' zei Kevin toen ze weg was, 'wat weten we precies?' Hij goot stroop over zijn pannenkoeken en nam een hap. 'We weten dat Carl in het weekend onderzoek deed naar neuraalbuisafwijkingen, iets waar Craig Weldon en onze vriend van afgelopen nacht in geïnteresseerd blijken te zijn. Carl en Weldon zijn allebei dood, en het ziet ernaar uit dat iemand jou ook uit de weg wil ruimen. Hebben jullie niets gevonden in het kantoor van Weldon?'

Lucy schudde haar hoofd en schoof haar bord met eten van zich af. Ze had zich de hele ochtend weten te beheersen, maar nu zag ze steeds Chick voor zich, met zijn benen gespreid in het natte gras en zijn lichaam dat schokte toen de man zich over hem heen boog en schoot. Ze dacht dat ze moest overgeven.

'Toen Carl me in New York belde, had hij het over een reportage die ik gemaakt had, over een reserveofficier uit het leger die voor de krijgsraad gebracht was omdat hij de standaardvaccinaties tegen biologische oorlogvoering had geweigerd.'

'En jij denkt dat die reportage iets met deze hele kwestie te maken heeft?' vroeg Lucy, terwijl ze erin slaagde een slokje koffie te nemen.

Kevin haalde zijn schouders op.

'Er is iets vreemds met dat gebouw van Bioflux,' onderbrak Darcy hem. Het was de langste zin die ze die ochtend gezegd had.

'Het komt door iets wat ik geleerd heb. Als ik aan het werk was, zocht ik altijd plekjes waar ik me kon verstoppen. Het is net of er in dat gebouw een grote ruimte is waar geen verklaring voor is.' Ze wachtte even, zoekend naar woorden om te beschrijven wat ze bedoelde. De andere twee keken niet-begrijpend. 'Net als een dubbele bodem in een koffer. Maar dan groot, heel groot. De hele kern van het gebouw.'

Ze prikte een worstje aan haar vork en beet het uiteinde eraf.

'Ik moest aan die hele Pioneer-kwestie denken. Gisternacht, toen we Pryor uit reden, zei Lucy dat jullie niets opmerkelijks hebben kunnen vinden in de krant van Ophir uit de tijd dat Billings gevangenisdirecteur was. Dat klopt toch, hè?'

'Mm-mm,' knikte Kevin.

Darcy draaide de dop van een flesje tabascosaus en goot een schrikbarend grote hoeveelheid over haar eieren. 'Nou, de directeur zit vreselijk over TB-tests in. TB is een ziekte, en een ziekte is iets wat niet meteen aan het licht hoeft te komen.' Ze nam een hap van de eieren, keek van Kevin naar Lucy en wachtte tot ze het zouden vatten. Geen van beiden zei een woord. 'Maar als er nou eens wél iets gebeurd is toen hij daar werkte,' ging ze verder, 'maar dat men er pas veel later achter is gekomen?'

'O, shit!' riep Lucy uit, maar niet om wat Darcy net gezegd had. Haar aandacht was verschoven naar de televisie die boven het lunchbuffet hing.

Darcy keek op en Kevin draaide zich om in zijn stoel. Op de televisie was Lucy's huis te zien, de tuin en de oprit waren afgezet met geel lint. Op de voorgrond stond een verslaggeefster van een van de zenders van Denver, een aantrekkelijke brunette. Het geluid stond uit, maar de ondertiteling was ingesteld. Lucy kneep haar ogen samen om de tekst te kunnen lezen: ... BUREN TROFFEN DE MAN UIT PRYOR VANOCHTEND DOOD AAN ... OOGGETUIGEN NIET GEÏDENTIFICEERD ... POLITIE IS OP ZOEK NAAR DE ZUS VAN DE MAN ... VOOR ONDERVRAGING. Er verscheen een kiekje van Lucy op het scherm; het leek wel een eeuwigheid te duren, en toen kwam de verslaggeefster weer in beeld, met het huis achter zich.

Een groepje mannen kwam de voordeur uit en ging op Lucy's veranda staan: de enige politieagent van Pryor, drie mannen in bruin sheriffuniform, een paar rechercheurs met cowboyhoed op. Achter het groepje stond nog een man in een donker pak, die zich bijna met opzet achter de anderen verstopte. Hij zag er bleek en vermoeid uit vergeleken met de anderen, en zijn gezicht stond bars en zakelijk.

Darcy liet haar vork langzaam naar haar bord zakken. 'Dat is 'm,' fluisterde ze.

Lucy's ogen zogen zich aan het gezicht van de man vast. 'Van vannacht, bij het huis,' stamelde ze. 'Wat doet hij daar?'

Darcy keek het restaurant af. Verscheidene gezichten waren op het televisiescherm gericht. 'Sta op,' fluisterde ze tegen Lucy, 'en ga naar de auto.'

'We moeten naar de politie,' zei Lucy. 'Dat hadden we vanochtend al moeten doen. Ik was er met mijn hoofd niet bij.'

'Ga naar de auto,' herhaalde Darcy, terwijl ze Lucy's pols vastgreep.

Lucy staarde de andere vrouw ongelovig aan. 'Het komt wel goed. Ik leg wel uit wat er is gebeurd.'

Darcy schudde haar hoofd. 'Hij is een van hen,' siste ze, en ze liet

Lucy's arm los. 'Ga naar buiten en hou je hoofd naar beneden.'

Lucy keek naar Kevin, alsof ze van hem bevestiging wilde. Weer moest hij denken aan wat Max Fausto gezegd had. *Knoop dit maar in je oren: jij gaat een paar heel machtige vijanden krijgen.* In al die jaren dat hij met Max had gewerkt, had Kevin hem nog nooit op een leugen kunnen betrappen. 'Ze heeft gelijk.' Hij knikte, pakte zijn autosleutels uit zijn zak en gaf die aan haar. 'We komen er zo aan.'

Lucy stond langzaam op en liep tussen de formica tafeltjes en met skai beklede stoelen door naar de deur. Ze hield haar ogen gericht op de vloer voor haar. De andere klanten gingen aan de rand van haar blikveld voorbij: een vrachtwagenchauffeur met een honkbalpet op, een oude man met een strooien cowboyhoed, een vrouw met een baby. Dit had ze toch altijd gewild: iets wat haar uit haar leven tilde, een golf waarop ze zich kon laten meesleuren? Haar ogen prikten en haar zicht was wazig. Ze knipperde haar tranen weg en liep door.

Chick was dood, de jongen die elke ochtend met haar naar school was gelopen, die haar had laten zien hoe ze zich door het gat in de schutting van de oude schroothandel moest wurmen. Chick, haar broer, was dood, en Carl was dood, en het leven van vroeger was voorgoed verdwenen. Ze duwde de voordeur open en liep de parkeerplaats op.

'Waar gaan we precies heen?' vroeg Darcy toen ze alledrie bij de auto waren. Ze had binnen een wegenkaart gekocht. Ze vouwde hem op de motorkap van de auto open en legde haar vinger op Cheyenne.

Kevin bekeek Montana, vond Bozeman en daarna de kronkelige lijn van de Yellowstone River, de Paradise-vallei het kleine stipje dat Homer aangaf. 'Hier.'

'We kunnen recht door Wyoming rijden. Naar Casper is het ongeveer drie uur. Ik weet een adres waar we kunnen stoppen en ons kunnen verkleden. Hoeveel geld hebben we?'

Kevin trok zijn portemonnee tevoorschijn. 'Ongeveer vijftig dollar, plus creditcards.'

'Ik ook,' zei Lucy.

Darcy schudde haar hoofd. 'We kunnen beter geen creditcards

gebruiken,' zei ze; en toen, tegen Kevin: 'Binnen is een pinautomaat. Pin zo veel geld als je kunt krijgen. Wij tanken de auto vol.'

12

Op een plattegrond van Wyoming valt Casper, de enige stad in het midden van de staat, op als een welkome inktstip op een bladzijde die voor de rest helemaal wit is. Iemand die naar Casper reist, zal dus heel wat verwachten. Als je in zuidelijke richting door het niemandsland van Noord-Wyoming rijdt, of in noordelijke richting door het zuidelijke niemandsland, verheug je je op een onderbreking van de monotonie, iets anders dan sneeuwhekken en antilopen en de ijzige hellingen van de Rocky Mountains die in de verte voor je opdoemen.

Dat is een vergeefse verwachting, zoals iedereen die ooit door Wyoming is gereden je zal kunnen vertellen. De werkelijkheid is dat Casper niet veel meer is dan een flauwe bocht in de snelweg, een ogenschijnlijk willekeurige verlaging van de maximumsnelheid met vijftien kilometer en een groepje aftandse huizen en ketenmotels.

Het was vlak voor twaalven toen Lucy, Darcy en Kevin van de snelweg af het stoffige centrum van Casper in reden. Lucy lag te slapen op de achterbank. Darcy gidste Kevin door een wijk met oude, armoedige huizen, huizen langs het spoor met verrotte veranda's en afbladderende verf. Pitbulls grauwden door de hekken van harmonicagaas heen naar elkaar. Ontmantelde Fords en Chevrolets vervuilden de straten als lichamen in staat van ontbinding.

'Daar heb ik gewoond,' zei Darcy, en ze wees naar een klein huis met een zichtbaar doorzakkend dak. Het was een keurige woning, zij het behoorlijk gehavend. Hij was ooit geel geweest, maar de verf was grotendeels afgebladderd, waardoor de grijze overnaadse planken eronder te zien waren. Aan de scheve veranda hingen mandjes met bloemen. Het gazon was groen en netjes gemaaid, met hier en daar een kleurige tuinkabouter en handbeschilderde bordjes met daarop: WILLIAMSVILLE, VOLK 4, en: OPGEPAST, KLEINE MANNETJES AAN HET WERK. In de straffe wind tolden draaimolentjes wild rond: een man in een vliegmachine, een boer die met bovenmenselijke snelheid zijn koeien molk, een meisje dat driftig met een Amerikaanse vlag zwaaide. Een hek van harmonicagaas hield de chaos in bedwang.

'Ik weet wat jullie denken,' zei Darcy. '*Geen wonder dat ze zo geworden is.*'

Lucy ging rechtop zitten op de achterbank en rekte zich uit. De slaap had haar geen goed gedaan. Ze was suf en had overal pijn, haar ogen waren dik, haar gezicht opgezet. 'Waar zijn we?' vroeg ze.

Darcy keek achterom. 'In Casper, bij het huis van mijn ouders.'

Lucy bekeek de volgestouwde tuin. In het huis bewoog iets: een groot gebloemd lichaam schoot langs een kier in de gordijnen. De voordeur ging open en een vrouw liep de veranda op. Ze was klein en gedrongen, en haar huisjurk was bezaaid met enorme rode rozen. Haar haar was dofgrijs, tegen haar hoofd geplakt, en de tanden van de kam stonden er vet in afgetekend.

'Hé, mam!' riep Darcy, terwijl ze uitstapte. Ze deed het hek open om de tuin in te lopen, en van de achterkant van het huis kwamen twee zwarte hondjes aangerend.

'Elmer!' riep de vrouw, en ze klapte in haar handen. 'Annabelle!' Maar de hondjes leken door deze vermaning alleen maar harder te gaan blaffen. Een van hen hapte naar Darcy's enkel en had een bek vol sok te pakken.

Darcy keek achterom naar de auto. 'Wees maar niet bang,' zei ze, en ze gebaarde naar Lucy en Kevin dat ze ook moesten komen. 'Ik ga wel even met haar praten.' Ze liep naar de veranda en omhelsde haar moeder.

'Mam, dit zijn Lucy en Kevin, vrienden van me.' Ze liet de vrouw los en wees naar de twee anderen.

De moeder bekeek de bezoekers argwanend. 'Waarom ben je niet aan het werk? Ik dacht dat je doordeweeks werkte?'

Darcy glimlachte geruststellend. 'Ik heb een dagje vrij. Ik wou mijn vrienden hier de buurt eens laten zien.'

Kevin ging op de eerste tree staan en stak zijn hand uit. 'Leuk u te ontmoeten, mevrouw.'

'Ja,' zei de vrouw, terwijl ze Kevin van top tot teen opnam, inclusief de gekreukte kaki broek en het katoenen hemd. 'Komen jullie dan maar binnen,' zei ze, en ze draaide zich om. 'Ik zal wat te eten voor jullie maken.'

Binnen was het donker; de gordijnen waren dicht om de zon en de warmte buiten te houden. In de woonkamer stond de televisie aan. Een gezin van soapacteurs stond rondom een jonge vrouw die in coma lag, met keurig gekapt haar en lippenstift in een lichte kleur, om ziekte te suggereren. Het huis stond boordevol snuisterijen, porseleinen curiosa, goedkope plastic poppen, ingelijste foto's van Darcy op verschillende leeftijden, en foto's van nog een kind, een teer meisje met piekerig blond haar.

'Is dat je zusje?' vroeg Lucy, terwijl ze naar een kiekje van het blonde meisje wees.

Darcy knikte. 'Kom, dan gaan we kijken of we wat kleren kunnen vinden.'

De twee vrouwen gingen een slaapkamer aan de achterkant van het huis in, en Kevin bleef nog wat staan, bekeek de foto's, de twee zusjes in Halloween-kostuum en in sporttenue. Als Darcy iets te verbergen had, zei Kevin bij zichzelf, dan zou ze hen niet mee hiernaartoe genomen hebben. En toch had hij nog steeds zijn twijfels over haar. Ik wil alleen de testverslagen voor Pioneer, had ze gezegd, maar Kevin betwijfelde of er wel een nette manier was om dat voor elkaar te krijgen, of dat wat ze wilde nog te scheiden viel van alle andere dingen waar ze achter waren gekomen.

'Weet jij hoe je maïs moet pellen?' Darcy's moeder stak haar hoofd om de hoek van de keuken, met één wenkbrauw sceptisch opgetrokken.

Kevin knikte.

'Mooi.' Ze gooide hem een bobbelige zak toe en wees naar de voordeur. 'Maak die dan maar schoon; daarna heb ik wel weer een ander klusje voor je.'

Darcy's kamer was voorzover Lucy kon beoordelen de afgelopen tien jaar niet veranderd; het was een soort geïmproviseerde schrijn, een altaar voor de jeugd die hier was doorgebracht. De twee bedden waren bedekt met een bijpassend roze dekbed, gebloemde kussenslopen en kanten ruches. Tom Cruise keek glimlachend van een van de muren naar beneden, met zijn duimen achter de band van zijn spijkerbroek. Op een boekenplank stond een heel leger aan teddyberen, een pluchen strijdmacht met glazen ogen, klaar voor een stille aanval. De aftandse kaptafel stond vol met lipgloss en oogschaduw, donkerrode en maagdenpalmblauwe bewerkte doosjes.

De kamer zag eruit zoals haar eigen kamer eruit had kunnen zien als haar moeder nog geleefd had, dacht Lucy. Maar dat was natuurlijk niet zo, en Lucy was er nooit in geslaagd een echt meisje te zijn. Het grootste deel van de tijd had het haar niet geïnteresseerd. Ze was tevreden geweest met de afdankertjes van Chick en met de felle competitie tussen jongens. Ze was in veel dingen die haar broer belangrijk vond beter dan hij: ze was moediger, ze kon beter schieten, ze was geduldiger en bekwamer bij het vissen. Maar ze had zich niet de subtiele sociale regels van vriendschap onder vrouwen eigen gemaakt, de trucjes en wat er verder bij kwam kijken.

Darcy trok een la open en haalde een paar t-shirts en twee korte broeken tevoorschijn. 'Hier,' zei ze, en ze gaf Lucy een stel kleren. 'Die zullen je wel passen.'

Lucy knikte. 'Zijn die van jou?' vroeg ze, terwijl ze naar een plank met prijzen naast de deur wees.

Darcy schudde haar hoofd. 'Ik was het zwarte schaap van de familie. Die zijn van Angie.'

'Was ze hardloopster?'

'Veldloop. Ze deed in haar laatste jaar mee aan nationale wedstrijden,' Darcy glimlachte, trots als een ouder.

Lucy keek omhoog naar de prijzen, naar de gouden en zilveren beeldjes van hardlopende jonge vrouwen. In het midden stond een foto van Angie, met haar fijne gezichtje een beetje naar boven, haar rug recht, haar benen lang en gespierd, op weg naar een onzichtbare finish.

'Mooi is ze,' zei Lucy. Ze moest plotseling aan haar broer denken, aan hoe ze met z'n tweetjes aan de rivier de Platte 's ochtends vroeg zaten te vissen.

Lucy deed haar ogen dicht en zag hoe Chick in de stroming stapte en voorzichtig zijn lijn inhaalde terwijl zijn vlieg in een stroomversnelling onderging en stroomafwaarts dreef. Hij wachtte even, tilde toen zijn hengel op, en de vlieg ging de lucht in, omhoog en omlaag, waarbij zijn gevleugelde schaduw over de rivier hupte. Dat was Chick, dacht ze: niet de beste, maar wel de fatsoenlijkste; degene van wie ze met de minste problemen kon houden. En toen puntje bij paaltje kwam, had ze hem niet kunnen redden.

Kevin liep de veranda op en ging in een goedkope plastic tuinstoel zitten. Hij hoorde de honden achter het huis, hun aanhoudende gekef. Aan de andere kant van het hek, in de tuin ernaast, lag een vrouw te zonnen op een ligbed, terwijl er vlak bij haar in het stof een vieze peuter zat te spelen. In het huis van de buren stond de radio aan. Het zachte commentaar van een honkbalwedstrijd op een krakerige AM-zender dreef door een open raam naar buiten.

Het was warm en droog, en zelfs in de schaduw van de veranda zat Kevin te transpireren. Hij haalde de maïs uit de zak en legde hem naast zijn voeten in een stapel op de plankenvloer. Het waren verse kolven, vochtig, en ze roken naar gras. Toen hij het eerste vlies eraf pelde, liet de zaadpluis eronder los zodat er volmaakte korrels te zien waren, glad en gelijkmatig als een rij tanden.

Hoe vaak had hij dit voor zijn oma gedaan, en altijd op het trapje aan de achterkant van het huis? Zij had Kevin geleerd nauwgezet te werk te gaan, om elke kolf af te werken tot er geen enkele zaadpluis meer op zat.

Hij zat te denken aan wat Darcy daarstraks had gezegd: dat het kon zijn dat eventuele problemen bij Pioneer pas later aan het licht waren getreden. Ze konden niet terug naar Ophir, maar Kevin had een ander idee. Hij maakte de maïs af, haalde zijn mobiele telefoon uit zijn zak, koos de Inlichtingen van Ophir en vroeg naar het telefoonnummer van de *Gazette*.

'Mag ik Jimmy even?' vroeg hij toen de receptioniste van de krant opnam.

Er klonk een zucht en toen een klik; de vrouw zette hem in de wacht. Er klonk zachtjes een muzakversie van 'Eye of the Tiger', waarbij de stemmen vervangen waren door een trompet met demper. Kevin neuriede mee: ... *it's the thrill of the...*

'Hallo?' Het was Jimmy.

'Jim, met Kevin Burns spreek je, van MSNBC. Ik heb gisteren bij jullie in het archief geneusd. Jij hebt me geholpen, weet je nog?'

'Meneer Burns. Wauw. Tuurlijk weet ik dat nog.'

'Luister, ik heb je hulp nog een keer nodig. Je moet wat dingen voor me nakijken. Zou dat lukken?'

'Mm-mm.'

'Oké, dit moet je doen. Je loopt de archieven door, te beginnen in het voorjaar van 1990, en je let op of er in de penitentiaire inrichting van Ophir iets ongebruikelijks is gebeurd. Vooral iets waarbij mensen misschien ziek zijn geworden.'

'Bedoelt u zoiets als de Pioneer-epidemie?'

Kevin drukte de hoorn dichter tegen zijn oor. 'Wat is dat, de Pioneer-epidemie?'

'Zo noemt mijn vader het altijd. Hij heeft daar vroeger gewerkt, voor hij ziek werd.'

'Hoe is hij dan ziek geworden?'

'Dat weet ik niet. Aanvankelijk waren het alleen de gevangenen, maar daarna kregen sommige bewakers het ook. Je voelt je de hele tijd ellendig. Mijn vader is altijd moe, en hij valt soms. Zijn armen en benen voelen raar; net als wanneer je verkeerd ligt en je arm of been gaat slapen.'

'Weet je nog wanneer dit is begonnen?'

Jimmy dacht even na. 'Ik was nog klein, ik zat in de derde klas of zo, dus het zal acht, negen jaar geleden zijn.'

'En er zijn een heleboel andere bewakers die dezelfde klachten hebben?' vroeg Kevin.

'Een paar. Ik weet het niet goed. En dan heb je nog dat hele gedoe met de baby's.'

'Wat voor gedoe?'

'Een man, een collega van mijn vader in de gevangenis, die werd

132

ziek of zo, maar zijn vrouw en hij hadden een baby en die had iets met z'n ruggengraat, alsof die naar buiten kwam. Spinaal, en dan nog wat. Ik kan me de naam niet meer goed herinneren, maar er zijn een paar van die baby's geboren.'

'Spina bifida?' vroeg Kevin.

'Ja, dat was het.'

'Zijn de mensen dan niet ongerust?'

'Ja, dat zal wel.'

'Wat bedoel je: dat zal wel?'

Jimmy aarzelde even. 'In deze stad moet alles en iedereen het van die gevangenissen hebben: de scholen, de supermarkten, zelfs deze krant. Niemand wil iets verkeerd over Pioneer zeggen, of over een van de andere gevangenissen. Net als mijn vader. Ze hebben hem wat geld gegeven, en verder heeft hij zijn pensioen en zijn invaliditeitsuitkering. Hij denkt: meer kunnen ze toch niet doen?'

Slimme knul, dacht Kevin.

'Meneer Burns?' vroeg Jimmy. 'Heeft dit iets te maken met de broer van die vrouw die in Pryor vermoord is? Ik herkende haar van de foto.'

Kevin zei niets, ook al wist hij dat de jongen zijn stilzwijgen als 'ja' zou opvatten.

'Meneer Burns?'

'Ja.'

'Moet ik nog steeds die archieven doornemen?'

'Nee, Jim, maar evengoed bedankt. Nog één ding. Kun jij je herinneren of je vader het er ooit over gehad heeft dat hij een inenting kreeg, of een tuberculosetest?'

Jimmy dacht over de vraag na. 'Ik weet het niet. Het zou kunnen.'

'Hoe heet je van je achternaam?' vroeg Kevin.

'Hagen. Jim Hagen.'

'Ik moet je ontzettend bedanken, Jim. Als je ooit iets nodig hebt, moet je het me laten weten, oké?'

'Oké, meneer Burns.'

Kevin hing op en stak de telefoon weer in zijn zak. De peuter in de tuin aan de andere kant van de weg had de tuinslang tevoorschijn gehaald en maakte een reeks geultjes in de grond. De vrouw was op haar buik gerold, en het leek of ze sliep. De zon straalde fel op haar witte rug; de huid lag er kwetsbaar en bloot bij, als vlees aan het spit. Kevin raapte de gepelde maïskolven bij elkaar, stond op en ging naar binnen.

Lucy en Darcy zaten aan de keukentafel over een schaal boontjes gebogen. Toen Kevin de deur opendeed, keken ze op van hun werk.

'We moeten gaan,' zei hij rustig. Hij zette de maïs voor hen neer.

'Wat is er?' Lucy keek naar hem op. Zowel Darcy als zij had een korte broek en T-shirt aangetrokken.

Kevin schudde zijn hoofd.

'Mam,' zei Darcy. Ze stond op en liep naar het aanrecht, waar haar moeder een tonijnsalade stond te mengen. 'We moeten weg, mam. We kunnen niet blijven voor de lunch.'

De vrouw draaide zich om naar Lucy en Kevin, teleurgesteld, beschuldigend. 'Hoezo niet?'

Darcy haalde haar schouders op. 'Mijn vrienden moeten terug naar Castle Rock. Het is nog een lange rit.'

Lucy glimlachte en stond ook op. 'Leuk u ontmoet te hebben,' zei ze.

'U woont hier mooi,' zei Kevin onhandig.

Darcy sloeg haar armen om haar moeder heen. 'Ik bel je nog, oké? De volgende keer dat je Angie spreekt, moet je haar zeggen dat het allemaal in orde komt. Dat is belangrijk, mam. Zeg tegen haar dat ik ergens mee bezig ben. Zeg dat ze het moet volhouden daar, oké?'

'Oké.'

'Beloof je dat, mam?'

'Dat beloof ik.'

'En zeg tegen papa dat ik van hem hou. Zeg dat het me spijt dat ik niet kon wachten tot hij thuis was. En ik hou ook van jou.'

Mevrouw Williams knikte, maar ze leek niet overtuigd. Haar ogen stond koud en schrander. Ze liep niet met hen mee naar de deur.

'Wat is er aan de hand?' vroeg Lucy toen ze van het huis wegliepen. Darcy zat nu achter het stuur, met haar blik gespannen op de weg voor haar gericht. Kevin zat achterin.

'Ik zat te denken over wat Darcy daarstraks zei, over dat het in Pioneer niet allemaal meteen aan het licht hoeft te zijn gekomen, dus toen heb ik die jongen van de *Ophir Gazette* gebeld,' zei Kevin. 'Ik wilde hem vragen of hij de kranten van na 1990 voor me wilde doornemen.'

'En?' spoorde Lucy hem aan.

'Er schijnt iets te zijn wat ze de Pioneer-epidemie noemen. Heb je daar ooit iets over gehoord?' vroeg Kevin, die zijn vraag tot Darcy richtte.

Ze schudde haar hoofd.

'Begin jaren negentig werden gevangenen en een paar bewakers in Pioneer ziek: slapeloosheid, voortdurende vermoeidheid, gevoelloosheid in armen en benen. Komt dat je bekend voor?'

'Dat is hetzelfde wat Chick had,' zei Lucy.

'Maar dat is nog niet alles.'

'Heeft die jongen van de krant je dat allemaal verteld?' vroeg Lucy.

Kevin knikte. 'Zijn vader was bewaker in Pioneer. Hij is zo ziek dat hij moest stoppen met werken. Maar moet je dit horen: behalve de ziekte zegt die jongen dat er zich ook een aantal geboorteafwijkingen heeft voorgedaan. En wat denk je dat dat voor afwijkingen zijn?'

Lucy draaide haar hoofd om en staarde Kevin aan. 'Aan de neuraalbuis?' probeerde ze.

Kevin knikte. Ze waren Casper uit en reden nu in noordelijke richting naar Bar Nunn en weer naar de snelweg. 'Ja. Spina bifida, ofwel: open ruggetje.'

Toen ze in Sheridan stopten om te tanken, gaf Darcy het stuur over aan Lucy en ging zij achterin zitten.

'Tegen de tijd dat we er zijn is het al laat,' zei ze, terwijl ze de kaart bestudeerde. Ze gaf hem door aan Kevin en ging liggen, met haar knieën opgetrokken tot haar borst. 'Als ik nog slaap als we in Livingston aankomen, moeten jullie me wakker maken. We kunnen vannacht bij die vriendin van me logeren.'

Lucy schakelde de cruisecontrol in en ze reden Montana in, door de Crow Reservation, langs de rivier de Little Bighorn, door Lodge Grass en Hardin. Er was een koufront aan komen zetten, en tegen de tijd dat ze in Livingston waren, was de temperatuur aanzienlijk gedaald. De lucht was donker van de donderkoppen en van de storm in de verte, die in oostelijke richting langs hen gleed.

Kevin leunde achterover in zijn stoel. 'Weet je nog die oude MG die Chick in zijn examenjaar had?'

Lucy glimlachte. 'Hij heeft meer tijd aan dat ding zitten sleutelen dan dat hij erin gereden heeft.'

'Het enige wat we drie maanden lang van hem zagen, waren zijn magere benen die onder die auto uitstaken.'

Lucy had hem toen zo oud en werelds gevonden. Hij was gaan werken in de conservenfabriek in Fort Lupton en daar kreeg hij een echt salaris. Niemand van hen had ooit eerder in een cabriolet gereden. 'Hij ging toen met dat meisje uit Johnstown. Hoe heette ze ook alweer?'

'Michaela,' zei Kevin liefdevol.

'Inderdaad ja, Michaela. Ik kon haar niet uitstaan.'

'Ik wilde zo graag in die auto rijden. Weet je dat nog? Maar we mochten er niet eens aankomen.'

'Ik heb er één keer in mogen rijden.'

'Dat meen je niet!'

Lucy schudde haar hoofd. 'Echt waar.'

'Hoe was dat?'

'Geweldig,' zei ze. Ze had al heel lang niet meer aan dat ritje gedacht. Ze waren langs de begraafplaats Pryor uit gereden, naar Burle Reservoir toe. Lucy had het jaar daarvoor haar rijbewijs gehaald en de enige auto waar ze ooit in gereden had, was de oude pick-up van haar vader. Toen ze het gaspedaal van de MG intrapte en de kleine cabriolet over het met struikgewas begroeide land van Weld County naar voren schoot, werd ze overspoeld door een gevoel van vrijheid. Ze had zich aantrekkelijk gevoeld, bruisend van de mogelijkheden.

Ze waren allebei een hele tijd stil. Lucy stak een sigaret op en keek hoe het asfalt achter de horizon verdween. Er viel geen enkel ander voertuig te bekennen.

'Luce?' vroeg Kevin ten slotte.

'Ja?'

136

'Denk je ooit wel eens aan ons – ik bedoel, hoe het gegaan zou zijn als ik was gebleven?'

Lucy ging verzitten, strekte haar vingers op het stuur en dacht aan de laatste paar weken voordat Kevin was weggegaan, aan het warme einde van de zomer: de geur van het veld van Miller, omgewoelde aarde en zweet. Ze dacht aan dat laatste ritje dat ze hadden gemaakt naar Greeley, met Kevin achter het stuur van de oude groene personenauto van zijn opa, aan hoe opgelucht hij was dat hij haar voor de kliniek kon afzetten en kon wegrijden. Volgens haar was er tegen de tijd dat hij vertrok tussen hen niet veel meer te redden geweest.

'Jij in Morgan County bij de benzinepomp werken en ik kippen slachten, zoiets?' zei ze. 'Dat lijkt mij niet zo'n leuk leven.'

'Nee,' zei Kevin instemmend. 'Daar heb je wel gelijk in.'

Lucy haalde haar blik even van de weg en keek hem aan. Zijn gezicht was naar het zijraampje gedraaid, zijn rug en schouders deels naar Lucy toe. Ze had plotseling de aandrang om haar hand uit te steken en de onbedekte huid onder aan zijn nek aan te raken, om zichzelf dit kleine gebaar van genegenheid toe te staan. Maar ze deed het niet.

Arlen Krill werkte op basis van strikt noodzakelijke kennis, en zo had hij het graag. Hoe minder informatie hij nodig had, hoe beter. Krill was geen goede patriot. Hij werkte voor het geld, en zolang het geld bleef komen, deed hij zijn werk en hield hij zijn mond dicht. Hij had in het verleden als burgerassistent bij het leger gewerkt, had troepentraining in Afrika onder de Sahara-grens gedaan en een klus in Midden-Amerika, maar hij had nooit graag onder iemands leiding gestaan en hij werkte het liefst alleen.

Krills diensten waren niet goedkoop. Hij had al vermoed dat de muizig klinkende man die hem in de arm had genomen toen het met die klus met Carl Greene voor het eerst was misgelopen, de man die hem nu met updates en instructies belde, niet zijn echte opdrachtgever was. Nee, achter deze klus zaten hoge omes, mensen die hun tijd wel beter konden besteden dan hun handen vuil te maken aan de smerige details. Mensen die het konden regelen dat hij zich als een FBI-rechercheur onder de plaatselijke politie kon mengen. Die poppenkast had hij wel leuk gevonden: rechercheur spelen bij de schietpartij in Colorado, een blik werpen op de werkwijze van politieagenten in een kleine stad.

Krill wist niet precies wat er in Seattle was gebeurd, alleen dat iemand het verkloot had, en het was zijn taak de boel te regelen. Het leek niet erg waarschijnlijk dat de vrouw van Greene de dossiers gezien had, maar ze was nieuwsgierig en vroeg of laat zou ze de puzzelstukjes in elkaar gaan passen. Ze wist al meer dan goed voor haar was. Degene die opdracht gaf voor de schietpartijen wilde geen enkel risico nemen. En na die flater met haar broer was het extra belangrijk dat Krill haar uit de weg ruimde.

Het zou Krills keus niet geweest zijn om de media erbij te betrekken, maar de hoge omes wilden dat ze snel gevonden werd en dat alles wat ze zou kunnen zeggen snel onderuitgehaald kon worden. Zo had de man die Krill gebeld had het tenminste uitgelegd.

'Wie weet?' had de jengelige stem gezegd. 'Voortvluchtigen leggen wel vaker het loodje tijdens schermutselingen met de autoriteiten. Dat zou een keurige manier zijn om de zaak af te ronden.'

13

'Waar zijn we hier in godsnaam?' vroeg Kevin toen Darcy de snel-weg af reed en de rivier overstak, in de richting van de donkere uit-lopers van de heuvels en de kolossale bergketen daarachter. Het was al lang na zonsondergang; de lucht boven hen ging van donker-blauw over in zwart. In de verte gloeiden tientallen tipi's op, een heel veld vol flakkerende canvashuiden, als lampjes die voor het feest van een reus buiten waren neergezet. Vlak voor hen, verlicht door de fosforescerende gloed van een aantal buitenlampen, ston-den de logge geraamten van een stuk of tien trailers, die met elkaar verbonden waren zodat ze één lang, kronkelig geval vormden.

'Dit is een wijkplaats,' legde Darcy uit. 'Een vriendin van me runt die samen met haar vriend. Het zijn actievoerders. Het milieu op de eerste plaats, dat slag. Sojaburgers en hennepsandalen, je kent dat wel. Ze doen niemand kwaad.'

Kevin was sceptisch. Hij was in Quebec en in Genua geweest en had de ravage gezien die die milieuactivisten die zogenaamd geen kwaad deden hadden aangericht.

'Het lijkt erop dat we ze ergens bij storen,' zei Lucy. Toen ze op het terrein af reden, zagen ze een grote open tent. Daarin zaten tientallen mensen bij elkaar, de meeste aan lange tafels. 'Weet je ze-ker dat dit wel kan?'

'Dat weet ik zeker,' zei Darcy, en ze reed een koeienwei op die duidelijk als parkeerplaats van de ranch bedoeld was. 'Hoor eens, we zullen toch ergens moeten slapen vannacht, en niemand die bij zijn volle verstand is zal ons hier komen zoeken.'

'Daar heb jij weer gelijk in,' was Kevin het met haar eens, en hij stapte uit de auto het sponzige gras op. Hij rekte zich uit en draaide zich om om hun omgeving in zich op te nemen. Achter hen, in de richting van de snelweg, waren langs de rivier een heleboel elektrische lichtjes te zien. De lucht was koud, met een eerste vleugje herfst.

'Kom,' zei Darcy, en ze liep weg. 'Volgens mij zijn ze aan het eten.'

Ze had gelijk. Toen ze de tent naderden, kon het drietal het gekletter van bestek en het geroezemoes van gesprekken horen. Afgezien van een paar oudere hippies was het grotendeels een jonge groep van voornamelijk jongelui uit de middenklasse, met ruimvallende kleren en Birkenstocks aan.

'Zie je je vriendin ergens?' vroeg Kevin toen ze in het licht van de tent traden.

Darcy speurde de menigte af. 'Nog niet…' begon ze, maar voor ze haar zin kon afmaken, kwam achter in de tent een hoofd met woeste rode krullen omhoog.

'Darcy!' riep een vrouwenstem uitbundig, en Darcy zag haar vriendin Shappa door de wirwar van tafels zich naar voren haasten.

Onder haar hemdjurk was Shappa slank en pront; haar kleine lichaam was compact en functioneel. Ze was op blote voeten en haar teennagels waren knalrood gelakt. Toen ze bij Darcy was, gooide ze haar armen om haar heen en omhelsde haar langdurig. 'Wat doe jij hier?' vroeg ze.

'We zijn op doorreis,' zei Darcy, en ze deed een stap achteruit om haar vriendin beter te kunnen bekijken. Het was de eerste keer, realiseerde Darcy zich, dat ze elkaar zonder blauwe gevangeniskleding aan zagen.

Shappa was Darcy's celgenoot geweest tijdens haar eerste jaar in Canyon. Shappa was de dochter van een dokter van Long Island. Ze was geboren als Rachel Lowenstein, en ze moest twee tot vier jaar zitten voor een poging om de machine op te blazen van de stoeltjeslift op de berg Vail. Ecoterrorisme, zo noemde Shappa het, en ze bracht haar vrije tijd grotendeels in hun cel door met het bedenken van ingewikkelde plannen voor de vernietiging van diverse houtkap- en mijnbouwprojecten in het westen.

In het begin was Darcy gek van haar geworden, met haar halfbakken indiaanse filosofie en haar niet-aflatende tirades over de dierlijke producten die ze in de kantine van de gevangenis te eten kregen. 'We zijn allemaal schepselen van Moeder Maan,' zei Shappa dan. Maar ze was zo iemand die je ging boeien, en uiteindelijk gaf Darcy zich gewonnen voor haar vertederende naïviteit en optimisme.

Darcy had een paar brieven van Shappa gekregen toen ze uit Canyon weg was. Ze was uit Colorado vertrokken en had het noordwestelijk deel van het Pacifisch gebied doorgewerkt, waarbij ze zichzelf aan oude ceders vastketende en de rol van een stenengooiende zalm op het congres van de Wereldhandelsorganisatie in Seattle had gespeeld. In Seattle had ze Jeremy ontmoet, en een halfjaar later woonden ze in Montana.

Darcy glimlachte en wenkte haar twee reisgenoten. 'Lucy, Kevin, dit is Shappa.'

Shappa maakte een lichte buiging. 'Welkom op ons feest,' zei ze. 'Alle vrienden van Darcy zijn mijn vrienden.'

'We hoopten dat we hier vanavond bij jou konden neerstrijken,' zei Darcy.

Shappa straalde. 'Natuurlijk!' Toen trok ze als een ongeduldige kleuter aan Darcy's hand en zei: 'Kom, dan stel ik je voor aan Jeremy!'

'De plaatselijke bevolking weet niet goed wat ze van ons moeten denken,' legde Jeremy uit terwijl Shappa een soort stoofgerecht op borden schepte en die voor hen neerzette.

'Ik hoop dat jullie van tempeh houden,' zei Shappa stralend. 'Iedereen bruine rijst?'

'Ze weten dat we lijpe bomenknuffelaars zijn,' ging Jeremy verder, terwijl hij aan zijn baard vol klitten frutselde. Zijn haar zat in een wirwar van lange dreadlocks. Kevin vond dat hij ongeveer twintig jaar te oud was voor de blanke rasta-look en zeker vijftien jaar te oud voor Shappa. 'En dat is in dit stukje bos erger dan dat je een moord hebt gepleegd. Maar ze weten ook dat we mensen opleiden voor tegen de regering gerichte acties. En daarmee staan we ongeveer op het niveau van heiligen.'

'We zijn niet ideologisch,' wijdde Shappa uit. 'Nou ja, wíj wel. Maar het programma niet. We reiken de mensen alleen de middelen aan.'

Kevin keek omlaag naar wat er op zijn bord lag. 'En wat betalen ze precies voor die middelen?'

Shappa wilde iets gaan zeggen, maar Jeremy onderbrak haar. 'We leven heel eenvoudig,' zei hij, terwijl hij zijn arm om Shappa's middel legde, 'maar een plek als Sheep Mountain Ranch kan het niet van goede bedoelingen alleen hebben. We brengen de mensen een redelijke prijs in rekening voor de kennis en opleiding die ze hier krijgen.'

Kevin keek even sceptisch naar Lucy. Onder de met natuurlijke verfstoffen gekleurde kleren leek Jeremy net zo gehaaid als een tweedehandsautohandelaar. Ongetwijfeld verdiende hun gastheer aardig wat aan de ranch.

'Eet je bord leeg,' commandeerde Shappa vrolijk. 'Na het eten zal ik een slaapplek voor jullie regelen.'

Toen Jeremy zijn veganistische nagerecht van appel en brood op had, excuseerde hij zich met de mededeling dat hij een 'sessie' moest leiden. Kevin keek hem na terwijl hij de tent uit liep en in het donker verdween, waarbij zijn berenklauwenketting tegen zijn borst sloeg.

'Je komt me bekend voor,' hoorde Kevin Shappa zeggen. Hij draaide zich om en zag dat ze naar hem keek. 'Was jij ook in Quebec?'

'Wat bedoel je?'

Ze rolde met haar ogen. 'De top van de Verenigde Staten, april 2001.'

'Nee,' zei hij. In werkelijkheid was hij er wél geweest om de protestacties voor MSNBC te verslaan, maar hij betwijfelde of ze elkaar in het Hilton tegen het lijf konden zijn gelopen.

'O, nou ja,' zei ze, en ze haalde hulpeloos haar schouders op. Ze

142

dronk haar kamillethee op en wreef haar handen tegen elkaar. 'Ik breng jullie naar jullie tipi. Jullie zullen wel bekaf zijn.'

Ze liepen achter Shappa aan de eettent uit en over een veel betreden voetpad naar het grootste bouwsel van het hele kamp. 'De Worm,' zei hun gids liefdevol, terwijl ze naar het provisorische gebouw gebaarde. 'Helemaal van afval gemaakt. De trailers hebben we op een autokerkhof bij Gardiner gevonden. We proberen zo veel mogelijk dingen te hergebruiken; onze tipihuiden zijn van gerecyclede vezels. Jammer genoeg hebben we nog geen manier gevonden om helemaal van het netwerk los te komen, maar we genereren al een kwart van onze energie zelf, hetzij van de zon, hetzij van de wind. Jullie hebben zeker geen slaapzakken bij je, hè?'

Darcy schudde haar hoofd. 'Nee, sorry.'

'Maakt niet uit,' zei Shappa. 'We hebben binnen nog wel een paar reserves.'

Ze kwamen bij het bouwsel en Shappa liep een kleine houten veranda op, deed de deur open en gebaarde naar het drietal dat ze binnen moesten komen.

'Dit is onze receptie,' zei ze, en met een armzwaai toonde ze de onverwacht grote ruimte. Afgezien van een poster met MARIHUANA LEGAAL, had het onverschillig welk kantoor kunnen zijn. In de hoeken stonden ficussen in potten, er stonden twee bureaus en twee hypermoderne computers en een rij dossierkasten, en er was een kleine wachtruimte.

'Geloof het of niet,' legde hun gids uit, 'maar er is een heleboel competitie in deze business. Je moet professioneel overkomen.'

De rest van de trailerafdelingen van de Worm bestond grotendeels uit goed geoutilleerde gebruiksruimten. Er was een kleine benauwde bibliotheek met titels als *Stille bron* tot *De Engelse-sleutelbende*. Twee aan elkaar gemaakte trailers dienden als ontmoetings- en lesruimte.

'We doen alleen in de zomer trainingen,' zei Shappa, 'dus we hebben gelukkig niet veel binnenruimte nodig.' Ze deed een deur die op slot zat open, en die leidde naar wat volgens Kevin het achterste stuk van het bouwsel was. 'Hier wonen Jeremy en ik.'

Shappa deed een lamp aan, en toen konden ze haar benauwde woonruimte zien: namaak oosterse tapijten, een versleten futon, een oude lamp met een rode sjaal erover gedrapeerd. Midden in de kamer stonden twee met huid bespannen trommels. Aan een muur hing een poster met daarop: OHM. Op een andere poster stond: LEEF EENVOUDIG ZODAT ANDEREN EENVOUDIG KUNNEN LEVEN.

'Toen ik Jeremy net kende, woonde hij in een schoolbus,' zei Shappa lachend, een beetje zenuwachtig. Ze deed een grote kast open en haalde er drie strak opgerolde slaapzakken uit. 'Zijn vader was eigenaar van een groot bouwbedrijf in Pennsylvania. Vlak nadat we elkaar in Seattle hebben leren kennen is hij overleden. Zo zijn we aan het geld gekomen om dit hier te beginnen.' Ze zweeg en keek het drietal aan. 'Mijn god, ik ratel aan een stuk door.'

Lucy rolde in haar veldbed op haar andere zij en staarde in het donker. Kevin moest al in slaap zijn gevallen voor zijn hoofd het met hennep en boekweit gevulde kussen had geraakt. Zijn ademhaling was diep en ritmisch. Hij bewoog zich een beetje en zijn slaapzak ritselde. Van buiten de tent klonk het schrille monotone gezang van krekels, in de verte het geroffel van trommels, en het schorre, enigszins valse geluid van zingende mensen.

Het was net als op zomerkamp, dacht Lucy, hoewel ze nooit naar een zomerkamp was geweest. Of zoals de migrantenkampen die tijdens de oogst rond Pryor verschenen; armoedige kampementen met aftandse busjes en oude Chevrolets boordevol huishoudelijke spullen, baby's die tussen stapels lakens en handdoeken waren gepropt, vrouwen die tortilladeeg maakten en bonen kookten op een Coleman-kookstel.

Toen ze klein waren, hadden Chick en zij wel eens in een tent in de achtertuin geslapen. Dat herinnerde ze zich nog. Zoals de dauw 's nachts op de stof neerdaalde, en dat je hand, als je de binnenkant van de tent 's ochtends aanraakte, nat was. Of de lange tocht naar de wc midden in de nacht, als ze in haar nachtpon door de donkere tuin moest lopen en haar eigen huis als een inbreker moest binnengaan, door de bijkeuken, door de keuken, door de gang langs de slaapkamer van haar vader, naar de kleine badkamer die voor gezamenlijk gebruik was.

Lucy ging op haar rug liggen en probeerde de losse stukjes van de afgelopen drie dagen op een rij te krijgen. Boven in de tipi, waar de stokken bij elkaar kwamen, was een klein stukje lucht te zien, een groepje sterren. Als die jongen van de krant van Ophir gelijk had, had zich iets door de penitentiaire inrichting Pioneer verspreid wat wel heel erg op de Golfoorlog-ziekte leek. Verspreid. Wat een akelig woord. Zou de ziekte van Chick zich verspreid kunnen hebben? vroeg ze zich af. Vlak voor ze zwanger werd van Eric had hij bij hen gewoond, in Arvada. Biologisch gezien waren een open ruggetje en een hersenuitstulping heel sterk met elkaar verwant.

En wat was de rol van Bioflux daarbij? Waren zij degenen die de TB-tests produceerden waar gevangenisdirecteur Billings zo op gebrand was? Carl had het geweten. Hij had iets over hen, iets wat Weldon en zijn handlanger in hun huis waren komen zoeken. Wat er ook gaande was, Craig Weldon had er zo veel over geweten dat hij zich erom van kant had gemaakt.

Lucy ritste haar slaapzak open, zwaaide haar benen uit het veldbed en tastte in het donker naar haar tennisschoenen. Ze liep naar de smalle kier licht waar de ingang van de tipi was en ging naar buiten. Aan de overkant van het veld was een groepje mensen in de eettent bij elkaar gekomen om te zingen. De andere kant op zag ze de lichtjes van de wasgelegenheid van de mannen en de vrouwen.

Lucy baande zich een weg tussen de tipi's door en liep naar de schrootgedaante van de Worm.

'Oké, Darcy, wat is hier gaande? Ik weet dat die vent journalist is.' Shappa haalde een beslist niet-biologische kwarktaart uit de koelkast. 'God, ik heb het helemaal gehad met die veganistische onzin.'

Darcy schudde haar hoofd. Ze hadden Lucy en Kevin naar een van de tipi's gebracht en waren toen teruggegaan naar het huis van Shappa om te praten. 'Kun jij je directeur Billings nog herinneren, van Canyon?'

'Hoe zou ik die kunnen vergeten?' zei Shappa. Ze haalde de kwarktaart uit zijn doos, zette hem tussen hen in op tafel en gaf Darcy een vork. 'Ik moet toegeven, ik was beledigd dat ik nooit ben meegenomen naar De Rode Kreeft. Ik dacht altijd dat het ermee te maken had dat ik joods ben, alsof dat iets besmettelijks is. Of dat hij dacht dat ik lesbisch was.'

Darcy glimlachte. 'Een paar maanden nadat ze jou ontslagen

hebben, is mijn zusje naar Canyon gestuurd. Die heeft zich helemaal in de nesten gewerkt met speed, amfetaminen, en ze heeft een Seven-Eleven-winkel proberen te beroven met een vleesmes.'

'Wat een ellende, meid.' Shappa schudde haar hoofd. 'Wat erg.'

Darcy speelde met haar vork. 'Ze is niet zoals wij. Ik maak me zorgen of ze het daarbinnen wel redt.'

Shappa ging naar voren zitten op haar stoel en prikte in de taart. Ze was nu ernstig, en Darcy vertelde haar alles wat er gebeurd was, van het eerste telefoontje van de gevangenisdirecteur tot hun aankomst op de ranch.

'Nou gaat het hierom,' zei Darcy toen ze haar vriendin helemaal op de hoogte had gebracht. 'Iedereen zoekt naar iets wat Carl Greene in zijn bezit had: gevangenisdirecteur Billings, de vent die Weldon en Chick heeft vermoord en die afgelopen nacht ook op ons geschoten heeft, en de opdrachtgever van die man, wie dat ook moge zijn. Toen ik voor het eerst in het huis was, heb ik, voordat Lucy kwam, de dossiers van haar man vrij goed kunnen bekijken. Er was niets bij over TB-tests of over Pioneer of wat dan ook. Ik dacht dat ik het over het hoofd gezien had, maar ik weet onderhand wel zeker van niet.'

Darcy wachtte even om een flinke vork kwarktaart los te wrikken.

'Waar denk je dan aan?' vroeg Shappa.

'De gevangenisdirecteur is er ontzettend op gebrand die dossiers in zijn bezit te krijgen. Hij gaat hiermee zijn boekje al ver te buiten. Dit is niet meer zomaar een tripje naar Pueblo en even lekker gepijpt worden. Als ik die dossiers te pakken weet te krijgen, kan ik misschien iets voor Angie doen. Wie weet? Er lopen zo veel mensen van hun werkploeg weg.'

'En die worden dan gepakt.'

'Niet altijd.' Darcy aarzelde even. 'Maar ik heb wel hulp nodig.'

Shappa stond op, stak een pit van het fornuis aan en zette een ketel water op. 'Ik weet nog wel iemand,' zei ze plechtig, met haar wenkbrauwen geconcentreerd samengetrokken. 'Van vroeger.'

Shappa had hun warmere kleren gegeven als aanvulling op de korte broek en het T-shirt die Darcy en Lucy uit het huis in Casper hadden meegenomen. Maar Lucy had het nog steeds koud toen ze in de zelfgebreide trui en gerafelde spijkerbroek het terrein over liep. De meeste gasten van de ranch waren nog steeds op. Degenen die niet in de eettent aan het zingen waren, zaten te praten in groepjes, over het gras verspreid of in een tipi, waarbij hun silhouet tegen de van binnenuit verlichte huiden flikkerde.

Ze deed niets verkeerds, maar toch voelde Lucy zich een beetje verdacht, een buitenstaander tussen deze ernstige mensen. Ze knikte naar twee jonge vrouwen toen ze langs de laatste tipi liep, en zij keken met een uitdrukkingsloos gezicht naar haar op.

Shappa had geen sleutel nodig gehad om het kantoor binnen te komen, en Lucy hoopte dat niemand de deur sinds hun rondleiding door het gebouw op slot had gedaan. Ze liep het schijnsel binnen waardoor de Worm verlicht werd, ging het houten trapje op en probeerde voorzichtig de deurknop. De deur ging open.

Chick had de laatste paar jaar een flink deel van zijn vrije tijd achter de computer doorgebracht. Lucy wist dat zijn informatie over de Golfoorlog-ziekte daar grotendeels vandaan kwam: de nieuwste kruidenmiddelen die in Engeland succes leken te hebben, getuigenissen van andere veteranen, de laatste officiële telling van het Pentagon van het aantal soldaten dat blootgesteld was geweest toen het wapendepot in Khamisaya de lucht in was gegaan. Als hij die dingen aan haar uitlegde, had ze maar met een half oor geluisterd. Nu wilde ze dat ze wat beter had opgelet.

Lucy deed de deur dicht, ging aan een van de bureaus zitten en zette de computer aan. Het apparaat kwam reutelend tot leven en het logo van Windows verscheen op het scherm. Lucy wachtte tot het bureaublad verscheen en koos toen het icoontje voor een internetprovider. Binnen een paar seconden had ze het niemandsland van Montana in verbinding gebracht met de rest van de digitale wereld. Ze tikte GOLFOORLOG-ZIEKTE in op de homepage van de zoekmachine, drukte op ENTER en wachtte.

Er verscheen een handjevol websites op het scherm: veteranen van de Amerikaanse Golfoorlog, afdeling voor speciale steun aan Golfoorlog-patiënten. Kapitein Nancy Bellamy: het verhaal van een veteraan. En onder aan de lijst, in een kleiner lettertje: SITES 1-9 VAN 3127.

Lucy ging achteruit in haar stoel zitten. Het was uitgesloten dat ze meer dan drieduizend websites ging napluizen, vooral aangezien ze nauwelijks enig idee had waar ze naar zocht. Ze verving GOLF-OORLOG-ZIEKTE door NEURAALBUISAFWIJKINGEN. Nee, dacht ze, terwijl ze de cursor verwachtingsvol zag knipperen, ze moest iets hebben dat nog beperkter was. Ze wiste NEURAALBUISAFWIJKINGEN en tikte alleen MYCOPLASMA in. Kan mij het schelen, dacht ze, het is het proberen waard.

Het scherm flitste weg en er verscheen een nieuwe lijst met websites: mycoplasma bij varkens. Mycoplasma genitalium. Afdeling Gezondheidszorg New York – overdraagbare ziekten – Mycoplasma-infectie (wandelende longontsteking). Haar veld had zich verbreed van enorm groot naar overweldigend groot; de zoekmachine gaf bijna zevenduizend sites over mycoplasma. Verdorie, dacht ze, je kunt nog behoorlijk verdwalen in de grote wereld van cyberspeculatie.

Lucy scrolde naar beneden door de sitebeschrijvingen, in de hoop dat haar oog ergens op zou vallen. De meeste informatie was zo te zien in hoge mate technisch van aard, gericht op medici, maar onder aan de tweede bladzijde vond ze een link naar een artikel, getiteld 'Feiten over mycoplasma en chronische vermoeidheid', dat er iets minder intimiderend uitzag.

'Wat is mycoplasma?' vroeg de tekst opgewekt, en hij beschreef het organisme verder als 'de kleinste en eenvoudigste subklasse van bacteriën'. Volgens de site had mycoplasma het kleinste genoom van alle bacteriën dat in staat was zich onafhankelijk van gastcellen te vermenigvuldigen. Wat mycoplasma van andere bacteriën onderscheidde was echter het feit dat het geen celwand had, waardoor het in staat was weefsel en zelfs witte bloedlichaampjes binnen te dringen. Zijn speciale gave bestond eruit dat het het immuunsysteem activeerde en zich dan in de eigen immuuncellen van het lichaam verstopte. En in tegenstelling tot bacteriën reageerde mycoplasma niet op antibiotica.

Lucy scrolde door het artikel. De rest van de tekst ging over het chronisch-vermoeidheidssyndroom, over immuunstoornissen en over het hoge gehalte mycoplasma in het bloed van patiënten met chronische vermoeidheid. Helemaal aan het eind van het artikel stonden diverse links, sites met informatie die de auteur relevant of in elk geval interessant vond. Er stonden een paar hulpgroepen voor patiënten met het chronisch-vermoeidheidssyndroom vermeld, een paar artikelen over fibromyalgie, diverse websites over mycoplasma en toen, bijna aan het eind van de lijst, twee links die Lucy's aandacht trokken: een pagina van Golfoorlog-veteranen en een site getiteld: 'Mycoplasma en de Golfoorlog-ziekte'. De tweede titel klikte ze aan.

Arlen Krill had zich geïnstalleerd voor de avond. Hij was net klaar met zijn gebraden kippetje van het afhaalrestaurant en zapte de betaalde zenders van het Holiday Inn langs, op zoek naar wat ontspanning voor bij het slapengaan, toen de telefoon ging.

'We hebben ze gevonden,' zei de man met jengelende stem. 'Ze zitten in Montana.'

'Dan zul je toch iets specifieker moeten zijn,' zei Krill, terwijl hij een trailer koos van een film, getiteld *Cherry Poppins*. 'Montana is een grote staat.'

'Ze zitten in een of ander opleidingskamp voor hippies ten zuiden van Livingston. Het heet daar Sheep Mountain Ranch.'

Jezus, dacht Krill, die gasten zaten overal. Hoewel het niet de vaste gang van zaken was, werkte Krill vaak voor onbekende opdrachtgevers – of voor opdrachtgevers die de illusie koesterden dat ze niet bekend waren. Als hij een paar keer contact met hen had gehad, wist hij meestal wel wie erachter zat. In dit geval wist hij het echter nog steeds niet zeker. De inlichtingendienst had hij al in het begin geschrapt, maar hij stond op het punt die nog eens in overweging te nemen. Ze hadden in elk geval zo veel versjteerd dat het toch nog wel eens de inlichtingendienst kon zijn. En ze hadden een gigantisch informatienetwerk.

'Ik kom eraan,' zei Krill tegen de man.

14

'Wakker worden. Kom, jongens, tijd om op te staan.'

Kevin voelde door de slaapzak heen een hand op zijn schouder, die hem zachtjes door elkaar schudde. Nog half in slaap tilde hij zijn hoofd op en hij zag de vage gestalte van Darcy's aardevrouwvriendin die door de tipi liep naar waar Lucy lag te slapen.

'Kom. Tijd om op te staan,' fluisterde ze resoluut.

Lucy kreunde, trok haar slaapzak stevig over haar hoofd en draaide zich om.

'Wat is er aan de hand?' vroeg Kevin.

Shappa legde een vinger tegen haar lippen en liep naar zijn veldbed. 'We hebben gisteravond een probleempje gehad: een informant in de Oregon-groep.'

Kevin wreef in zijn ogen. 'Wat wil dat zeggen?'

'De FBI stuurt ze steeds naar ons toe,' legde Shappa uit. 'Gewoon om ons in de gaten te houden. In elke groep zit er wel een. Jeremy heeft hem naar Livingston gebracht.'

'Voor of na het eten?' vroeg Kevin; Shappa's mededeling begon tot zijn versufte hersenen door te dringen.

'Erna,' zei ze, en ze voegde eraan toe: 'Jullie drieën waren moeilijk over het hoofd te zien.'

Darcy was uit haar slaapzak gekomen en zat rechtop op haar bed met haar ogen te knipperen.

'Hoe laat is hij vertrokken?' vroeg Kevin.

'Vlak na het eten. Hij heeft natuurlijk meteen het moederschip gebeld. Het zal niet lang duren voor ze een en ander met elkaar in verband brengen en weten dat jullie hier zitten.' Shappa keek haar vriendin aan. 'Het spijt me, schat. Jullie moeten echt weg.'

Darcy knikte, zwaaide haar benen van het bed en schuifelde naar Lucy's slapende gestalte. 'Tijd om op te staan,' mompelde ze, en ze sloeg de slaapzak open. 'Je kunt in de auto verder slapen.'

Kevin zocht in zijn zak naar het adres dat Max Fausto hem gegeven had. 'Heb je enig idee waar dit is?' vroeg hij, terwijl hij het stukje papier aan Shappa gaf.

Ze kneep haar ogen halfdicht om zijn handschrift te kunnen lezen. 'Ik weet waar Homer ligt, maar het adres weet ik niet zeker. Jeremy heeft een stratenboek in de trailer. Maken jullie je gereed, dan zie ik jullie bij de auto met een routebeschrijving.'

Er steeg damp op van de Yellowstone en die bleef in de populieren hangen als een soort lome waternimf, te lui om het hogerop te zoeken. Op het water lagen al een paar vissersbootjes, glanzende roeibootjes vol zachtbuikige Brat Pitt-imitatoren, schaduw werpende managers uit Houston en Indianapolis met lieslaarzen van vijfhonderd dollar aan. Het grootste deel van de vallei bestond nog steeds uit grasland, krakkemikkige ranchwoningen en uit vee, maar langs de rivier waren de zomerhutjes van een miljoen net zo gewoon als vliegen op een koeienvla. De Gallatin-bergketen torende overal bovenuit, en de rotsen en het afgevoerde water werden door het zijwaarts vallende vroege-ochtendlicht geaccentueerd.

Ze stopten bij een tankstation in Emigrant, en Kevin ging naar binnen en kwam met drie dampende bekers koffie terug.

'Het is nog ongeveer vijftien kilometer naar Homer,' zei Darcy, terwijl ze de globale routebeschrijving naar het adres van Herman Canty raadpleegde die Jeremy had opgeschreven.

Lucy rekte zich uit op de achterbank en wreef in haar ogen. Aan de andere kant van de weg, onder een lage brug, kwamen vissen boven water om te eten; hun bekjes maakten ringen in het kalme donkere water.

Ze nam een slok van de te hete koffie en voelde die branden toen ze hem doorslikte. 'Ik ben erachter gekomen wat mycoplasma is,' zei ze toen ze de weg weer op reden.

Kevin keek haar via de achteruitkijkspiegel niet-begrijpend aan. Darcy verschoof iets, zodat ze naar de achterbank kon kijken.

'Weet je nog,' zei Lucy tegen de andere vrouw, 'toen we in het kantoor van Craig Weldon waren? Al zijn onderzoek ging over mycoplasma.'

Darcy knikte.

'Ik kon vannacht niet slapen. Ik moest denken aan Ophir en aan dat gedoe in Pioneer. Het lijkt heel erg op de ziekte die mijn broer heeft gehad. En een paar jaar geleden ben ik ook een baby verloren.' Lucy wachtte even om nog een slok koffie te nemen. 'Dus ben ik naar het kantoor op de ranch gegaan en heb ik op internet gezocht. Chick zat hele uren achter de computer met andere veteranen te chatten. Iedere malloot heeft zo zijn eigen verhaal, hè? Maar dat wil nog niet zeggen dat sommige van die verhalen niet waar kunnen zijn.'

Darcy knikte weer instemmend. 'En heb je iets gevonden?' drong ze aan.

'Het leek me het proberen waard, dus ik heb een zoekopdracht gedaan. Het is een micro-organisme, zoiets als een kleine bacterie, alleen reageert het niet op antibiotica. Het kan zich in het immuunsysteem verstoppen. Wandelende longontsteking is een mycoplasma-infectie. En chronische vermoeidheid ook. Ze zijn het tegengekomen bij veteranen uit de Perzische Golf, bij mensen zoals mijn broer, met symptomen van de Golfoorlog-ziekte. Maar nu komt het: het is niet de alledaagse vorm van mycoplasma. Iemand heeft met het genoom geknoeid.'

Darcy keek niet-begrijpend. 'Wat wil dat zeggen?'

'Biotechnologie,' kwam Kevin tussenbeide. 'Genetische manipulatie.'

Lucy glimlachte luguber. 'De specialiteit van Bioflux.'

'En wat heeft dit allemaal met tuberculosetests te maken?' vroeg Darcy.

'Goeie vraag,' zei Lucy, terwijl ze weer naar Kevin keek. 'Hoe groot denk jij dat de kans is dat Bioflux de tuberculine voor die tests maakte?'

'Ongeveer net zo groot als de kans dat ze vaccins voor biologische oorlogvoering voor het leger maken.'

Je kon Homer niet bepaald een stad noemen; dat zou sterk overdreven zijn. Zelfs als je zei dat het een brede vlek in de weg was, was dat al misleidend. De weg versmalde namelijk en wurmde zich op een oude brug over de Yellowstone, en kronkelde daarna de dorre uitlopers van de bergen in. Even voorbij de brug was een hengelsportwinkel en een heel klein gebouwtje van witte overnaadse planken met een bordje waar eenvoudigweg BAR op stond.

De zomerhuizen waren aan deze kant van de vallei wat dunner gezaaid, maar ze waren ook groter en opzichtiger geworden. Tegen de oever hingen houten misbaksels van tweeduizend vierkante meter, met garages zo groot dat er een hele familie Range Rovers in paste.

'Hier moet het zijn,' zei Darcy, en ze wees naar een groepje brievenbussen aan de andere kant van de brug.

Kevin ging langzamer rijden. Op een van de brievenbussen stond keurig CANTY geschilderd.

'Hier,' zei Darcy tegen Kevin.

Hij keerde en reed over een gravelweggetje door een maaiveld en daarna weer terug langs de rivier, naar wat zo te zien het enige huis aan Absaroka Road was.

Toen ze er bijna waren, floot Darcy. 'Mooi huis.'

Op het eerste gezicht zag het huis van Herman Canty er meer uit als een soort vissershut of vakantieboerderij dan als een particuliere woning. De muren waren van ruwe houtbokken, met ramen die van de grond tot het hoge plafond reikten. Het huis was zo gebouwd dat het met de voorkant stroomafwaarts stond, en langs twee kanten liep een overdekte houten veranda, waarvan het dak door palen van vurenhout werd ondersteund.

Kevin ging wat langzamer rijden en wees naar de achterkant, waar een rij ramen verlicht was. 'Het ziet ernaar uit dat er iemand op is.'

'Is dit wel zo'n verstandig idee?' vroeg Darcy toen ze door het houten hek reden waarmee het erf van Canty was afgezet. 'Lucy is op het moment niet bepaald populair.'

Kevin keek via zijn achteruitkijkspiegel Lucy aan.

'Als Shappa gelijk had,' zei ze, terwijl ze rechtop ging zitten en haar armen tegen de stoel voor haar plantte, 'is het toch al geen geheim meer waar wij zitten.'

Ze parkeerden op de oprit en liepen het stenen trapje naar de veranda op. Lucy belde aan, en binnen klonk geklingel.

'Hoeveel denk je dat dit stukje paradijs waard is?' vroeg Kevin, terwijl hij naar de Yellowstone keek, waarvan het water daar waar het zich rimpelde op een breed stuk van de rivierbodem spankelde en schitterde. Buiten op het erf floot een veldleeuwerik, en een andere gaf antwoord.

'Te veel,' zei Darcy, niet onder de indruk. Het huis maakte op haar een eenzame en kille indruk, als van iemands verkeerde voorstelling van luxe. Ze was al in te veel van dat soort huizen geweest en ze had te veel laden vol valium gezien en te veel ginflessen weggestopt in schoenendozen of stortbakken om zelf zo'n huis te willen hebben.

'Moet ik nog een keer aanbellen?' vroeg Lucy. Binnen was nog geen teken van leven.

Darcy legde haar handen boven haar ogen en tuurde door een van de ramen. Vanachter uit het huis kwam een vrouw aan; ze liep naar hen toe, en door de gigantische voorkamer leek haar eenzame gestalte heel klein. 'Er komt iemand aan,' meldde Darcy, en ze deed een stap achteruit.

Er verstreek enige tijd en toen werd de deur opengedaan. Ze zagen een frêle vrouw met grijs haar. 'Kan ik iets voor u doen?' vroeg ze.

Kevin nam het woord. 'Mevrouw Canty?'

De vrouw knikte. Ze droeg pantoffels en een joggingpak van fleece. Om haar schouders had ze een kleurige indiaanse sjaal.

'Het spijt me dat we u zo vroeg al komen storen.' Kevin stak zijn hand uit en glimlachte ontspannen, alsof ze elkaar nog van vroeger kenden en zich alleen weer even aan elkaar moesten voorstellen. 'Ik ben Kevin Burns. Ik werk voor MSNBC.' Hij haalde zijn portefeuille uit zijn achterzak en liet zijn kaartje zien. Toen zei hij, op Darcy en Lucy wijzend: 'Dit zijn mijn productieassistenten.'

De vrouw pakte het kaartje aan en keek naar de huurauto, alsof die kon bevestigen wat Kevin gezegd had.

'We wilden eigenlijk even met uw man praten, mevrouw Canty. Ik ben bezig met een reportage over de biotechnologische industrie, en ik heb begrepen dat meneer Canty een van de pioniers was.' Kevin drong verder aan. 'We hoeven hem maar een paar minuutjes te spreken.'

De vrouw deed een stap achteruit ten teken dat ze binnen mochten komen. Kevin aarzelde maar heel even en stapte toen de drempel over.

'Mijn man is niet helemaal in orde,' legde ze uit toen Lucy en Darcy ook binnen waren. 'Nu eens gaat het goed, dan weer wat minder, maar hij heeft de ziekte van Alzheimer, in een gevorderd stadium.' Ze deed de deur dicht, liep weg en gebaarde hun achter haar aan te komen.

De voorkamer leek eenmaal binnen nog groter. Darcy hield haar hoofd schuin naar achteren en keek op naar de sierlijke wirwar van dakspanten van grof vurenhout die het plafondgewelf ondersteunden. De kamer was aan drie kanten omgeven door een galerij op de eerste verdieping, en in het midden van de ruimte bevond zich een kolossale stenen open haard, die diep en breed genoeg was om er een grote olifant in te roosteren. De meubels van de kamer – leren stoelen, zware houten tafels en lampen in de vorm van een gewei – leken wel van lilliputterafmetingen.

'We zitten meestal hier achter,' legde de oude vrouw uit, terwijl ze hun door een deur achter in de grote kamer, door een gang, naar de keuken voorging.

Darcy begreep wel waarom. Ondanks de indrukwekkende apparatuur, de roestvrijstalen koelkast en het professionele fornuis, leek de keuken wel op menselijke maat gebouwd. Er was een ontbijthoek met een eenvoudige vurenhouten tafel, een zonnig zitje met rondom ramen, een bescheiden open haard, een lekkere wegzakbank en een paar stoelen – een thuis in de onzinnige uitgebreidheid van het huis.

'Herman?' zei mevrouw Canty. Ze draaide zich naar hen drieën om. 'Hij was hier net nog.' Ze schuifelde naar het zitgedeelte. 'Herman?' riep ze, haar stem ietsje harder nu. Ze keek uit een van de ramen die op de rivier uitzagen en tikte met haar benige knokkels tegen het glas. 'Herman!' riep ze nu hard, in een poging zich door het glas heen verstaanbaar te maken.

Darcy deed een stap naar voren en reikhalsde om door de ramen te kunnen kijken. Waar het gazon tegen de rivieroever kwam, stond een oude man in een blauw-met-wit gestreepte badjas, met zijn gezicht naar de zon gekeerd en zijn ogen in de extase van het moment gesloten. Er kwam een boot vol vissers voorbij. Als ze hun vislijnen loom naar het lokkende water wierpen, viel het ochtendlicht erop.

'Herman!'

Herman Canty deed zijn badjas open en toonde zijn rimpelige buik aan de rivier. De vissers hielden op met werpen en hun blik verplaatste zich naar de halfnaakte man op de oever, met een middenrif als een bleke rozijn.

'Rotzakken!' schreeuwde hij, terwijl hij met één vuist schudde. Met zijn vrije hand hield Canty zijn oudemannenpik vast en hij piste in het heldere water van de Yellowstone.

'Maak de boot klaar, Alice!' zei Canty opgewonden.

Het viertal wist hem naar binnen te loodsen, maar hij was er niet echt blij mee. Hij keek voortdurend naar de rivier en wees in stroomafwaartse richting.

'Jullie kunnen maar beter gaan,' zei mevrouw Canty. 'Ik geloof niet dat jullie vandaag veel uit hem zullen krijgen.'

Lucy keek wanhopig naar Kevin. Hier stopte hun zoektocht.

'Misschien kunt u ons helpen,' zei hij. 'We hebben begrepen dat uw man in het oprichtingsbestuur van Bioflux heeft gezeten. Klopt dat?'

De vrouw knikte en legde haar hand op Canty's schouder.

'De boot, Alice!' zei hij, terwijl hij haar woest van zich afschudde.

'We hebben geen andere bestuursleden kunnen opsporen,' ging Kevin verder. 'Ik zou graag met een paar van hen willen praten om te horen hoe het in die begintijd was. Het is een heel fascinerend vakgebied.'

Mevrouw Canty keek Kevin sceptisch aan.

'We hebben met Viviane Beckwith gesproken,' kwam Lucy tussenbeide, in de hoop dat die naam hen wat geloofwaardiger zou maken, ook al had zij hun niets verteld.

Herman Canty's ogen werden plotseling alert. 'Waar is dat kreng?' zei hij koortsachtig. 'Is ze hier? Alice?' Hij keek op naar Lucy, Kevin en Darcy, alsof hij hen nu pas voor het eerst zag. 'Wie zijn die mensen?'

'Herman en Viviane hebben het nooit goed met elkaar kunnen vinden,' legde mevrouw Canty uit. Ze wendde zich weer tot haar man. 'Ze zijn van het nieuws. Ze willen een reportage over je maken.'

'Nou, zeg dan dat ze moeten gaan zitten,' blafte Herman. 'Ik word doodnerveus van ze!'

Mevrouw Canty gebaarde dat ze moesten gaan zitten en trok naast haar man een stoel bij.

'Hij had nooit met die zuurpruim moeten trouwen. Een geldwolf was ze,' ging Canty verder. 'Dat heb ik hem ook gezegd. Niet dat het veel verschil maakte.' De oude man liet zijn hoofd een beetje zakken. Hij tilde het weer op en keek uit het raam.

Mevrouw Canty schraapte haar keel. 'Ze willen dingen over Bioflux weten, lieveling.'

Canty keek verward.

'Viviane,' hielp Lucy hem herinneren.

Hij knikte. 'Ze was secretaresse bij Raleigh. Een godvergeten secretaresse, ze gedroeg zich alsof de hele wereld van haar was. Maar ze had wel de mooiste kont van het hele bedrijf. Prachtig.'

Mevrouw Canty schrok even; Lucy deed of ze het niet gezien had.

'Tegenwoordig dragen ze geen rokken meer,' mopperde Canty, terwijl hij voor bijval naar Kevin keek. 'Maar vroeger danste ze rond in van die strakke pakjes en op hoge hakken. Benen als van een renpaard. Schitterend.'

'Herman en David hebben samen bij Fort Raleigh gewerkt,' tolkte mevrouw Canty.

'In het leger?' vroeg Kevin.

De oude vrouw schudde haar hoofd. 'Ze hebben wel voor het leger gewerkt, maar ze waren allebei burger.'

Canty stond op. 'Kom,' zei hij tegen Kevin. 'Dan laat ik het je zien.'

De leren pantoffels van de oude man flapten tegen zijn hielen. Hij ging hen voor de keuken door en dezelfde gang weer in waar ze daarstraks ook door gekomen waren. Vlak voor ze de grote kamer in gingen, dook hij een deur door en liep hij een trap op.

Lucy bleef een paar meter achter, samen met Canty's vrouw. Ze kon niet alles verstaan wat Canty zei, maar ze merkte wel dat hij het nog steeds over Viviane had, afwisselend lof en vitriool. Ze kwamen op de eerste verdieping en liepen de mezzanine rond, te beginnen over de breedte van de grote kamer beneden hen. Aan het eind van de galerij ging Canty hen voor door nog een deur, waarna ze in een kantoor met donkere lambrisering kwamen.

Hij liep de kamer door en deed de bovenste la van een antieke secretaire open. 'Hier,' zei hij. Hij rommelde wat door de inhoud van de la en haalde een verbleekte foto tevoorschijn.

Kevin liep naar Canty toe. Lucy en Darcy kwamen achter hem aan. Viviane Beckwith was de enige die op de foto stond, met een tasje onder haar ene arm, handschoenen lagen loom op een naar boven gerichte handpalm, haar rok kleefde tegen haar dijen. Ze was een jaar of vijftig jonger dan de vrouw die Lucy en Kevin hadden ontmoet, maar het was zonder enige twijfel dezelfde persoon. Ze keek recht in de camera, zelfverzekerd, met volle lippen en haar haar in weelderige krullen gekapt.

Canty pakte de foto terug en keek er zelf naar. 'Shit,' zei hij, en hij schudde zijn hoofd uit ontzag of ongeloof. Hij legde het kiekje weg en pakte een ander uit de open la.

Op deze foto stonden twee mensen: Viviane en een man. Dit keer droeg ze een jurk en witte handschoenen. In haar handen had ze een bosje bloemen – seringen, zo te zien. Ze glimlachte, grijnsde zelfs, en haar lip trok verleidelijk naar een kant opzij. De man was ernstiger, iets ouder. Hij zag er ongemakkelijk uit in zijn pak, gesteven overhemd en stropdas. Hun trouwdag, dacht Lucy.

Canty priemde met zijn vinger naar de man. 'Schoft,' zei hij.

Lucy keek hoe de oude man nog een keer in de la rommelde. Hij schoof de losse foto's opzij en zocht iets. Toen zag Lucy iets, half bedekt onder een andere foto.

'Wat is dat?' vroeg ze, en ze haalde de afdruk eruit.

Canty keek er vluchtig naar.

Het was een groepsfoto, met een paar rijen jongemannen. Hij was bijna precies hetzelfde als de foto die ze in de badkamer van Viviane Beckwith had zien hangen, alleen stonden er op deze twee mannen die er op die van Viviane niet hadden gestaan: twee mannen in een donker pak.

'De witte jassen van Raleigh,' zei Canty terloops. 'Dat is David, en dat ben ik.' Hij wees naar de twee mannen in pak.

Lucy ging met haar vinger over een grappige donkere vorm aan de rand van de foto, een soort halvemaanvorm, een deel van een grote bol. 'Wat is dit?'

Canty schudde zijn hoofd en rommelde weer verder door de inhoud van de la.

Lucy gaf hem een duwtje tegen zijn arm en liet hem nog een keer de foto zien.

Hij keek er bedenkelijk naar, en plotseling vertrok zijn gezicht. 'De biljartbal,' zei hij, en hij begon te huilen.

Mevrouw Canty deed hen uitgeleide. 'Zoals ik al zei,' zei ze verontschuldigend, en haar stem galmde toen ze de grote kamer door liepen, 'sommige dagen zijn beter dan andere.'

'Waar had hij het over?' vroeg Kevin toen ze bij de voordeur kwamen.

'Over het werk dat hij bij Raleigh deed, denk ik. Daar raakt hij soms overstuur van.'

'Ik vind het vervelend om u nog verder lastig te vallen,' zei Kevin voorzichtig, 'maar kunt u zich nog iemand herinneren van de begintijd van Bioflux? Al is het maar een naam?'

De vrouw schudde haar hoofd. 'Herman en ik hebben elkaar pas in 1985 leren kennen. Dus je begrijpt dat ik jullie hier echt niet bij van dienst kan zijn.'

Kevin knikte meelevend en liep de deur uit, met Darcy vlak achter hem aan.

'Dank u wel,' zei Lucy. Ze pakte de hand van de vrouw en ze bleven elkaar even staan aankijken.

Tegen een muur van de hal hing een hoedenrek, een forel met haakjes over de lengte van zijn rug. Boven de forel hing een spiegel, en Lucy kon zichzelf in het glas zien, terwijl ze de oude vrouw stond aan te kijken. Op de muur achter haar rug, weerspiegeld in de spiegel, hing een aquarel, een pastelkleurige weergave van een hutje in het bos. Een veel leuker huis dan dit, dacht Lucy, een vertrouwd huisje, en comfortabel.

'Dankjewel, Alice,' zei ze weer.

'O, nee,' corrigeerde de vrouw haar. 'Ik heet Marjorie. Alice was de eerste mevrouw Canty. Soms is dat de enige naam die Herman zich herinnert. Ik weet nooit goed of hij nu denkt dat ik haar ben of dat het alleen de naam is.'

Lucy draaide zich om en bleef even staan om de aquarel beter te bekijken. Een bekend huis. 'Marjorie?'

'Ja?'

'Leeft Alice nog?'

'O, ja, zeer zeker.'

'Waar woont ze?'

'Daar,' zei de vrouw, en ze deed een stap naar voren zodat ze nu naast Lucy stond. 'Ik bedoel, niet écht daar. Ze woont in Washington, bij Hermans kleindochter.' Ze wees naar de aquarel. 'Dat is hun huisje.' Mevrouw Canty zweeg even. 'Ik kan me nooit de naam van de stad herinneren. Het is iets met Beach. In de buurt van Seattle.'

'Elwha Beach,' zei Lucy.

'Ja!' riep de vrouw uit. 'Op het schiereiland Olympic. Ben je daar ooit geweest?'

Elwha Beach. Lucy herhaalde de naam voor zichzelf en haalde zich het landschap voor de geest dat ze zich al zo vaak had voorgesteld. Een weelderige groene plek, daar waar Carl was gestorven. En nu wist ze waarom het plaatje haar bekend voorkwam, het huisje met zijn schuine dak en beschutte veranda. Carl was daar geweest. Op de dag dat hij was gestorven misschien, en daarvoor ook. Hoe vaak nog meer? Genoeg om zich de plek te herinneren en er haastig een tekening van te maken op een kladblok, om er in hun slaapkamer in Pryor aan te denken.

15

'Elwha Beach, Washington,' zei Lucy, en ze wees naar het zwarte stipje aan de noordkant van het schiereiland Olympic. Ze gaf de atlas aan Darcy, op de achterbank.

Darcy bekeek de kaart. 'Dat lijkt me wel een uur of veertien rijden.'

'We kunnen je in Bozeman afzetten,' zei Lucy. 'Dan neem je de bus terug naar Colorado. Niemand weet dat jij hier iets mee te maken hebt, behalve Billings, en ik durf te wedden dat die zijn mond wel houdt.'

Darcy legde de atlas weg en keek door de voorruit naar het lint van asfalt van de tweebaanssnelweg die onder de motorkap van de auto verdween. Een zwerm eksters sprong op van het prikkeldraadhek van een boer en vloog over de weg, op zoek naar iets te eten. Als ze op tijd vertrok, kon ze de volgende ochtend in Castle Rock zijn. Ze was twee dagen weg geweest, maar ze dacht dat ze haar baan bij de Flying J wel weer zou kunnen terugkrijgen. Lucy had gelijk, het was nog niet te laat om ongemerkt terug te glippen in haar vroegere leven.

En wat had ze er nu eigenlijk aan, als ze als een speer naar het westen reed met die twee mensen die ze niet kende en van wie ze niet eens zeker wist of ze wel te vertrouwen waren? De belofte van een ander bestaan? De mogelijkheid, hoe flinterdun ook, dat er iets beters zou kunnen zijn? Het was nauwelijks het risico waard, maar toch was het dat wel. Op een bepaald punt moest het in haar voordeel omslaan. Nee, ze ging niet terug.

Darcy en Lucy lagen allebei te slapen toen ze de continentale waterscheiding overstaken en aan de lange afdaling begonnen in het door mijnbouw getekende, door de wind geteisterde bekken waar Butte, Montana, in besloten lag. Het was midden op de dag, heet en droog, en aan het eind van de dag lag de explosief gegroeide stad te zinderen in de nazomerzon. Er reed een Greyhound-bus langs, in tegengestelde richting, en Kevin moest even aan zijn moeder denken, aan haar leven zoals hij zich dat altijd had voorgesteld, aan haar lange reis bij hem vandaan.

Wat herinnerde hij zich verder nog van haar? Ze had hem een keer mee uit eten genomen, naar een hippe tent in Greeley, en daar had ze voor zichzelf crêpes suzettes en champagne besteld. Hij had zich gegeneerd, zich geschaamd voor die vertoning, de stijve ober in zijn witte overhemd en lange schort, de zwier waarmee hij de lucifer naar de pan bracht. Hij was boos geweest en, besloot hij nu, teleurgesteld om de keus die hij had gemaakt: de gepaneerde garnalen en de doorweekte gepofte aardappel die ze voor hem neerzetten.

Ervandoor gegaan met een groep hippies. De woorden van zijn oma hadden hem altijd aan een soort viezig circus doen denken, aan clowns met vettig haar en trapezewerkers met ongeschoren benen en een slecht gebit die van stadje naar stadje trokken. En toch had ze iemand anders kunnen worden: een boerin, een advocaat, zelfs een moeder. Dat was de truc, dacht Kevin, dat je datgene vond wat je energie gaf, levenskracht. Net als het moment waarop het lichaam van de acrobaat het punt van het volmaakte momentum bereikt en de handen los zwaaien van de stang.

Lucy bewoog en keerde haar gezicht naar hem toe. Haar ogen waren wijdopen, helder van de onechte alertheid van iemand die net wakker is. 'Waar zijn we?' vroeg ze, en ze strekte haar rechterarm boven haar hoofd uit.

'Butte.'

'God, wat een troosteloze omgeving.'

Kevin keek naar buiten naar de gehavende heuvels, naar de vervallen huizen van de woonwijken ten zuiden van de stad. 'Heb je lekker geslapen?'

Lucy glimlachte. 'Als een baby in een verfmengapparaat. Zal ik een tijdje rijden?'

'Ik wilde in Deer Lodge even stoppen en tanken. Dan mag jij het overnemen. Wil je me wel een plezier doen? Er zit me al sinds we bij Canty weg zijn iets dwars.' Kevin hield zijn hoofd schuin naar de achterbank. 'Zie je daar mijn laptop op de grond liggen?'

'Mm-mm.'

'In het voorvak van de hoes zit een opschrijfboekje.'

Lucy maakte haar autogordel los, reikte over de bank heen, ritste het vak los en haalde het opschrijfboekje eruit. 'Hebbes.'

'Oké. Mijn handschrift is verschrikkelijk, maar de laatste aantekeningen die erin staan, zijn uit de *Ophir Gazette*. Kun je die vinden?'

Lucy bladerde door de aantekeningen tot ze bij de laatste kwam. 'Ja.'

'In de levensbeschrijving van Roy Billings stond dat hij in het leger heeft gezeten. Heb ik daar opgeschreven, nietwaar?'

Lucy ging met haar vinger langs het nonchalante handschrift. 'Hier staat het: Fort Raleigh.'

Kevin keek naar haar om. 'Begin je er een patroon in te zien?'

Het Amerikaanse leger was nooit Kevins specialisme geweest. Het stuk over Earl Sykes was een mislukking geweest, aan hem doorgespeeld door Sylvia Graham, een oudere collega die op weg was naar Saint Croix toen het verhaal bekend werd. Dus afgezien van het feit dat Herman Canty, David Beckwith en Roy Billings daar allemaal hadden gezeten, wist Kevin helemaal niets over Fort Raleigh.

De accu van zijn mobiele telefoon was al een hele tijd leeg, dus toen ze in Deer Lodge stopten om te tanken, ging Kevin rechtstreeks naar de telefooncellen voor het Exxon-station. Hij drukte het algemene nummer van MSNBC in, gevolgd door het viercijferige doorkiesnummer van het kantoor van Sylvia Graham.

'Mevrouw Graham is op reportage,' liet een stem hem weten.

'Marisa?' vroeg Kevin, die de stem van Sylvia's assistente herkende.

'Ja.'

'Met Kevin Burns.'

'Kevin!'

'Mis je me?'

'Elke dag, lieverd, elke dag. Waar ben je mee bezig geweest?'

'Gewoon een beetje rondgelummeld. Wat freelance werk, met een roman bezig. Luister, ik moet eigenlijk iets aan Sylvia vragen. Is ze op kantoor?'

'Nee, het spijt me,' zei Marisa. 'Ze is in Alaska met een reportage bezig.'

'Heb je haar mobiele nummer?'

'Dat heb ik wel, maar ik weet niet of je er veel aan hebt. Tachtig procent van de tijd is ze niet te bereiken.'

'Het is het proberen waard,' zei Kevin.

Marisa noemde het nummer op. 'Morgen zouden ze in Fairbanks moeten draaien. Daar moet je haar wel kunnen bereiken, denk ik.'

'Bedankt.'

'Graag gedaan. Pas goed op jezelf. En veel succes met Sylvia.'

Kevin hing op, stopte nog een handvol muntjes in de gleuf en koos het nummer dat Marisa hem gegeven had. Hij kreeg Sylvia's voicemail. Een opgenomen boodschap zei hem een boodschap achter te laten en verzekerde hem dat Sylvia meteen zou terugbellen.

Kevin hing de hoorn weer op de haak. Hij zou het later nog wel een keer proberen.

'Ik weet het niet,' zei de oude vrouw zenuwachtig.

Krill kon haar niet kwalijk nemen dat ze loog. Niets aan hem deed vermoeden dat zijn vraag tot iets goeds zou kunnen leiden. Maar toch begon hij geïrriteerd te raken. Krill had de hele nacht gereden om in Montana te komen. Toen hij eindelijk bij de Sheep Mountain Ranch kwam, waren de vrouw van Greene en haar vrienden allang vertrokken. Zelfs toen Krill dreigde de hele handel daar te sluiten, had de kleine rooie die de boel daar runde geweigerd iets te zeggen. Als haar dreadlockvriendje niet zo'n slapjanus was geweest, had Krill daar misschien onverrichterzake weer moeten vertrekken. Zodra Krill over de fiscus begon, was de papperige, zogenaamde rasta als een mossel in een hete braadpan opengegaan.

En nu was Krill teruggereden naar het zuiden, over de kam van Paradise Valley, om met een of ander rijk grijsharig type te praten dat dacht dat ze zich voor hem van den domme kon houden. Dit was zijn laatste klus voor de vs, besloot Krill. Dat had hij al eerder beweerd, maar dit keer meende hij het. Wie zat er nou te wachten op hoofdpijn veroorzakende binnenlandse voorschriften als je ergens in een ontwikkelingsland met een paar honderd goed uitgedeelde Amerikaanse dollars dezelfde keurige resultaten behaalde? Hier had je veel te veel zogenaamde rechtvaardigheid en werd er ten behoeve van het journaal veel te veel tijd besteed aan witwascorruptie. En Krill wist net zo goed als iedereen dat hij het eerste smerige geheimpje was dat afgeserveerd zou worden als die rottigheid ooit aan het licht kwam.

Krill legde zijn hand op de schouder van de vrouw en oefende net genoeg druk met zijn vingers uit om haar een indruk te geven van de schade die hij kon aanrichten.

'Luister,' zei hij, 'volgens mij weet u heel goed waar ze heen zijn gegaan.'

De oude vrouw probeerde zich los te wurmen, maar hij hield haar in zijn greep.

Darcy stapte uit de auto en rekte zich uit. Ze schoten lekker op. In Seattle was het even na zevenen. De stad torende hoog boven hen uit, de ramen vlamden op in het vroege-avondlicht. Vanaf de Puget Sound kwam een stevige bries, koel en zilt. De veerboot kwam eraan, en toen hij de steiger naderde deden de motoren het water tot schuim kolken.

Het was niet de oceaan zoals Darcy zich die had voorgesteld: blauw en uitnodigend, met een branding die tegen witte zandstranden krulde. Nee, deze zee was bedreigend. Zwarte golven sloegen uiteen in vuil schuim. De van regen doordrenkte heuvels verhieven zich als de gekromde ruggen van groenschubbige zeemonsters.

Ze stonden aan het eind van een lange rij auto's die wachtten om de oversteek naar Winslow te maken, op een stuk asfalt dat in de baai was aangelegd. Kevin was naar de terminal gelopen om te telefoneren. Lucy lag op de motorkap te roken, met haar linkerarm over haar hoofd en haar middenrif ontbloot in de koude zon.

Ze had haar sigaret op en schoot de peuk op het asfalt. Toen kwam ze overeind en deed het achterportier van de huurauto open. Darcy zag dat ze de Glock vanonder de stoel van de chauffeur pakte. Ze wipte de patroon eruit, die bijna op was, en schoof een nieuwe in de houder: tien nieuwe kogels. Lucy controleerde de veiligheidspal en stak het pistool achter in haar spijkerbroek.

Lucy had soms een roekeloosheid over zich die Darcy beangstigde, een wezenloze berusting die ze alleen ooit had gezien bij de langdurig veroordeelden in Canyon. Die eerste nacht bij haar thuis had ze die ook gehad, toen ze had opgekeken en Lucy naakt in de deuropening van de werkkamer van Carl Greene had zien staan.

Kreunend manoeuvreerde de veerboot zich op zijn aanlegplaats, met kettingen die kletterden en metaal dat tegen hout aan schuurde. Hoe komt dat? vroeg Darcy zich af. Hoe word je zo? Ouders dood, een kind, een man, een broer, en uiteindelijk wordt je ziel dan net zo uitdrukkingsloos als de ogen van een slaapwandelaar. En toch had ze het gevoel dat een deel van die afwezigheid altijd al in deze vrouw had bestaan.

Vanaf de rij telefooncellen op de eerste verdieping van de terminal kon Kevin de stroom verkeer bij de zee-engte zien. De veerboot kwam binnen, met de muil van het benedendek volgeladen met auto's.

Ergens in Alaska ging de mobiele telefoon van Sylvia Graham: een keer, twee keer, drie keer.

'Neem op, godverdomme!' mompelde Kevin.

Hij ging vijf keer over, zes keer, en toen een vrouwenstem. 'Laat het in godsnaam belangrijk zijn!'

'Sylvia? Met Kevin Burns.'

'Jezus. Wat moet jij nou weer?'

Kevin hoorde een mannenstem op de achtergrond, een gefluisterde klacht: 'Waar ga je heen, liefje?'

'Wat weet jij over Fort Raleigh?' vroeg Kevin.

'Bel me morgenochtend maar terug. Oké, knul?'

'Ik moet het nu weten.'

Sylvia zuchtte. 'Waar moet ik beginnen?'

'Geef me de verkorte versie maar,' zei Kevin. De veerboot maakte aanstalten aan te leggen.

Lucy keek omhoog naar het balkon van de terminal en startte de motor. De veerboot was uitgeladen en de rijen wachtende auto's gingen rijden.

'Zie je hem?' vroeg Darcy.

'Nee,' zei Lucy, en ze schudde haar hoofd. Over een uur en twintig minuten was de volgende oversteek pas en ze wilde niet wachten.

De vlaggenman voor haar gaf het teken dat haar rijbaan kon gaan, en Lucy begon langzaam te rijden.

Darcy rekte haar hals. Een paar achterblijvers renden over de gang van de eerste verdieping naar de loopplank voor voetgangers, maar Kevin was nergens te bekennen.

'We gaan aan boord,' besloot Lucy. 'Als hij het niet haalt, kunnen we aan de overkant op hem wachten.'

Krill had keihard Montana en Washington door gereden, in de hoop het gat tussen hem en het drietal te dichten. Uit de woorden van de oude vrouw meende Krill te kunnen opmaken dat hij ruim anderhalf uur achterliep, maar hij dacht dat zij zich wel aan de maximumsnelheid zouden houden om geen risico's te nemen.

Krill racete door Lake Washington in de richting van het centrum van Seattle en koerste over het labyrint van snelwegen. Hij week om de bakbeesten van stedelijke suv's heen uit en vond de afslag naar de kade. Ze moesten de zee-engte over; ook al ging hij nog zo langzaam, de veerboot was volgens Krill toch de snelste manier om in Elwha Beach te komen. Hij reed Alaskan Way op, reed in noordelijke richting en volgde de borden naar de terminal.

'De overheid heeft Raleigh tijdens de Tweede Wereldoorlog geopend,' legde Sylvia uit. 'Het was het Los Alamos van het biologisch-wapenarsenaal. Een stelletje burgerwetenschappers met de speeltjes van het leger en geld tot hun beschikking. Tot 1970 produceerden ze opgepepte anthrax en de pest en andere smerige natuurlijke producten.'

Dat was het jaar waarin minimaal twee van die wetenschappers Bioflux waren begonnen, dacht Kevin. 'Wat is er in 1970 gebeurd?' vroeg hij.

'Afgezien van mijn noodlottige eerste huwelijk?' schimpte Sylvia. 'God, wat voel ik me oud. Jij was toen nog niet eens geboren, hè?'

Kevin dacht even na. 'Het zou kunnen dat ik toen al geconcipieerd was.'

Sylvia lachte. 'In 1970 heeft Dick Nixon op Valentijnsdag officieel het verbod op bacteriologische wapens uit '69 uitgebreid met alle giftige stoffen. Dat betekende het einde van het bacteriologische oorlogsarsenaal van de vs.'

Kevin keek door de ramen van de terminal naar het bovendek van de veerboot. De meeste voetgangers waren al aan boord. 'Weet je iets over een bedrijf met de naam Bioflux?'

'Nee. Ben je ergens mee bezig?'

'Zo'n beetje,' zei Kevin. 'Het kan zijn dat ik iets te pakken heb over de Golfoorlog-ziekte. Ken jij iemand die daar geïnteresseerd in zou kunnen zijn?'

'Ik zal je eens wat vertellen,' zei Sylvia. 'Een paar jaar geleden kreeg ik een telefoontje over een reportage over de Golfoorlog-ziekte. Een stelletje soldaten die op dezelfde basis in Saudi gestationeerd waren geweest, zeiden allemaal dat een raket, een scud of zo, een keer 's nachts boven hen geëxplodeerd was. Ze zeiden dat hun te verstaan was gegeven dat ze er niets over mochten zeggen. Het chemische alarm op het fox-voertuig ging als een idioot tekeer. Een vuurbal ter grootte van een huis stuiterde de woestijn door. Hun huid brandde, en hun ogen. En wat denk je? Ze zijn allemaal ziek. Maar nu komt het.'

Kevin hield de veerboot zenuwachtig in de gaten. Vanwaar hij stond kon hij de auto's niet zien, maar hij hoopte dat Lucy en Darcy zonder hem aan boord waren gegaan.

'De volgende ochtend komt de xo hun vertellen dat het een supersone knal was. Ze hebben niets gezien. En nu zegt het veteranenbestuur dat ze niet op de officiële lijst staan van soldaten die hebben blootgestaan aan chemische wapens. Een week voor mijn reportage zou worden uitgezonden, besloot de zender hem te schrappen.'

'Ik moet ophangen, Sylvia.'

'Wacht even. Het heeft me weken gekost voor ik een eerlijk antwoord kreeg op de vraag waarom mijn reportage geboycot is, maar het schijnt dat ze een telefoontje van het Pentagon hebben gekregen. Ik weet niet wat ze precies gezegd hebben, maar het kwam erop neer dat als MSNBC hem wel uitzond, we bij een oorlog nooit meer vooraan kwamen te staan.'

De veerboot toeterde – een harde, treurige jammerklacht die Kevin deed opspringen. Hij gooide de telefoon neer en sprintte de loopplank voor voetgangers op, terwijl hij de kade af tuurde op zoek naar de huurauto.

Krill kon de veerboot vanaf Alaskan Way zien. Dat was nog eens geluk hebben, zei hij tegen zichzelf toen hij de kade op reed. Hij zou niet eens hoeven wachten. Maar toen hij stilhield om de overtocht te betalen, keek de vrouw in het hokje hem onbewogen aan.

'U hebt hem gemist,' zei ze.

'Maar hij ligt er nog.' Krill had plotseling erg veel zin om zijn pistool tevoorschijn te halen en haar neer te schieten.

'Maar niet lang meer.'

Het vertreksignaal klonk, en deed een zwerm duiven opvliegen die op een naburige steiger was neergestreken. Krill nam zijn kaartje aan en reed naar voren, onder de terminal en op de nu verlaten strook asfalt.

De veerboot lag nog steeds op zijn aanlegplaats, maar het plankier voor de auto's was binnengehaald. Een paar meter koud water van de Puget Sound scheidde hem van het benedendek van de boot.

De toeter ging voor de tweede keer en Krill keek omhoog naar het passagiersdek. Hij was niet de enige laatkomer. Als een razende rende er iemand wild gebarend over de promenade. Hij verdween even uit het zicht, aan het oog onttrokken door de overdekte loopplank, en toen zag Krill hem op het dek van de veerboot weer opduiken.

16

Kevin steunde met zijn handen op zijn knieën en hapte naar adem; zijn hart ging als een bezetene tegen zijn ribben tekeer. Het dek onder hem stampte en de veerboot gleed naar voren, de Puget Sound in. In godsnaam, laten ze aan boord zijn, dacht hij. Hij wankelde de warmte van de passagierscabine in, liep naar voren en tuurde de menigte af, op zoek naar Lucy en Darcy.

'Blijf jij hier, voor het geval hij komt,' zei Darcy, 'dan ga ik boven kijken.' Ze deed haar portier open en stapte uit. Lucy keek haar na en zag hoe ze zich een weg tussen de andere auto's door vlocht en door een ingang verdween. Ze hadden wind tegen. De windvlagen deden Darcy's haar in haar gezicht waaien.

Lucy deed haar trui aan en stapte uit de auto. De boot voer dicht langs de waterlijn en een waternevel sproeide over het open dek. Lucy draaide zich om zodat ze hun kielzog achter hen kon zien schuimen, terwijl het water in een zonnestraal groen opkleurde. Een meeuw dook naast haar omlaag, scheerde over het schuim en zeilde mee op de luchtstroom van de veerboot. Carl had kort geleden ook deze oversteek gemaakt, dacht ze, misschien wel met dezelfde boot.

Wat deed het er eigenlijk toe hoe Carl was gestorven, of waarom? Wat was ze van plan? Als ze eenmaal aangemeerd waren, was het nog maar een uur naar Elwha Beach. En wat dan? Carl was dood, en Chick ook. Lucy had pijn vanbinnen, alsof er ergens diep binnen in haar een blauwe plek zat, een donkere walvis die niemand anders kon zien. Er kon geen mooie afloop zijn, niets zou kunnen maken dat ze naar het huis in Pryor terugging, naar haar leven van vroeger, naar de stuurloze uren.

Er zou iets gebeuren. Er moest iets gebeuren.

Het was lawaaiig op het open benedendek. Kevin riep, maar zijn stem ging verloren in het geraas van de wind en het bonkende gejammer van de motor. Lucy zat met haar rug naar hem toe, met haar gezicht naar de wegtrekkende skyline van Seattle. Hij liep tussen de geparkeerde auto's door en ging achter haar staan, zo dichtbij dat hij haar had kunnen aanraken.

'De verpleegsters wilden me Eric aanvankelijk niet laten zien,' zei Lucy. Heel even dacht Kevin dat ze in zichzelf praatte; toen draaide ze zich om en keek ze hem aan, en realiseerde hij zich dat ze al die tijd geweten had dat hij daar stond. 'Die dingen gebeuren,' ging ze verder, alsof ze zichzelf van deze waarheid wilde overtuigen. 'Je weet dat die dingen gebeuren. Kinderen worden ziek of gehandicapt geboren, en niemand die daar iets aan had kunnen doen. Maar je vraagt je toch af of het niet op de een of andere manier jouw schuld was, of het komt door een keuze die je gemaakt hebt, of juist niet.'

Een sliert van Lucy's haar zat tussen haar lippen, en Kevin wilde niets liever dan zijn hand tegen haar wang leggen en hem wegvegen. Hij wilde dat er tederheid was tussen hen beiden. Hij deed een stap naar voren en legde zijn hand tegen haar gezicht. Haar huid was koud, haar wangen rood van de wind. Haar lippen waren bedekt met een heel dun laagje zout.

'Het spijt me dat ik ben weggegaan,' zei Kevin.

Lucy schudde haar hoofd. 'We waren nog zo jong. Je had groot gelijk.'

'Ik had kunnen blijven.'

'Nee,' hield Lucy vol. 'Niet waar.' Ze wachtte even en keek omlaag. 'We denken dat we kansen genoeg krijgen, maar soms krijg je er maar één, en dan moet je die grijpen.'

171

Kevin knikte, hoewel hij niet goed wist wat ze bedoelde, of ze het over hen had, over Carl of over iets heel anders. Hij tilde haar gezicht op, boog zich omlaag en kuste haar. Heel even voelde hij dat haar lichaam slap werd, dat haar mond zich tegen de zijne ontspande; toen maakte ze een geluid als een dier dat zich uit een val probeert te bevrijden.

'Darcy,' fluisterde ze, en ze deed een stap achteruit, met haar blik over zijn schouder gericht.

Kevin draaide zich om en zag de andere vrouw naar hen toe komen. Ze liep zijwaarts tussen twee bumpers door en bleef aan de andere kant van de huurauto staan. Even viel er een ongemakkelijke stilte. Maakte het wat uit dat zij dit gezien had? dacht Kevin. Ze hadden niets verkeerds gedaan. Maar toch had hij het gevoel alsof hij als bedrieger was betrapt.

'We zijn er bijna,' zei Darcy.

De veerboot minderde vaart, alsof hij in een rij aansloot, en het stadje Winslow gleed in beeld: strand, huizen en groene heuvels. De mensen gingen terug naar hun auto.

'Ik heb die vriendin van me gesproken,' zei Kevin.

Er waren wolken komen opzetten en tegen de tijd dat ze in Port Angeles aankwamen, was het licht gaan regenen. Ze namen de smalle weg langs de kust, naar Cape Flattery en het oude walvisvaartkamp Makah, bij Neah Bay. Er was een nevelige schemering over de Straat van Juan de Fuca neergedaald, waardoor niet meer te zien was waar het grijze water eindigde en de staalachtige lucht begon. Helemaal in de verte lag Canada als een ononderbroken groene lijn; de dichtbeboste kustlijn van Vancouver Island glinsterde als een omgekeerde luchtspiegeling, een oase van bosrijk gebied in de verlammende uitgestrektheid van zee. Het licht was schemerig, misleidend. Uit het bos knipoogden huizen, helder verlichte ramen die schuilgingen achter wasachtige rododendrons en ceders, zacht van het mos.

Het huisje stond helemaal aan de andere kant van Elwha Beach, een stuk van de weg af op een gedrongen vuist land die het water van de zee-engte in stak. Het was al donker toen de huurauto de oprit van gravel op reed. De koplampen gleden langs het keurige hek dat de van regen glanzende tuin omsloot. Klimrozen groeiden in dichte struiken tegen de witte paaltjes; roze bloemen barstten los uit het weerbarstige gebladerte.

Kevin zette de motor af en ze bleven even zitten met de raampjes omlaag; alledrie luisterden ze naar het zachte geruis van de regen, naar de ritmische verzuchtingen van de zee die ergens in de duisternis kwam aanrollen.

Er verscheen iemand achter het raam van het huisje, een vrouw in een badjas, die haar hand boven haar ogen hield om beter te kunnen zien, met haar grijze haar netjes in een knot opgestoken. Ze was klein en oma-achtig; haar rug was ietsje gebogen van de ouderdom.

Lucy stapte uit, liep naar het tuinhek en tilde de klink op. De vrouw liep weg van het raam, was even uit beeld en toen ging de voordeur open.

'Alice Canty?' riep Lucy, terwijl ze het tuinpad op liep.

'Ja?' De vrouw keek met half dichtgeknepen ogen vanachter de hordeur. 'Is er iets aan de hand?'

Lucy bleef onder aan het trapje naar de veranda staan. 'Ik ben Lucy Greene,' zei ze. 'Ik moet met u praten.'

Alice Canty knikte. 'Ja. Jouw man was een vriend van mijn kleindochter.'

Lucy knipperde met haar ogen.

'Nou, blijf daar niet zo staan,' zei Alice Canty, terwijl ze langs Lucy naar de gestalten van Kevin en Darcy op de oprit keek. 'Kom binnen, alledrie.'

Arlen Krill vocht zich een weg in westelijke richting naar het uiterste puntje van het schiereiland Olympic. Toen hij Bainbridge Island verliet, had het slechts een beetje gemiezerd, maar nu stroomde de regen in bakken uit de hemel, waardoor de afbrokkelende zeeweg bijna onbegaanbaar werd. Er reed een auto langs, de andere kant op; twee vage koplampen die een blinde hoek om kwamen scheuren, en Krill moest uitwijken om hem niet te raken. Hij voelde zijn wielen in de berm glijden, en heel even was hij bang dat ze de weg naar het asfalt niet zouden terugvinden.

Costa Rica, beloofde hij zichzelf. Als dit achter de rug was, zou hij naar San José vliegen en een paar meisjes inhuren om hem gezelschap te houden. Er verscheen een wegwijzer in zijn groot licht; Krill tuurde door het waterige geflipflap van de ruitenwissers heen en las: ELWHA BEACH 9.

Alice Canty deed haar ogen dicht en greep de leuningen van de schommelstoel met haar handen vol ouderdomsvlekken beet. 'Ik was verpleegster in de Blanchard Academy in Virginia toen ik Herman ontmoette. Ik was vierendertig, een oude vrijster. Dat was in 1954. Blanchard was van oorsprong een *finishing school*. In de Twee-de Wereldoorlog is het door het leger gevorderd,' legde ze uit. 'Ze gebruikten het als ziekenhuis voor gewonde soldaten.'

Lucy nam een slokje van de hete thee die Alice voor hen had neergezet. De open haard brandde en het was warm en gezellig in de piepkleine woonkamer van het huisje.

'Het was een prachtig gebouw,' zei de oude vrouw vol nostalgie. 'Net een paleis. Er was een balzaal met kristallen kroonluchters, en een bibliotheek met rondom een lambrisering van eikenhout. En de tuin, hemeltjelief! Er stonden een Engelse folly en een kleine Ja-panse pagode, en een schuur die zo gebouwd was dat hij op een Frans château leek. Maar de soldaten vonden het maar niets. Die wilden niet herinnerd worden aan de landen waar ze net geweest waren. Toen ik Herman eenmaal leerde kennen was de oorlog na-tuurlijk al een tijdje voorbij, en al die mannen waren weer naar huis. Ze gebruikten het om de witte jassen onder te brengen...'

'De witte jassen?' onderbrak Lucy haar.

'Zevendedagadventisten,' legde Alice uit. 'Die mogen namelijk niet vechten, dus een hele zwik werkte daar als proefkonijn, om vac-cins en nieuwe bacteriële stoffen voor het biologisch-wapenarse-naal op uit te proberen. Als ze erheen gingen, wisten ze dat sommi-gen van hen ziek zouden worden, en dat gebeurde dan ook. Ik weet nog dat er een jongen was die zo ziek werd van tularemie dat we dachten dat hij dood zou gaan, maar uiteindelijk is er nooit iemand overleden.'

De foto, dacht Lucy, de foto die ze in het huis van Viviane Beck-with en daarna in het huis van Herman Canty had gezien. Jongens met een witte jas aan, een donkere bol op de achtergrond. 'Uw ex-man zei iets over een biljartbal.'

Alice Canty huiverde zichtbaar. Ze zette de neus van haar pantoffels op de houten vloerplanken en schommelde langzaam naar achteren. 'Dat was Davids uitvinding: een vreselijk ding. Het zag eruit als een soort groot, rond ruimteschip. Ik heb het nooit vanbinnen mogen zien. Het was een opsluitingsfaciliteit, om de dieren in te vergassen. Die jongens hebben ze er ook in gezet.'

Kevin boog zich naar voren. 'Mevrouw Canty, wat is er in 1970 gebeurd? Nadat Nixon Raleigh had laten sluiten?'

'De vrouwen mochten daar natuurlijk niets over weten, maar Herman praatte graag. Hij was buitengewoon intelligent, dat moet ik hem nageven, maar hij kon geen geheim bewaren, ook niet als dat zijn leven zou redden. Hij moest het aan iemand vertellen, en ik neem aan dat hij dacht dat hij het beter aan mij kon vertellen dan aan iemand anders. Iedereen had inmiddels met Raleigh te maken gehad. Het ging niet alleen om het legerproject. Vooral TO wilde er niet mee ophouden.'

'Wat is TO?' vroeg Kevin.

'Dat is de afdeling Technische Ondersteuning van de CIA,' legde Alice uit. 'Hoe heet die ouwe vent in die James Bond-films? U? S?'

Kevin glimlachte. 'Q?'

'Ja, die,' grijnsde ze, 'net als Q, maar dan nog iets belachelijker. Ontploffende sigaren voor Castro. Giftige paraplupunten. Ze hebben een heleboel tijd en geld in Raleigh geïnvesteerd, en toen zei Nixon dat het afgelopen was. Voor Herman en David was het hun levenswerk, hun hele wetenschappelijke carrière.'

'Dus toen zijn ze met Bioflux begonnen?' zei Kevin.

'Cupido's Liefje,' zei Alice. 'Zo noemde TO de nieuwe onderneming, omdat het Valentijnsdag was toen Nixon het biologisch-wapenarsenaal schrapte. De CIA en het ministerie van Defensie hebben al het geld dat ze voor Raleigh hadden ingepikt en het begraven: hier een beetje, daar een beetje. Vaccinatieonderzoek, een paar scheepsladingen wapens, een nieuwe helikopter. Zo hebben ze Bioflux gefinancierd.'

Lucy zette haar thee neer. 'Wilt u beweren dat Bioflux eigenlijk de biologische oorlogvoering van de Verenigde Staten ontwikkelde?'

Alice Canty knikte. 'Niet helemaal. Er is ook een officieel bedrijf gevestigd, maar in wezen wel, ja. Dat gebeurt vaker dan je denkt, vooral in de wapenindustrie. Het leger sluist voortdurend personeel door naar de particuliere sector, en de particuliere sector sluist ze weer terug naar de regering. De ontwikkeling van biologische wapens in de Sovjet-Unie heeft twintig jaar na de Conventie over Biologische Wapens als een particulier farmaceutisch bedrijf gedraaid, en wij wisten van niks. Ze verborgen het biologisch-wapenarsenaal ín de gebouwen van het bedrijf, zoals die Russische poppen waar telkens weer een kleinere in zit.'

Darcy keek even naar Lucy en dacht: de onverklaarde ruimte bij Bioflux!

'Alice?' vroeg Kevin.

'Ja.'

'Wat bedoelde je met: *de particuliere sector sluist ze weer terug naar de regering*?'

Ze vouwde haar handen in haar schoot en keek ernaar, alsof ze daar het antwoord zocht.

'In het oprichtingsbestuur van Bioflux zaten vijf mensen,' drong Kevin aan. 'David Beckwith en uw man maakt twee. Wie waren die andere drie?'

De oude vrouw werkte zich uit haar stoel omhoog en schuifelde de kamer uit. Ze konden haar in haar slaapkamer naar iets horen zoeken. Toen ze weer terugkwam, had ze een foto in haar hand: weer een verschoten foto van Raleigh, met dezelfde gezichten als ze op de foto's in Montana hadden gezien. Viviane en David Beckwith. Herman Canty.

Alice wees op een mooie jonge vrouw met een degelijk mantelpak en handschoenen aan. 'Dat ben ik,' zei ze.

Naast de jonge Alice stonden nog vier mensen: drie mannen en een vrouw, allemaal goed verzorgd en vol zelfvertrouwen. 'Deze jongeman hier had de leiding bij Deseret. Dat was de testlocatie in Utah. Lovejoy,' zei ze, terwijl ze met haar nagel tegen het ernstige gezicht tikte. 'Bill Lovejoy. En dit meisje naast hem was zijn vrouw. Ze hadden die avond bij ons gebridged. Hij is nu met pensioen; hij werkte voor Buitenlandse Zaken.'

Ze gaf de foto aan Kevin. 'De man naast de Lovejoys was de commandant van de afdeling Speciale Acties op de basis. Phil Sumner.'

Kevin keek naar haar op. *Knoop dit maar in je oren.* Max Fausto had niet overdreven. 'Bedoelt u Philip Sumner, de voormalige staatssecretaris van Defensie?'

Alice knikte. Ze zag eruit of ze met zichzelf ingenomen was. 'Heb je hém herkend?' vroeg ze, en ze wees naar de laatste man.

Kevin staarde naar het door de tijd vervaagde gezicht, naar de ontspannen grijns, het maatpak: een zoon van de welvarende oost-kust.

'Het lieverdje van allemaal,' zei Alice. 'Hij was hoofd van de TO van Raleigh.'

Kevin trok zijn wenkbrauwen samen.

'Hij heeft een fraai cv. Nationale Inlichtingenraad. Directeur van de Centrale Inlichtingendienst. Hij heeft daarna nog wat particuliere consulting gedaan. Nu staat hij weer bij de FBI op de loonlijst.'

'Joseph Auburn!' fluisterde Kevin, terwijl hij nog steeds naar de jongen op de foto staarde, wiens gezicht hem nu bekend voorkwam, met nog dezelfde ogen, een jongeman die ooit vice-president van de Verenigde Staten zou worden. *Knoop dit maar in je oren.*

Lucy draaide zich om zodat ze over Kevins schouder kon kijken. 'O mijn god,' zei ze.

De oude vrouw hief haar hoofd op en keek langs Kevin uit het brede voorraam van het huisje, plotseling als aan de grond genageld. 'Er staat iemand buiten,' fluisterde ze.

Lucy draaide zich om; haar maag trok samen zoals ze dat altijd had in de laatste paar seconden voor ze langs de helling van de berg Vail naar beneden ging. Ze kon alleen hun weerspiegeling zien, en de vage contouren van door de wind bewogen gebladerte.

'Een man,' hield Alice Canty vol. 'Daar buiten bij het hek.'

'De lampen,' zei Darcy, terwijl ze haar theekopje liet vallen en naar de lamp reikte die het dichtst bij haar stond. 'Doe het licht uit!'

Nu waren ze met z'n vieren, dacht Krill, terwijl hij de hoofden in de voorkamer van het huisje telde en zijn volgende zet beraamde. Als Krill iets geleerd had in de ruim dertig jaar dat hij in dit vak zat, dan was het wel dat de complicaties van een klus evenredig toenamen naarmate het aantal doelwitten groter werd. Hij wist dat hij op een betere kans moest wachten; dat hij veel risico liep met vier personen en dat het vervelend kon aflopen, maar hij had geen zin meer om nog te wachten. Hij wilde dit achter de rug hebben. Hij wilde zijn geld en dan afreizen naar het zuiden.

Als hij zorgvuldig met zijn kaarten omging, kon hij het wel klaarspelen. Hij had immers wel moeilijkere moorden moeten plegen, en onder heel wat zwaardere omstandigheden dan deze. Hij kon er twee of drie door het raam heen raken voor de anderen ook maar in de gaten hadden wat er gaande was. Hij trok de rand van zijn hoed omlaag tegen de regen, liep de weg af naar de plek waar hij zijn auto had neergezet, pakte zijn sluipschuttersgeweer uit de kofferbak en liep terug naar het huisje.

Eerst die vrouw van Greene, besloot Krill; dan de vrouw die haar vergezelde, degene die eergisteravond op hem geschoten had; daarna de man. Tot slot de oude vrouw. Gelukkig hoefde hij zich dankzij de afgelegen ligging en het geroffel van de regen geen zorgen te maken over het lawaai.

Krill bleef aan de rand van de tuin staan en tuurde met half dichtgeknepen ogen omhoog naar de winderige bomen. De lamp op de veranda brandde, en in het schimmige licht kon hij nog net de donkere draden van de telefoonlijn zien die in een boog naar de dakrand van het huisje liepen. Hij sprong over het hek, liep de tuin aan de zijkant door en bekeek de buitenmuur. Zelfs met zijn regenjas aan en hoed op was hij al doornat. Het water sijpelde door de naden van zijn schoenen. Krill stak zijn hand in zijn doorweekte broekzak, haalde zijn Zwitserse zakmes tevoorschijn en sneed vlug de telefoondraden door.

Dit waren momenten waar hij intens van kon genieten: de laatste seconden voor een klus, waarbij hij de enige was die wist wat er ging gebeuren. Hij schermde zichzelf zo veel mogelijk af tegen de regen, ging onder de spelonkachtige takken van een rododendron staan en keek naar het warme tafereel in het huisje. De oude vrouw was aan het woord, de andere hoofden waren allemaal haar kant op gedraaid, zich niet bewust van zijn aanwezigheid in de tuin.

En wie zou niet de voorkeur geven aan een dergelijke onwetendheid? Ondanks alles wat hij had meegemaakt, of misschien wel dankzij dat alles, was Krill zelf heel bang voor de dood. Als zijn tijd kwam, kon hij alleen maar hopen dat de dood hem ongezien zou besluipen, dat hij de ene minuut nog in leven zou zijn en de volgende minuut dood. Dat hij niet de kans zou krijgen om over die grote gapende kloof na te denken. Eigenlijk mochten ze van geluk spreken, hield hij zichzelf voor terwijl hij zijn geweer naar zijn schouder bracht. Hij draaide de geweerlade en kreeg de vrouw van Greene in zijn vizier.

Krill legde zijn vinger om de trekker en haalde diep adem. Nee, dit zou niet meevallen: mooie hals, mooie schouders. Maar toen draaide ze zich plotseling naar hem toe, met wijd opengesperde ogen, zoekend, met een roodaangelopen huid, alsof die van binnenuit verlicht werd. Hij had haar maar één seconde in het dradenkruis. Toen werd het donker achter het raam en was haar gezicht verdwenen.

Het eerste schot raakte het glas en ging zo naar binnen.

'Liggen!' gilde Darcy toen de kogel door de kamer floot.

Lucy pakte haar Glock en gooide zichzelf op de grond. Het licht op de veranda brandde nog, het haardvuur wierp een donkeroranje gloed. In dit weinige licht kon Lucy Kevin naast zich zien, met zijn knieën tegen zijn borst opgetrokken, terwijl het wit van zijn ogen koortsachtig de kamer door schoot.

'Kevin?' vroeg ze, en ze rolde naar hem toe. 'Gaat het?'

Zijn hand zat om zijn rechterschouder geklemd. Lucy stak haar arm naar hem uit en voelde de vochtige warmte van bloed op zijn hemd.

'Het gaat wel,' zei hij raspend en niet overtuigend. 'Een schaafwond, meer niet, geloof ik.'

Uit de tuin klonk een tweede schot, dat de ruit nu compleet aan diggelen sloeg, waardoor er een stortvloed van glas het huisje binnenviel. Terwijl Lucy wachtte tot de explosie voorbij was, tilde ze haar hoofd op en speurde ze de kamer af. Vlak bij de muur aan de andere kant van de kamer had Alice Canty zich gedeeltelijk onder een tafeltje gewurmd. Ze had zich zo klein mogelijk opgerold en haar handen in haar nek gevouwen. Darcy zat gehurkt onder het raam aan de voorkant; haar Colt glansde in het schemerduister.

Lucy draaide zich weer naar Kevin om. 'Kun je je bewegen?'
Hij knikte.

'Als we je dertig seconden geven,' vroeg Darcy, terwijl ze met haar hoofd naar Alice gebaarde, 'kun je haar dan achter in het huis zien te krijgen?'

'Ik denk van wel.'

'Ik tel tot drie,' zei Darcy. 'Zodra we beginnen te schieten, gá je, en je kijkt niet om.' Ze wenkte Lucy naderbij.

'Hoeveel kogels heb je?' vroeg Lucy, terwijl ze de veiligheidspal van de Glock haalde en onder het raam dook.

'Zes,' zei Darcy, en ze drukte zich dicht tegen de muur. 'Plus tien van jou, is zestien. We zullen ze verstandig moeten zien af te schieten.'

Lucy knikte instemmend.

'Alice!' siste Darcy; ze praatte een fractie luider om aan de andere kant van de woonkamer verstaanbaar te zijn.

De oude vrouw tilde haar hoofd op.

'Kun je er hier aan de achterkant uit?' riep Darcy zachtjes.

'Door de keuken,' zei Alice met vaste stem.

'Oké dan,' zei Lucy, terwijl ze Darcy aankeek, 'we houden het op drie. Net genoeg om hem bezig te houden.'

Darcy bracht de Colt voor haar borst omhoog. 'Klaar,' zei ze.

'Eén,' telde Lucy. Ze haalde diep adem en stelde zich een herfstdag in het Burle Reservoir voor, de geur van natte bladeren en de eerste vorst, de roep van overvliegende eenden. Daar was haar vader, en Chick die naast haar op zijn hurken zat; haar vaders hand gebaarde dat ze moesten wachten. 'Twee.' Rustig, zei ze tegen zichzelf, hoewel elke spier naar beweging hunkerde. Ze keek omhoog, rekte haar hals uit om uit de schuilhut te kunnen kijken en zag de vogels aankomen, waarbij elke krachtige borst zich ritmisch met de andere meebewoog en de vleugels in volmaakte harmonie sloegen. 'Drie,' hoorde ze Darcy zeggen. Ze sprong om de hoek van de raamlijst en schoot één keer. De kogel zoefde de rozenstruiken in.

Darcy loste haar eerste schot, en een van de houten paaltjes ging de lucht in.

Lucy keek achterom en zag dat Kevin zijn best deed om Alice op de been te krijgen, met zijn arm om haar schouders geslagen. Lucy telde de kogels die ze nog overhad en vuurde weer. Acht. Zeven. Zes. Ze dook weer onder de vensterbank en ging met haar rug tegen het gladde pleisterwerk van de muur zitten.

Afgezien van de onophoudelijke roffel van de regen en het geluid van twee ademende vrouwen was alles doodstil.

'Waar is die klootzak?' fluisterde Darcy.

Lucy bracht haar hoofd iets omhoog en keek langs de raamlijst. Er flikkerde iets tussen de struiken en het was weer weg, een donkere gestalte, bijna onzichtbaar door het gordijn van regen.

'De achterdeur,' zei Lucy, terwijl ze uit haar hurkzit omhoogkwam.

'Ga ernaartoe,' zei Darcy. 'Ik dek de voorkant.'

Lucy kroop de donkere keuken door en ging op de tast langs meubels en kastjes. Haar dij sloeg tegen iets zwaars en hards aan, het dikke blad van de keukentafel. Aan de zijkant van het huisje jammerde een windvlaag, en hij rukte de hordeur aan de achterkant open en dicht. De regen striemde tegen de ruiten. Lucy draaide zich één keer om, toen nog een keer, met gestrekte armen en haar vingers strak om de Glock; de spieren in haar onderarmen trilden. De houten vloerdelen zuchtten onder haar gewicht.

Er gleed een gestalte langs het achterraam en Lucy haalde de trekker van de Glock over. Nog vijf kogels over, nog vier, nog drie. Maar het was slechts de warrige schaduw van een door de wind gegeselde kornoelje.

Darcy ademde diep en verplaatste haar voeten om stevig te staan. Onder haar schoenzolen kraakte gebroken glas. Ze deed haar ogen dicht en spitste haar oren. Ze hoorde Lucy in de keuken rommelen en ze hoorde de waterval die van de dakrand stortte. De wind stak op en ergens achter in het huis klapperde een deur. Darcy wachtte, met het bloed dat tegen haar slapen bonkte.

Ze hoorde iets op de veranda, een hol gebonk van de verweerde planken. Darcy schoof iets dichter naar het raam. Weer gebonk, zachter dit keer, en toen het oorverdovende geluid van schoten uit de keuken. Eén, twee. Darcy stond op en draaide zich om om Lucy te gaan helpen, maar toen floot er een kogel langs haar rechteroor en sloeg met luid geraas tegen de stenen open haard. Ze liet zich weer zakken, dook onder de vensterbank ineen en loste in het wilde weg een paar schoten. Nog één over, zei ze tegen zichzelf, als ze goed geteld had. Ze kon de schutter op de veranda horen, het geschuif en geschraap van zijn schoenen. De voordeur ratelde en schudde, en toen was het even doodstil in het huisje.

Eén kogel, herhaalde Darcy voor zichzelf, terwijl ze naar adem hapte en haar ogen op het vierkantje licht dat de voordeur aangaf gericht hield. Ze transpireerde, en de lade van de Colt voelde glibberig aan tegen haar handpalm. Stilte, stilte, toen een gedempt geschuifel. De deur ging ineens open en een donkere gestalte liep de kamer in. Wacht, zei ze tegen zichzelf, terwijl ze zorgvuldig het vizier van de Colt controleerde. Hij moet raak zijn. De man bracht zijn geweer naar zijn schouder en draaide het naar haar toe, terwijl hij de duisternis afkamde. Nu, besloot ze. De spieren in haar vinger spanden zich en ze voelde de trekker overgaan. Het pistool klikte – een zwakke vertolking van haar foutieve berekening. Ze had geen kogels meer.

Kevin klemde zijn kaken op elkaar en deed zijn ogen dicht. De pijn in zijn schouder had zich naar de rest van zijn lichaam uitgebreid. Hij voelde zich claustrofobisch, zweterig en misselijk.

'Het is alleen maar een vleeswond,' zei Alice, terwijl ze haar leesbril opzette om de wond beter te kunnen bekijken. 'Maar hij moet wel gehecht worden.'

Van de voorkant van het huisje klonken schoten en Kevin draaide angstig zijn hoofd die kant op. 'Kan ik u hier even alleen laten?' vroeg hij de oude vrouw.

Alice knikte. Ze was vreemd kalm, gelukzalig zelfs. Ze deed de bovenste la van een kastje open en haalde een oude revolver tevoorschijn. 'Hier,' zei ze tegen Kevin, 'neem die maar.'

Er ratelde nog een salvo door het huisje, en Kevin liep de gang in. Hij deed de deur achter zich dicht. Voorzichtig, langzaam, liep hij naar de door het haardvuur verlichte woonkamer.

Lucy hoorde de voordeur met een klap opengaan, en het geluid van afgemeten voetstappen. Ze liep zijwaarts de keuken door, met de Glock nog steeds stevig in haar handen. Vlak bij de deur stond een man, met zijn rug naar haar toe en zijn geweer in de aanslag. Voor hem zat Darcy, op haar hurken, precies zoals ze gezeten had toen Lucy bij haar was weggegaan. Ze hield de Colt als een schild voor zich. Toen ze de trekker overhaalde, trilde haar hand; het mechanisme produceerde niet meer dan een zwak klikje.

De man deed een stap naar Darcy toe en Lucy liep achter hem aan: een stap, nog een stap. Ze bracht de Glock omhoog en richtte op zijn nek, maar voor ze kon vuren piepte haar voet op de oude houten vloer, en de man draaide zich in één beweging om. Zijn geweer was nu op haar gericht, met de loop op nauwelijks een meter van haar gezicht.

Uit de donkere krochten van de gang kon Kevin twee profielen zien. Links van hem stond Lucy, zelfs in silhouet zo te herkennen. Haar voeten stonden uit elkaar, haar houding was stabiel, haar borst iets naar voren gestoken. Haar gestrekte armen eindigden in de stompe contour van een pistool. Vanwaar Kevin stond, leek het bijna een verlengstuk van haar lichaam, alsof haar handen de vorm van woedende vernietiging hadden aangenomen. Rechts van Kevin, met zijn hoofd op precies dezelfde hoogte als de Glock, stond een man. Hij had een geweer op zijn rug, en in zijn handen had hij een ander wapen, kleiner, maar niet minder bedreigend.

Lucy noch de man bewoog. Ze stonden doodstil, zoals twee roofdieren kunnen staan, in afwachting tot de ander aanvalt. Kevin zag Lucy's borst op- en neergaan. Ze ademde zwaarder, haar rechterknie trilde.

Kevin voelde het pistool van de oude vrouw in zijn eigen hand, de pure kracht van het metaal. Heel stil bracht hij de revolver voor zijn gezicht en keek hij door de loop. Alleen deze ene kleine handeling, dacht hij: zijn duim omlaag brengen en de trekker overhalen.

Lucy haalde diep adem. Haar knie was gaan trillen en haar onderarmen deden pijn onder het gewicht van de Glock. In de open haard viel een houtblok. Een boomtak schraapte langs de dakrand van het huisje. Vanuit de donkere gang achter haar klonk de langzame zucht van een uitademing, toen de explosieve klik van een trekker die werd overgehaald. De man draaide met een ruk zijn hoofd om en keerde zich onwillekeurig naar het lawaai toe. Een fractie van een seconde rustte zijn blik op Lucy, en toen schoot ze.

Het schot trof hem als een soort rechtse directe. Zijn kaak sloeg naar achteren en zijn vingers verloren hun greep op het wapen. Lucy schoot nog een keer, en nog een keer. Bij elke flits uit de loop van de Glock kon ze in haar ooghoek Kevin zien; zijn gezicht een bleke maan die zichtbaar, onzichtbaar en dan weer zichtbaar was.

17

Lucy noch Darcy kon het water zien, maar naarmate ze dichterbij kwamen, konden ze het wel horen: het gebulder en aanzwellen van de branding tegen de kust. Darcy huiverde; haar broek was doorweekt door het natte struikgewas. Haar voet bleef steken achter de gladde knoest van een wortel van een ceder en ze viel naar voren, waarbij ze de benen van de dode man uit haar handen liet glippen en over een bosje natte varens struikelde.

'Gaat het?' vroeg Lucy, terwijl ze zich bukte om het bovenlichaam van de man te laten zakken.

'Ja,' zei de andere vrouw, naar adem happend, maar Lucy merkte dat dat niet waar was. Darcy sloeg dubbel en kotste in de varens.

De maan stond boven hen aan de hemel en knipoogde door het donkere baldakijn van takken en bladeren, de verschuivende wolken. In het zwakke roetbruine licht zag Lucy dat Darcy een beetje overeind kwam, haar mond met de rug van haar hand afveegde en weer ging staan. Darcy keek haar recht aan; haar ogen glansden in het donker en heel even zag Lucy zichzelf zoals zij er ook uit moest zien: een vage gestalte in het struikgewas, iemand vol woede, gedreven door angst.

Ze bukte zich, stak haar armen onder de oksels van de man, en daar gingen ze weer verder, door dichte begroeiing van esdoorns en aardbeibomen, door het donkere bos, naar waar de kliffen moesten zijn. Ze was moe, en het gewicht van het lichaam voelde als een onmogelijke last, wurgend en verstikkend, als iets waarvan ze zich misschien wel nooit zou kunnen ontdoen. Nog maar een paar meter, hield ze zichzelf voor, en dan is het allemaal voorbij. Toen werd de boomaanplant spaarzamer en tuimelde het land ademloos omlaag naar de Straat van Juan de Fuca. Het dunne lichtspoor van de maan ketste van het water af als van staal.

Gewoon maar een plek, dacht Lucy, terwijl ze het lichaam liet zakken, net zoals talloze andere kilometers kustlijn? Net als de plek waar de auto van Carl van de weg af was gereden, waar de wielen omhoog waren gekomen en waar hij daarna van de dijk was gevallen. Ze liep naar de rand van het klif en tuurde omlaag in de struiken van vijfvingerige varen en trillium. Afgezien van een paar littekens in het gebladerte, de gebroken ledematen van een mahoniestruik, donkere wonden in de aarde waar wilde gember losgetrokken zou raken, zou niets aangeven wat er hier ging gebeuren: het verscheiden van een man, de overbrenging van een leven.

Er bewoog een lichtje ergens op het donkere water: een boot die de Straat overstak naar Canada. Een gemakkelijke uitweg, dacht Lucy, terwijl ze keek hoe de boot als een ster, als een komeet door de zwarte hemel viel en zich gestaag een weg baande naar de kust aan de andere kant. Het grootste deel van haarzelf wilde ook naar het noorden, de stroming van de Straat door, het donkere water in. Maar in werkelijkheid was er nog niets achter de rug. Wat daar voor haar opdoemde was nog veel moeilijker: een begin, een kans om te leven in het land dat haar eigen lichaam was, om iets van een leven op poten te zetten.

Kevin zweefde door een nevel van ongemak. Zelfs met de pijnstillers die Alice hem gegeven had, voelde hij de naald erin en eruit gaan, de draad tegen zijn huid strak trekken. De pillen hadden vooral de uitwerking dat zijn hoofd zwaar werd, waardoor hij te slaperig werd om zich ertegen te verzetten.

'Het komt allemaal goed,' zei Alice.

Ze keek op hem neer en glimlachte, haar naald op het hoogste punt van zijn boog, en Kevin kreeg een korte, maar heldere herinnering aan zijn moeder. Het was winter en het was nog donker zo 's ochtends vroeg in de keuken van zijn oma. Ze had een naald in haar hand, een flintertje zilver met daaraan een rode draad. Wat was ze aan het doen geweest? vroeg hij zich af. Een knoop aan zijn jas naaien? Dat leek hem niet erg waarschijnlijk voor haar doen. En toch wist hij zeker dat ze dat aan het doen was geweest. De jas was een kerstcadeau van haar geweest, een dikke donzen parka die hij het hele eerste en tweede jaar van school gedragen had. En ze was geen knoop aan het aanzetten geweest, maar ze was de rits aan het repareren, waarvan de onderkant een beetje los was geraakt.

Haar gezicht stond ernstig. Ze maakte de laatste steek af en beet de draad met haar voortanden door, waarbij ze dicht naar hem toe kwam, alsof ze een buiging maakte. Hij kon de gladde bovenkant van haar hoofd zien, de witte lijn van haar hoofdhuid waar haar scheiding liep.

'Schiet maar op,' hoorde hij zijn oma zeggen, 'anders mis je de bus nog.'

Zijn moeder keek op en knikte, en gaf hem één kus op zijn wang. 'Ga nu maar,' zei ze.

In een tel stond hij buiten en liep hij het trapje aan de achterkant van het huis af. Zijn longen deden pijn van de kou en zijn jas ritselde toen hij de besneeuwde oprit af rende, naar de zojuist schoongeveegde weg. Hij kon de bus al zien; de eenzame vorm gleed langs de winterse vlakke velden over de weg. Ik ga hem missen, dacht hij, maar de bus bleef voor de brievenbus van zijn opa en oma staan en de deur ging open. Kevin zag de chauffeur zitten, de oude mevrouw Kendrick, die waarschijnlijk niet ouder dan dertig jaar geweest moest zijn. Ze zwaaide naar hem en glimlachte, en haar gezicht was rond en zacht onder haar roze gebreide muts.

Het komt allemaal goed, dacht hij.

Lucy tilde het laken op en zette haar voeten op de grond. Ze deed het heel voorzichtig, om Darcy niet wakker te maken. Kevin lag diep in slaap op een onderschuifbed in de hoek van de kamer, en hij piepte een beetje bij het in- en uitademen. Het had uren van woelen en draaien geduurd voordat Darcy eindelijk uitgeput in slaap was gevallen, en Lucy wilde haar lichte sluimerslaap niet verstoren.

Ze wachtte op het juiste moment, telde de ritmische ademhaling van de ander en stond toen op, schoot in haar schoenen, deed de deur open en liep zachtjes de gang op. Ze was heel moe, maar ze had maar kort geslapen. Ze was blij dat het ochtend was, opgelucht dat ze een excuus had om niet meer tegen haar slapeloosheid te hoeven vechten.

Stilletjes liep ze door het huis. Het werd al snel licht. Door de kapotte ruit aan de voorkant van het huisje zag ze een stralend blauwe hemel. De storm was overgewaaid en tussen de boomtoppen door speelde de speldenprik van een hemellichaam. Op de schoorsteenmantel boven de open haard stond een foto die Lucy de avond ervoor niet had gezien: een recent kiekje van een man en een vrouw. Ze zaten op het trapje aan de voorkant van het huis, met blozende, vrolijke gezichten, met rubberlaarzen onder het zand en de modder. Ze hadden allebei een emmer in hun hand, die ze iets schuin hielden naar de camera, zodat een overvloed aan vers opgegraven mosselen te zien was.

De vrouw zag er precies zo uit als Lucy had kunnen verwachten dat de kleindochter van Alice Canty eruitzag: dezelfde lippen, dezelfde ogen. Haar lange donkere haar zat in een paardenstaart, en op haar rechterwang had ze een veeg grijze modder. Het was een knappe vrouw, niet bloedmooi, maar aantrekkelijk op een jongensachtige manier.

Hoewel de man die naast haar zat Carl was, duurde het even voor Lucy haar eigen man herkende. De Carl op de foto was zo overduidelijk gelukkig, zo uitbundig vrolijk, dat het haar moeite kostte zijn gezicht te herkennen. Hij hield het iets naar de vrouw toegekeerd, en het viel niet te ontkennen dat zij de bron van zijn vreugde was.

Lucy boog zich dichter naar de foto toe. De reden voor Carls bezoekjes was plotseling duidelijk; datgene wat ze altijd al geweten had, maar toch weigerde toe te geven. Ze hadden het over haar gehad, dacht ze plotseling, over de breedte en de diepte van haar verdriet. Ze hadden het zelfs over Eric gehad, over al die persoonlijke pijn die Lucy had gekoesterd.

'Kon je niet slapen?' vroeg een stem.

Lucy draaide zich om en zag Alice Canty staan. 'Nee.' Ze schudde haar hoofd.

'Ik ook niet,' zei de oude vrouw, terwijl ze de kamer door keek – de kapotte ruit, de wirwar aan meubels.

'Het spijt me,' probeerde Lucy, hoewel de woorden een magere betuiging van deelneming waren voor het geweld dat ze in het huis van deze vrouw ontketend hadden.

De avond ervoor, nadat ze zich van het lichaam hadden ontdaan, waren Darcy en Lucy in de auto van de man naar een strand ongeveer vijfentwintig kilometer verder langs de kust gereden, zo ver dat Lucy hoopte dat de plaatselijke politie hen niet helemaal tot hier zou weten te traceren.

Toch maakte Lucy zich nog zorgen om de oude vrouw. 'Misschien komen er vragen,' zei ze.

'Hij zou ons allemaal doodgeschoten hebben, hoor,' zei Alice, en ze liep richting keuken. 'Kom, dan zet ik koffie voor ons.'

In het vage ochtendlicht zag de keuken er ouderwets en gezellig uit, met kanten gordijntjes en een vurenhouten tafel, en behang met verschoten koolroosjes. Alice pakte de koffiepot en vulde hem aan het aanrecht met water.

Lucy ging zitten en plantte haar ellebogen op de tafel. 'Hoe vaak is Carl hier geweest?' vroeg ze, terwijl ze met de muis van haar handen in haar ogen wreef.

'Een paar keer,' zei Alice nonchalant, terwijl ze het koffiezetapparaat vulde en koffie in een filter schepte. 'Mijn kleindochter komt in het weekend meestal hierheen. Ik denk dat ze Carl toch zeker een keer of zes heeft meegenomen.'

'Hoe lang hadden ze al een verhouding?'

De oude vrouw haalde haar schouders op. 'Dat weet ik niet. Iets van acht à tien maanden, denk ik. Hij is hier vorig jaar voor de kerst geweest. Dat weet ik nog omdat ze toen de boom voor me hebben opgezet.'

Voor de kerst. Lucy dacht terug aan december, probeerde zich te herinneren dat hij er toen niet was. Hij was zo vaak weg dat zijn reisjes niet meer goed van elkaar te onderscheiden waren. Een allergieconferentie in Cleveland. Een seminar in Dallas. Om nog maar te zwijgen over de reisjes naar de fabriek in Seattle. Hoe vaak had zijn afwezigheid niets met werk te maken gehad? vroeg Lucy zich af. En als het daar wel mee te maken had, wat had ze daar dan echt over geweten? Voor welke Bioflux had Carl gewerkt?

'Ze hebben elkaar via het bedrijf leren kennen,' zei Alice, alsof ze op Lucy's volgende vraag anticipeerde. 'Ze is onderzoeker. Ik wist dat hij getrouwd was. Ik heb er tegen Dora nooit een woord over gezegd. Zij is zo'n meisje dat altijd haar eigen weg zoekt. Dat altijd vastbesloten is de raad van anderen in de wind te slaan.' Alice zette een kop koffie op de tafel en legde haar hand toen over die van Lucy. 'Het spijt me,' zei ze.

Lucy keek naar de vingers van Alice op de hare. 'Het is niemands schuld,' zei ze. 'Het ging niet goed tussen ons.' Ze wachtte even om een slokje koffie te nemen. 'We hebben een paar jaar geleden een baby gekregen, die in het ziekenhuis is overleden.'

Alice knikte, alsof ze dit echt begreep: het verlies van een kind en wat dat met twee mensen kon doen, hoe dat voor altijd tussen hen in kon komen te staan. Iets wat zo groot was dat het geen zin had het verder uit te leggen.

'En vorige week?' vroeg Lucy. 'Voor hij stierf. Was Carl hier toen ook?'

Alice schudde haar hoofd. 'Hij was onderweg naar Dora toen het gebeurde. Ze was helemaal buiten zichzelf toen hij niet kwam opdagen.'

Dora. Lucy herhaalde de naam voor zichzelf, de twee lettergrepen, zo krachtig, zo concreet. 'Carl wist meer dan alleen over het project Cupido's Liefje, hè?'

De oude vrouw fronste haar wenkbrauwen en knikte toen langzaam.

'Ik moet met Dora praten,' zei Lucy.

Alice keek Lucy even aan. Toen liep ze de keuken door, pakte de telefoon en koos een nummer. 'Met omi,' zei ze tegen degene aan de andere kant van de lijn; en toen: 'Nee, met mij gaat het prima, schat. Sorry dat ik je zo vroeg al bel, maar ik wilde je te pakken krijgen voor je naar je werk gaat. Ik kom vandaag naar de stad. Zullen we samen lunchen? Ja, één uur is prima. Zullen we bij Myrtle Edwards afspreken, bij de vispier? Ik ga naar de supermarkt en dan haal ik een picknick voor ons.'

Vanaf het eind van de vispier kon Lucy heel Elliott Bay zien: de rotsige zeewand die in het noorden in de richting van Ballard en Magnolia meanderde; in zuidelijke richting de skyline van Seattle en het grote grijze lint van de hooggelegen snelweg. Voorbij de stad doemde de haven op als een apocalyptisch toekomstbeeld, waarin de beschaving plaats heeft gemaakt voor machines. Het wemelde langs de waterkant van de oranje scheepskranen, als gezichtsloze giganten. Vlak voor de kust deinden tankers op en neer. Het was een warme dag met een wolkeloze hemel. De wind die van zee kwam rook naar zout en kelp.

'Daar heb je haar,' zei Alice Canty.

Lucy bracht haar hand omhoog om haar ogen af te schermen en tuurde naar de andere kant van het park. Ze keek de zwarte strook van het voetpad af, met zijn optocht van wandelaars en hardlopers.

'Bij de graansilo's.'

'Ja,' zei Lucy, en ze pikte er een eenzame gestalte uit, een vrouw, van wie ze zo uit de verte nog niet het gezicht kon zien. 'Ik zie haar.'

Dora Canty was nog ruim vijfenzeventig meter van hen verwijderd, en het duurde even voor ze bij de pier was en op hen af kwam lopen. Lucy vond het op de een of andere manier wel gepast, die langzame resolutie van de andere vrouw, haar lichaam en gezicht die beetje bij beetje scherper in beeld kwamen. Ze bleef aan het eind van het asfalt van het voetpad staan en aarzelde even, keek naar de drie onbekenden die bij haar oma zaten en stapte toen het houten plankier op.

Carl had van deze vrouw gehouden, dacht Lucy, terwijl ze haar op zich af zag lopen. En toch, die laatste avond in bed had hij zich naar haar, naar Lucy, omgedraaid, omdat hij iets wilde. Vergiffenis? Nog één kans? Lucy huiverde en dacht aan hun slaapkamer in Pryor, aan hoe Carls vingers door het katoen van haar nachtjapon aanvoelden, aan een gordijn dat zich als een long vulde en weer leeg liep, opgebold door de wind.

Dora liep naar voren tot ze nog maar op een armlengte afstand was. Ze bleef staan en stak haar hand uit, alsof ze al heel vaak aan deze ontmoeting had gedacht, alsof ze had geoefend wat ze dan precies moest zeggen. 'Jij bent vast Lucy,' zei ze.

Lucy keek omlaag naar de uitgestoken hand. Ze kreeg plotseling een feilloze herinnering aan Carl tijdens de tekenles die ze allebei aan de cu volgden, een van die zeldzame eerste glimpen die ze toen had opgevangen van de man die haar echtgenoot zou worden. Het was Carls idee geweest dat zij die cursus zou volgen, en toen ze aarzelde had hij hen allebei ingeschreven. In haar herinnering stond hij voor in het lokaal, met op zijn gezicht een vastberadenheid om datgene wat hij nu aan het leren was ook goed te doen. Terwijl hij schetste, bewoog zijn elleboog, zijn vingers deden voorzichtig met het donkere stukje houtskool, zijn ogen schoten van het gehurkte model naar het papier en weer terug. Hoe kon je verleren van iemand te houden? vroeg Lucy zich af. Tenzij het niet het houden van was dat je verleerd was, maar het vergeven.

Ze vonden een leeg picknicktafeltje voor de Happy Hooker, de kleine aas-, hengel- en espressowinkel die de pier bediende. Dora zat met haar rug naar het water, en over haar schouder heen zag Lucy een oude Filippijnse visser zijn vangst schoonmaken. Hij ging kundig met zijn mes te werk, en het metaal van het lemmet flitste door de zilverwitte buik van de vissen.

'Wat is er met mijn man gebeurd?' wilde Lucy weten.

'Ik heb Carl een paar jaar geleden leren kennen,' legde Dora zonder zich te verontschuldigen uit. 'Dat was bij een seminar in Denver. Een groepje van het gezelschap ging op een avond samen eten en toen kwam ik naast hem te zitten.'

Ze keek de gezichten van haar gehoor langs. Ze was zo discreet geweest, of misschien zo onverschillig, om niet te vragen wat Kevin en Darcy met dit verhaal te maken hadden.

'We hebben elkaar daarna een jaar niet meer gezien. Op een dag kwam ik hem hier weer tegen, op het bedrijf. Aanvankelijk hadden we niets met elkaar, gewoon koffiedrinken en een luisterend oor. Ik geloof dat Carl toen echt iemand nodig had om mee te kunnen praten.'

Lucy kreunde en dacht aan de lange zwijgzame avondmaaltijden in de spelonkachtige keuken in Pryor, aan het geschraap van bestek op borden en aan de nachtelijke gevechten tegen de intimiteit. Niet de lichamelijke kant van Carls verhouding met deze vrouw zat haar dwars, maar datgene wat ze volgens haar besproken hadden, het verraad van dat verlies waar alleen zij aanspraak op kon maken.

Maar hoe kon ze het Carl kwalijk nemen als ze zelf op zoveel ver-schillende manieren ontrouw was geweest?

'Die laatste dag was hij onderweg naar jou,' zei Lucy.

Dora knikte. Ze legde haar handen op de tafel voor haar en keek ernaar.

'Ik wil weten wat er gebeurd is,' ging Lucy verder. Dat ben je me wel verschuldigd, dacht ze, maar ze zei het niet. Je bent me op z'n minst de waarheid verschuldigd.

Dora schraapte haar keel en keek hen allemaal aan. 'We hadden plannen voor een toekomst samen. Carl wilde in het reine komen met wat er gebeurd was' – ze aarzelde even en keek naar Lucy – 'voor we ermee verder zouden gaan. Ongeveer een halfjaar geleden is hij voor het eerst naar een lotgenotengroep in Denver gegaan, voor ou-ders van baby's die met een neuraalbuisafwijking zijn geboren. Toen realiseerde hij zich pas hoeveel ouders van NBA-baby's veteranen uit de Perzische Golf waren. Volgens hem had bijna de helft van de mensen in die groep iets met de oorlog te maken gehad.'

'En de rest?' vroeg Kevin.

'Normaal gesproken,' legde Dora uit, 'zijn afwijkingen als een open ruggetje of een hersenuitstulping te wijten aan een vitamine-tekort. Ze komen dan ook niet zo vaak meer voor in dit land. Hij zei dat er een paar ouders in de groep waren wier kind de afwijking spontaan had gekregen, als je armoede en ondervoeding iets spon-taans kunt noemen. De rest kwam uit Ophir.'

'De tuberculosetests,' opperde Kevin.

'Geleverd door Bioflux,' zei Lucy, 'net als de vaccins tegen bio-logische oorlogvoering voor het leger.' Ze keek naar Dora voor be-vestiging, maar de vrouw weigerde haar aan te kijken.

Alice Canty schraapte haar keel. 'Vertel hun de rest ook maar,' zei ze fel.

'Jullie begrijpen het niet,' protesteerde Dora. 'Jullie kunnen het niet begrijpen.'

'Vertel het hun,' herhaalde Alice, 'anders doe ik het.'

'Mycoplasma is ontwikkeld als wapen tegen wat wij een niet-do-delijke uitschakeling noemen.' Dora keek naar de uitdrukkingsloze gezichten van haar toehoorders en zuchtte, alsof ze een groepje kleuters rekenen probeerde uit te leggen. 'Het is net als de griep,' zei ze, 'of een ernstig geval van voedselvergiftiging, iets waar de vijand heel ziek van wordt, te ziek om te vechten, maar waar ze niet dood aan gaan. Herinneren jullie je nog die beweging in Oregon die de saladebars van de stad met salmonella insmeerde om te voorkomen dat de mensen konden gaan stemmen voor de gemeenteraadsverkiezingen? Dat is een uitstekend voorbeeld van een niet-dodelijke uitschakeling. Als je er goed over nadenkt, is het niet eens zo erg. Ik bedoel: wat is nou erger, een ernstig geval van dysenterie of een atoombom?'

Lucy schudde haar hoofd. 'En de gedetineerden in Pioneer waren de eerste gelukkige proefkonijnen?'

'Hoor eens,' zei Dora, 'je kunt dieren maar beperkt testen. Als je echt wilt weten hoe iets in het veld zal uitpakken, moet je het op een soort uitproberen die meer overeenkomsten biedt.'

'Je bedoelt op mensen,' vertaalde Lucy.

Dora keek haar vol minachting aan. 'Deugdzaam zijn is geen kunst als je de feiten niet kent, maar we hebben het hier wel over de veiligheid van het land. Het barst in de wereld toevallig wel van de biologische wapens – dingen als anthrax en pokken en ebola zijn nog maar het topje van de ijsberg – en de meeste zijn in handen van mensen die ons niet als hun vrienden beschouwen.'

Darcy nam het woord. 'En daardoor is wat jullie in Pioneer gedaan hebben goed te praten?'

Dora keek geïrriteerd. 'De Pioneer-proeven zijn gedaan op ter dood veroordeelde gevangenen,' zei ze, alsof dit feit alleen al kwijtschelding met zich meebracht. 'De onderzoekers wisten dat er het risico van besmetting zou zijn, maar van mycoplasma was uit het laboratorium niet bekend dat er langdurige bijwerkingen zouden zijn.'

'Maar die waren er wel,' zei Kevin.

'We weten nu dat er een paar negatieve gevolgen zijn,' gaf Dora koeltjes toe. 'Maar dat werd pas een paar jaar later duidelijk.'

'Maar toen waren jullie al met een hele nieuwe reeks proeven bezig,' onderbrak Lucy haar.

Dora ging iets verzitten. 'Een heel kleine groep soldaten heeft mycoplasma bij hun vaccinaties gekregen. We hadden op dat moment nog geen idee van de mate en de duur van de besmetting, en we wisten al helemaal niets over de andere problemen.'

Andere problemen, herhaalde Lucy bij zichzelf, terwijl ze eraan dacht hoe Eric in haar armen had aangevoeld, aan Chick die wankelend door hun oude huis in Pryor liep. 'Waar zit je verstand?' vroeg ze.

'Ik had niets met die tests te maken,' wierp Dora tegen. 'Vier jaar geleden heb ik het mycoplasmaproject overgenomen en toen waren die mensen al ziek. We kunnen niets voor hen doen, en dat vind ik heel erg, maar dat is geen reden om het onderzoek verder maar te laten zitten.'

Alice Canty schudde vermoeid haar hoofd. 'Je bent precies je opa,' zei ze.

'Je begrijpt het niet, omi.' Dora zuchtte en leunde achterover.

Lucy balde haar vuisten en ontspande ze vervolgens weer. Ze haalde een sigaret uit het pakje in haar zak en stak die op. 'Wat is er die laatste dag gebeurd?' vroeg ze.

Dora keek begerig naar de net opgestoken sigaret. 'Mag ik er ook een?'

Lucy gooide het pakje tussen hen in op tafel.

'Carl was bij Bioflux volstrekt te goeder trouw, echt. Net als veel werknemers wist hij hier niets van. Maar toen hij eenmaal met de ouders van de lotgenotengroep in gesprek raakte, was hij er al snel achter hoe het in elkaar stak. Hij wist dat Bioflux tuberculine maakte, en dat we een contract met de Colorado-gevangenissen hadden. Hij wist ook dat we vaccins voor het leger maakten. Daar was niets geheimzinnigs aan. En ik had hem gezegd dat ik met recombinant mycoplasma werkte, maar alleen niet in welke hoedanigheid.' Dora stak de sigaret in haar mond en stak hem aan. Haar handen bibberden licht, en de lucifer trilde in haar vingers.

'Hij belde me de avond voor hij hierheen kwam, en hij wilde weten hoeveel ik over het mycoplasmaproject wist. Hij zei dat hij bij zijn zwager was geweest en dat hij een artikel over besmettelijk mycoplasma en de Golfoorlog-ziekte en neuraalbuisafwijkingen had gezien.'

Dora zweeg. Ze nam een lange haal van haar sigaret, en toen nog een, alsof ze zich schrap wilde zetten voor wat ze zo meteen zou gaan zeggen. 'Ik hield van Carl,' zei ze, terwijl ze met de muis van haar hand in haar oog wreef. 'Ik wil dat je dat weet. Ik heb nooit gewild dat dit zou gebeuren.'

'Die laatste dag,' drong Lucy aan.

'Hij zat in mijn kantoor op me te wachten. Ik had hem gezegd dat hij niet moest komen, maar hij kwam toch. Hij kwam rechtstreeks van het vliegveld. Hij zei dat hij alles in de openbaarheid zou brengen. Ik zei dat hij dat uit zijn hoofd moest zetten, dat niemand hem zou geloven. Maar hij zei dat hij bewijs had.'

'De dossiers,' zei Kevin.

Dora knikte. 'Ik wist het niet, maar voor ik er was, had hij mijn dossiers doorzocht en er alles uit gehaald over de mycoplasmaproeven uit de begintijd, over de voorlopige resultaten van de Pioneertests, en dingen over het militair personeel. Hij had zijn aktetas bij zich. Daar moet hij ze in gedaan hebben. Pas de volgende dag realiseerden we ons dat ze weg waren.'

'Waar is hij naartoe gegaan nadat hij bij jou is weggegaan?' vroeg Lucy.

'Dat weet ik niet,' zei Dora, en ze tikte de as van haar sigaret. 'Voor hij wegging heb ik hem gevraagd of hij naar het huisje van mijn oma wilde komen. Ik wilde de kans krijgen het uit te leggen.'

'En daar stemde hij mee in?' vroeg Lucy.

'Ja. Hij zei dat hij de veerboot van zeven uur zou nemen.' Dora stopte even en ging toen verder. 'Probeer het te begrijpen. Ik wist niet wat er zou gebeuren. Carl was buiten zichzelf. Hij was zo kwaad dat ik bang was voor wat hij zou kunnen doen. Ik heb Philip Sumner gebeld en gezegd wat er aan de hand was: dat Carl naar het huisje kwam en dat ik dacht dat ik hem zijn plannen wel uit het hoofd kon praten.'

Lucy liet haar sigaret vallen en trapte hem met haar hak uit. 'Je hebt hem in de val laten lopen,' zei ze.

'Ik wist het niet,' wierp Dora tegen. 'Niet alleen het mycoplasmaproject stond op het spel, maar ook de toekomst van Bioflux, van alle projecten.'

'Wat dacht je dán dat er zou gebeuren?' Lucy stond op, pakte haar sigaretten van het midden van de tafel en stak het verkreukelde pakje in haar achterzak. 'Je hebt hun zelfs verteld met welke veerboot hij zou komen, hè?'

196

Dora schokschouderde. 'Ik heb Carl gewaarschuwd. Ik heb hem gezegd dat hij ermee moest stoppen, maar dat wilde hij niet. Begrijp je het nou niet? Dit is groter dan ikzelf ben, groter dan Carl was. Het doet er niet toe wat hij wist of wat jij weet. Niets van dit alles mag ooit het daglicht zien. Probeer dat nou te begrijpen.'

Lucy keek omlaag naar de andere vrouw. 'Drie mensen van wie ik hield zijn dood,' zei ze. 'Probeer dát maar eens te begrijpen.'

Ze zetten Alice af bij de terminal van de veerboot en reden over Alaskan Way naar het noorden en toen de slagaderlijke wirwar van de autosnelweg op. Lucy reed; ze had haar ogen strak op de weg voor zich gericht en haar handen rustten sterk en vastberaden op het stuur. Darcy had genoeg van haar twee reisgenoten, genoeg van hun normbesef van de gegoede burgerij, van de waarheid die ze wilden achterhalen, hoe die ook mocht luiden. Ze was nu zo ver met hen mee gereisd, maar uiteindelijk ging het haar alleen om Angie.

Toen ze in oostelijke richting Lake Washington door reden, keek Darcy naar buiten naar de voorstedelijke uitlopers, naar de gigantische dotcom-landhuizen die de kust omzoomden. Ze begon te vermoeden dat er geen *happy end* zou zijn. De enige die haar nu nog kon helpen was Carl Greene, en hij was dood.

Lucy drukte het gaspedaal in en voelde de auto de I-90-brug op schieten. Voor hen rees Mercer Island omhoog, groen en weelderig, waar elk huis het huis ernaast probeerde te overtroeven, waar zeiljachten geduldig op hun privé-aanlegplaats lagen te wachten.

Die laatste dag, dacht ze, terwijl ze een zilverkleurige Lexus ontweek en haar middelvinger opstak naar de chauffeur – een knul van een jaar of twintig. Carl was van het vliegveld rechtstreeks naar Bioflux gereden. En toen? Volgens Dora was hij in de loop van de ochtend langsgekomen en zouden ze elkaar pas die avond weer zien. Dora wist niet waar hij heen was gegaan toen hij bij haar van kantoor was vertrokken. Maar Lucy wel. Hij was naar het Hilton gegaan. Die hadden haar toch gebeld? Wat voor woord had die vrouw ook alweer gebruikt? *Persoonlijke spullen.* Hij had wat persoonlijke spullen laten liggen. Lucy sloeg met haar handpalm op het stuur.

Op de achterbank keek Darcy op. 'Wat is er?'
'De dossiers van Dora,' zei Lucy. 'Ik weet waar ze zijn.'

18

Darcy had een flink stuk van Washington en de noordoostelijke hoek van Oregon om na te denken over wat ze precies zou gaan doen. Als Lucy gelijk had en er ging niets verkeerd, dan zouden ze de dossiers de volgende ochtend hebben. Dit was de kans waarop Darcy had gewacht, en ze kon het zich niet permitteren die te verspelen.

Die avond, toen ze bij een benzinepomp buiten Boise waren gestopt, en zowel Lucy als Kevin naar de wc was gegaan, had Darcy van de gelegenheid gebruikgemaakt om even snel een telefoontje te plegen.

'Roy, het is voor jou.' Carol Ann Billings stond in de deuropening naar de woonkamer met de draadloze telefoon in haar mollige hand. Ze had een T-shirt aan waarop stond WAT ZOU JEZUS DOEN? en een geelgeruite kuitbroek. Daarin leken haar benen plomper en varkensachtiger dan anders. Haar hals was helderroze, met witte strepen waar de huid zich plooide.

Roy Billings leunde achterover in zijn leunstoel en keek naar zijn vrouw, terwijl hij zijn aandacht bij de televisie hield. 'Dit is mijn worstelprogramma,' beet hij haar toe, terwijl hij met zijn afstandsbediening naar het scherm gebaarde.

'Sorry hoor, Roy. Het is een of andere vrouw en ze zegt dat het belangrijk is. Ze zegt dat ze Darcy heet.'

Billings sprong op als een hongerige krokodil die op een loslopende peuter af schiet. 'Jezus christus!' zei hij, terwijl hij de telefoon uit zijn vrouws handen griste. 'Waarom zeg je dat dan niet?'

Het was vier dagen geleden dat hij Darcy bij Rawhide Bob had gezien, en Billings begon zich al zorgen te maken. Hij had een paar keer naar haar flat gebeld, en telkens werd er niet opgenomen. Toen hij het truckersrestaurant in Castle Rock probeerde, zeiden ze dat ze al sinds maandag niet op haar werk verschenen was.

Die ochtend had hij zelfs Philip Sumner geprobeerd te bellen. Sumner was immers degene geweest die hem voor Carl Greene gewaarschuwd had en had gezegd dat de dossiers bij Bioflux verdwenen waren en dat Greene ook nog eens zonder opgaaf van reden afwezig was. Maar Billings kwam niet verder dan Sumners assistent, en hij begon al te denken dat ze hem hadden afgeserveerd en dat hij op het punt stond ten behoeve van hen allemaal hard en diep te vallen.

Zo was het toch altijd gegaan, dacht Billings, en zijn gezicht liep rood aan toen hij aan Raleigh dacht en hoe hij bij hen in het gevlij had weten te komen. Roy Billings, de pukkelige verplegingssergeant die erin slaagde zo'n beetje alles de basis op te krijgen. Gewillige Roy hadden ze hem genoemd; hij had die naam niet grappig gevonden, maar er toch om gelachen. Ze betaalden hem goed, het dubbele van wat hij uitgaf voor de kousen en de gin die hij op zijn vrije dagen mee terug uit Raleigh bracht. Maar het was om meer gegaan dan om geld alleen. Joe Auburn kon hem altijd zo op zijn rug slaan, zijn arm om Roys schouder leggen, dat Roy heel even het gevoel had dat hij hun elegante, ontspannen, gin drinkende, naar jazz luisterende, Viviane neukende wereld had betreden.

Auburn was degene die hem zover had gekregen dat hij toestemming had gegeven voor de tests. Dat hij uiteindelijk door de knieën ging, was niet door het geld gekomen, hoewel Roy met liefde alles had aangenomen wat ze hem geboden hadden. Nee, het kwam door het etentje met Auburn in het Brown Palace in Denver, porterhouse steaks en dure wijn en daarna sigaren en port in de bar met de lambrisering van donker hout. Auburn had alles perfect geregeld, tot en met de slanke en gewillige brunette die zich aan het eind van de avond heel mysterieus bij hen voegde en die Roy naar zijn kamer begeleidde.

Ze hadden hem genaaid, zoals gewoonlijk. Net als de brunette, dacht Roy. De mooie kleren en het dure kapsel konden niet verhullen dat ze gewoon een hoer was.

'Waar heb je uitgehangen?' vroeg Billings nu, terwijl hij de hoorn tegen zijn oor drukte. Toen zei hij tegen zijn vrouw: 'Haal eens een biertje en een paar van die kaassoesjes voor me, schat.' Hij keek hoe ze naar de keuken waggelde.

'Je moet heel goed naar me luisteren, Roy. Ik heb alles waar je om gevraagd hebt.'

'Dat is je geraden,' zei Billings. 'Als je zo met me blijft sollen is het met je zus...'

'Bek houden, Roy. Luister, je moet het volgende voor me doen. Morgen ga je naar de bank en neem je twintigduizend dollar op. Cash, kleine coupures, niets boven de honderd.' Ze had goed nagedacht voor ze besloten had dat het dit bedrag moest worden; het was niet al te veel, zodat ze vrijwel zeker wist dat Billings eraan kon komen. En het was genoeg om Angie en haar op weg te helpen.

Billings hinnikte. 'Lazer op, trut. Jij geeft me die dossiers en dan kan die aan speed verslaafde zus van je misschien heelhuids haar straf uitzitten.'

'Ik heb alles hier voor me liggen,' zei Darcy, en ze hoopte maar dat hij haar niet zou uitdagen dat te bewijzen. 'Zo te zien ben jij in elk stadium van alles op de hoogte geweest. Hoeveel heeft Bioflux je betaald om de gevangenis met tuberculine vol te pompen?'

Billings pakte de afstandsbediening en zette de tv zachter. De worstelaars vielen stil, en met hen het publiek.

'Haal dat geld nou maar. Ik bel je morgen terug. En Roy, als je hier ook maar met iemand over praat, beloof ik je plechtig dat ik er rechtstreeks mee naar de media ga.'

De verbinding werd verbroken en Billings gooide de hoorn op de haak. 'Godverdomme, Carol Ann!' bulderde hij. 'Waar blijft mijn bier?'

Kevin nam 's nachts het rijden voor zijn rekening; dit was de laatste, eenzaamste etappe van de rit, door Wyoming en in zuidelijke richting naar Pryor. Lucy lag in de stoel naast hem te slapen, met haar handen als een kussentje onder haar hoofd gevouwen. Darcy zat stil achterin.

Ver voor hen uit knipperden koplampen: een enkele auto die de andere kant op reed. Je kon hier niet je adem inhouden en wachten tot je weer een auto tegenkwam. Zelfs met een snelheid van honderdtien, honderdtwintig duurde het een paar minuten voor het speldenprikje van licht langs Kevin raasde en de achterlichten als twee rode kooltjes opgloeiden.

Een samenzwering als dekmantel voor het feit dat ze op onze eigen soldaten biologische wapens testten, dacht Kevin. Een ziekte die ook de familie van die soldaten trof, en zelfs hun ongeboren kinderen. En de vice-president en voormalig minister waren daar direct bij betrokken. Carl Greene had gelijk gehad: dit was inderdaad belangrijk. Een verhaal dat *hot* genoeg was om een halfverzopen carrière uit de plee te trekken en weer leven in te blazen, en Kevin zou degene zijn die het wereldkundig mocht maken. Zelfs als datgene wat Sylvia Graham aan de telefoon had gezegd waar was, dan wilde hij nog dat de gelegenheid bestond dat het ontkracht werd.

Ergens ten westen van Rawlins begon de lucht lichter te worden en de zon op te komen, waardoor de monoliet van de Rocky Mountains achter hen zichtbaar werd en het rommelige terrein dat ze de hele nacht doorkruist hadden in silhouet stond afgetekend, als een knipselwerkje van een kind. Lucy bewoog even en draaide haar gezicht naar hem toe. Haar mond stond een beetje open en hij kon de punten van haar parelwitte voortanden zien. Nee, dacht hij toen hij naar haar keek, wat ze op de veerboot had gezegd was niet waar geweest. Soms krijg je meer dan één kans.

Ze reden vanuit het oosten Pryor binnen, over de oude tweebaansweg, langs de zuivelfabriek en de afslag naar Magpie Road. Lucy draaide haar hoofd een beetje om haar eigen huis en de andere in de wijk voorbij te zien komen, donkere vormen die in het maïsveld in elkaar gedoken zaten, half verscholen, als dieren in hoog gras of als schepen die water maken. Er waren zo veel redenen waarom ze niet terug kon naar dat huis, maar ze moest zich nog steeds tegen de aandrang om terug te gaan verzetten.

Kevin kon haar afzetten, dacht ze, en dan zou ze het vertrouwde wandelingetje over Magpie Road maken, over het gemaaide groene gazon en het trapje aan de voorkant op. Op maar een paar honderd meter stond de architectuur van haar gewoonten op haar te wachten: zonnejurken in keurig geordende kasten, gevouwen linnengoed in nette stapels, als de botten in een knekelhuis, de tot zwijgen gebrachte kamers waar ze zichzelf van een diepe en onverzoenbare schuld had weten te overtuigen.

'Gaat het met je?' vroeg Kevin.

Lucy knikte. 'Rijd maar gewoon door.'

Hoewel het nog vroeg was, wemelde het op de velden al van de seizoenwerkers: meisjes met een katoenen jurkje aan, mannen met een honkbalpet vol zweetplekken op. Ze passeerden een truck die boordevol geladen was met suikerbieten, met knobbelige en knoestige wortels, als reuzentanden die net uit de aarde zijn getrokken. Kevin minderde vaart bij de brug en reed de stad in; bij de middelbare school sloeg hij af en reed Main Street in. De doordringende middaghitte moest nog komen en onder de olmen en paardekastanjes trokken diepe schaduwen zich samen. De koelte van de nacht was zo donker als pasgemorste inkt.

Toen ze bijna bij het postkantoor waren, keek Lucy op haar horloge. 'Stop hier maar,' zei ze tegen Kevin, terwijl ze naar de parkeerplaats van de supermarkt wees, waar ook de telefooncel van Pryor stond.

Kevin stopte en Lucy stapte uit. Ze bladerde door het van een plastic kaft voorziene telefoonboek en vond het nummer van het postkantoor van Pryor. Het was nog voor openingstijd, maar Lucy wist dat er iemand in de postkamer zou zijn. Vanwaar zij stond, kon ze de voorkant van het postkantoor zien, met vier auto's op de parkeerplaats.

Ze koos het nummer en liet de telefoon overgaan.

'Postkantoor Pryor,' klonk een mannelijke stem.

'Mag ik Donna Lundgren spreken?' vroeg Lucy. Donna was een tot inkeer gekomen wildebras, met tatoeages als bewijs, en ze had altijd bij Chick in de klas gezeten. Lucy's broer en zij hadden zo nu en dan verkering met elkaar gehad. Als ze iemand in Pryor kon vertrouwen, bedacht Lucy, dan was het Donna wel.

Aan de andere kant van de lijn hoorde Lucy het gedempte geluid van machines en popmuziek, en een mannenstem die riep: 'Donna, voor jou.' Weer geruis tegen Lucy's oor en toen: 'Met Lundgren.'

'Donna, je spreekt met Lucy Greene.'

'Jezus, meid. Waar zit je?'

'Aan de overkant van de straat.'

'Blijf hangen.' Een deur sloeg dicht, waardoor het lawaai van de postkamer verstomde. 'Ben je niet goed bij je hoofd of zo?' fluisterde Donna. 'Je weet toch wel dat de politie van heel Colorado naar je op zoek is?'

'Ja, dat weet ik,' zei Lucy. 'Volgens mij heb jij een pakje voor me. Het moet een van de afgelopen dagen binnengekomen zijn, uit Seattle.'

Donna zei niets. Lucy hoorde haar een lucifer afstrijken en een sigaret opsteken.

'Luister,' zei Lucy. 'Wat ze ook over me zeggen, je moet weten dat ik Chick nooit iets zou aandoen.'

Het bleef even stil. Lucy tuurde naar de overkant en zag iemand achter de nog donkere ramen van het postkantoor bewegen.

'Ik ga naar de achterkant van het postkantoor; kom jij daar ook naartoe,' zei Donna toen.

Lucy stapte achter in de auto en zei tegen Kevin dat hij moest rijden. 'Ze gaat naar de steeg,' zei ze.

Kevin keerde, reed de parkeerplaats af, reed tot halverwege de straat naar de achterkant van het lage, vierkante postkantoor van baksteen, en zette de motor af.

Pal in westelijke richting de steeg door, twee straten verder, zag Lucy de achterkant van hun oude garage en het afgeknotte kruis waarmee één kant van de waslijn vastzat. Wat was er met de oude Fairlane gebeurd? vroeg ze zich af. Chicks lievelingetje. In de nacht dat hij werd doodgeschoten, was hij ermee naar haar huis gereden. En daarna? Wat gebeurde er met de spullen die niemand kwam opeisen? De kleren van haar broer, en die van haar, al die intieme voorwerpen, lippenstift en ondergoed, oude handschoenen en haarborstels, halflege tubes handcrème?

Een deur zonder raam met daarop UITSLUITEND PERSONEEL ging open, en daar verscheen het hoofd van Donna Lundgren. Ze stond even naar buiten te kijken; haar lichaam bleef tot de hals verborgen. Daarna liep ze de steeg in, met een groot bruin pak in haar armen. Lucy stapte uit en ging naar haar toe.

'Ik vraag niets,' zei Donna, terwijl ze haar het pakket gaf.

'Bedankt,' glimlachte Lucy.

Donna glimlachte terug. 'En nou wegwezen.'

Lucy en Darcy zaten in de auto te wachten terwijl Kevin een kamer voor hen boekte in het Buena Vista, een motel voor seizoenwerkers aan de snelweg in Gilchrest. Een groepje jochies, nog te klein om op het veld te werken, speelde op de parkeerplaats een geïmproviseerd partijtje voetbal. Een oude vrouw, waarschijnlijk hun oppas, zat op een metalen stoel een pijp te roken; uit een gettoblaster vlak bij haar schetterde Tejano-popmuziek. Het gebouw van één verdieping had iets nomadisch, iets van een kampement. In de overdekte passage waren tijdelijke waslijnen gespannen, met beha's en spijkerbroeken vol vlekken die er als gebedsvlaggen aan hingen. Er stonden busjes en trucks in diverse stadia van reparatie. Iemand had zonnebloemen uit de rand van een maïsveld geplukt en die in een koffiekan voor een van de ramen gezet.

Lucy zat voor in de auto en liet haar kin op de kartonnen doos rusten. Ze keek naar Kevin, die ze door het raam van de receptie van het motel zag staan. Het had een vertrouwd soort onbeholpenheid gehad, zoals hij haar op de veerboot had gekust. Net als de eerste keer, toen hij zich over de voorbank van de auto van zijn opa had gebogen en zijn handen zo erg hadden getrild dat ze voor hen allebei tegelijk bang was geweest.

Misschien door alles wat er gebeurd was, of misschien gewoon doordat ze ouder was, had Lucy nooit hetzelfde soort wanhoop jegens Carl gevoeld als indertijd jegens Kevin. Haar man had iets koels, een vaardigheid waardoor haar eigen slonzige verlangens op de een of andere manier gênant gingen lijken. Hoe lang was het geleden geweest, vroeg ze zich af, dat Carl en zij met elkaar gevreeën hadden? Zes maanden? Zeven? En zelfs toen was het voor hen allebei een soort capitulatie geweest, iets waaraan ze door uitputting toegaven, omdat ze geen van beiden in staat waren het nog langer op afstand te houden.

Kevin knikte naar de man achter de balie, draaide zich om en liep de parkeerplaats weer op. Ook nu kon Lucy zich nog de details van hun onervaren gevrij herinneren, de vorm van Kevins rug toen hij zich bukte om zich uit te kleden, zijn vingers op haar buik, en het bleke patroon van sterren en maantjes op het plafond van zijn slaapkamer.

Lucy zag Kevin naar zich toe lopen; de sleutel bungelde aan zijn hand. Zo weinig aan hem leek nog op de jongen bij Miller, met zijn armen en nek donker gevlekt door de zon, met zijn vingers onder het vuil, en toch was er zo veel.

'Kamer 1-4-3,' zei hij, en hij deed het portier open en ging achter het stuur zitten. 'Het is aan de achterkant.'

Ze keerden op de parkeerplaats en reden achter de voorste rij kamers naar een tweede gebouw, dat zo mogelijk nog aftandser was.

Kevin stapte uit en deed de deur naar de kamer open; de twee vrouwen liepen achter hem aan. De voorzieningen waren precies zoals Lucy ze had verwacht: slecht, grof tapijt en twee tweepersoonsbedden, een televisie en wat niet bij elkaar passende meubels. Ze wilde eigenlijk alleen maar een deur die achter haar dichtging, een rustig plekje waar ze kon bekijken wat Carl had nagelaten, een plek waar ze de dingen op een rijtje kon zetten. Ze zette de doos op een van de bedden, en uit de verschoten sprei steeg een wolk stof op.

Het was warm in de kamer; de airconditioning waarmee op het uithangbord van het motel geadverteerd werd was duidelijk een ter ziele gegaan luxeartikel. Lucy deed haar kleren uit, op haar topje na, haalde de Glock uit zijn nieuwe plek achter in haar spijkerbroek en legde hem op de televisie. Waar het pistool had gezeten, zat nu een halvemaanvorm van zweet, en het was lekker dat haar huid daar nu weer kon ademen.

Lucy deed een stap naar het bed toe en bekeek de doos alsof het een puzzel was of een bom die ontmanteld moest worden. Het was een onduidelijk pakket, bruin met dikke zwarte letters, het retouradres op een keurig wit etiket met het Hilton-logo.

'Hier,' zei Darcy. Ze haalde een pennenmesje uit haar zak en gaf het aan Lucy.

Lucy ging met het lemmet langs de dichtgetapete naden en sneed voorzichtig de flappen open. De inhoud was keurig ingepakt. Carls jasje lag bovenop, opgevouwen door onbekende handen. Lucy haalde het eruit en legde het op het bed. Onder Carls jasje lag zijn tas met overnachtingsspullen, met daarin een schone onderbroek, een wit T-shirt, een paar sokken en scheergerei. Alles rook vaag naar hun huis, naar Bounce and Ivory-zeep en naar Carl.

Onder de tas zat de versleten leren aktetas, in een bocht geduwd om in de doos te passen, die Lucy de eerste kerst dat ze getrouwd waren aan Carl had gegeven. Het was toen een buitensporig duur cadeau geweest, maar wel een waarvan ze wist dat hij er blij mee zou zijn. Lucy haalde hem eruit en legde hem op het bed naast Carls jasje en de tas.

De aktetas was zwaar en de flap waarmee hij dichtzat, zat op slot. Lucy moest met Darcy's zakmes het zachte leer opensnijden. De tas zat propvol documenten, dicht op elkaar gepakte papieren. Lucy trok er willekeurig een tussenuit: RESULTATEN VAN VARIANT U MYCO-PLASMA-TEST-LM-ONDERWERPEN. In de rechterbovenhoek stond de datum: 14 december 1988.

Darcy keek reikhalzend over Lucy's schouder mee. 'Enig idee wat een LM-onderwerp is?'

Lucy keek het rapport vluchtig door. Carl en zijn collega's spraken voortdurend in initialen, vooral als ze het over dingen hadden die ze liever niet bij de naam noemden. Een LP-onderwerp was bijvoorbeeld een aap, een levende primaat, wist ze. LH's waren levende honden en LK's waren knaagdieren. LM, dacht ze: levende mensen. Het idee alleen al was zo weerzinwekkend dat ze het niet kon uitspreken. Ze negeerde Darcy's vraag, legde het rapport weg, haalde een ander uit de aktetas en keek het door.

De dossiers waren droog en wetenschappelijk, de tekst grotendeels niet te begrijpen voor Lucy, maar toen ze de documenten wat langer bekeek, werd haar wel duidelijk wat hieruit opsteeg, namelijk hoeveel er bekend was geweest, hoeveel consequenties van de mycoplasmatests genegeerd waren. Eén rapport noemde 'indirecte besmetting van familieleden onderling' en 'de mogelijkheid van afwijkingen van de foetus onder asymptomatische ouders'.

Ouders, dacht Lucy, moeder, en plotseling voelde ze het gevaar van alles wat Chick en zij samen gebruikt hadden. Borden en glazen, zijn tandenborstel die in de badkamer naast de hare stond, een colablikje waar ze allebei uit gedronken hadden. Op de een of andere manier was zijn ziekte in de periode dat hij bij hen had gewoond tot haar lichaam doorgedrongen. Ze had het niet geweten, was zelf niet ziek geworden, maar toch droeg ze het bij zich, diep weggeborgen en verscholen, als iets uit het verleden waarvoor ze zich moest schamen.

Darcy lag op de muffe sprei en keek hoe Lucy de laatste papieren opzijlegde, hoe Kevin ze oppakte en zelf doorbladerde. Toen hij klaar was met lezen wreef hij in zijn ogen, stond op en rekte zich uit, waarbij hij, toen hij zijn arm boven zijn hoofd hief, zachtjes kreunde.

'Hoe gaat het met je schouder?' vroeg Lucy.

'Hij doet pijn.' Hij knoopte zijn hemd open en trok de kraag omlaag zodat een keurig rijtje hechtingen te zien was. De huid rond de wond was roze en opgezet.

'Het ziet er ontstoken uit,' merkte Darcy op.

Lucy stond op en ging naar hem toe. Ze legde haar vingers zachtjes op zijn schouder, en hij trok een grimas. 'Het is warm,' zei ze. 'Ga even lekker onder de douche en fris je een beetje op. Dan ga ik wel ergens iets kopen om erop te doen. Even verderop langs de weg is een winkel. Ik haal meteen iets te eten.'

'Lijkt dat je wel verstandig?' vroeg Kevin, terwijl hij zijn hemd uittrok. 'Misschien kan zij beter gaan.' Hij knikte naar Darcy.

'Misschien.' Lucy haalde haar schouders op. Ze wilde niets liever dan de kamer uit, de stijfheid van de lange autorit eruit lopen, even vijf minuutjes alleen zijn.

Kevin aarzelde; hij leek niet goed te weten of hij hen alleen kon laten.

'Ik ga wel,' stelde Darcy hem gerust.

Hij keek weer naar Lucy, liep met tegenzin naar de badkamer, ging naar binnen en deed de deur achter zich dicht.

Darcy ging rechtop zitten en keek naar de papieren die over het bed verspreid lagen.

'Ik ben zo terug,' zei Lucy, en ze zette een goedkope zonneb op die ze onderweg gekocht had. 'Heb jij nog iets nodig?'

Darcy schudde haar hoofd. 'Ik zei toch dat ik wel zou gaan?'

'Het gaat heus wel goed,' zei Lucy, terwijl ze haar blik ook naar de papieren liet gaan en ernaar bleef kijken op een manier die Darcy de indruk gaf dat ze precies wist wat er zou gebeuren als ze naar buiten ging.

'Wees voorzichtig,' zei Darcy.

'Jij ook.' Lucy knikte. Ze wipte van de ene voet op de andere, alsof ze ergens op stond te wachten. Toen draaide ze zich om, deed de deur open en liep de overdekte passage op.

Kevin had de indruk dat het voltallige huishoudelijk personeel van de Buena Vista al een tijdje met vakantie was. Op het douchegordijn zat een donker en ingewikkeld patroon van schimmel. In de wasbak lag een uitgedroogde krekel. Op de smerige toiletbril zat een niet erg overtuigende papierstrook met daarop de woorden voor u gereinigd. Kevin draaide de kraan open, liet het water warm worden en stapte met tegenzin het beschimmelde hokje in.

Het hete water prikte op zijn toch al zo gevoelige schouder, en hij waste zichzelf. Hij spoelde zich zo snel mogelijk weer af, kwam de douche uit en sloeg een handdoek om zijn middel. Zijn kleren waren vies want hij had ze al een paar dagen aan; onder de oksels zaten zweetplekken. Hij maakte er een prop van en stak die onder zijn arm. Hij wilde een iets minder ranzig stel kleren uit de tas halen die nog in de kofferbak van de auto lag, en daarom kwam hij met alleen de handdoek om de badkamer uit.

Zodra zijn blote voeten op het beschimmelde tapijt stonden, wist hij dat er iets helemaal mis was. Lucy was weg, maar haar pistool lag nog waar ze het had neergelegd: een stompe zwarte vorm op de grijze stofsluier waarmee de televisie bedekt was. Darcy stond met haar rug naar hem toe, halverwege de bedden en de deur, met de aktetas van Carl Greene in haar linkerhand. Ze had alles meegenomen, alle dossiers, en de aktetas puilde uit en de flap hing open.

Kevin deed een stap naar voren en taxeerde de afstand tussen hemzelf en de opnieuw geladen Glock, de beweging die nodig was om de vrouw en de dossiers in de kamer te houden. 'Zet die tas neer,' zei hij, terwijl hij zijn kleren liet vallen en het pistool pakte. Hij klikte de veiligheidspal eraf, maar Darcy's vingers bleven resoluut om het leren handvat geklemd. Wat wist zij dat hij niet wist? vroeg Kevin zich af. Dat hij een lafaard was? Een idioot? Dat hij aardig was? Of interesseerde dat haar allemaal niets? 'De mensen moeten de waarheid weten,' hoorde hij zichzelf zeggen.

Darcy draaide zich naar hem om. Ze had de kleine Colt in haar rechterhand en de loop keek hem recht aan, als een enkel donker oog. 'Wat denk je dat er gaat gebeuren?' vroeg ze. 'Denk jij dat je deze dossiers naar CNN of NBC kunt brengen en dat je dan plotseling een held bent?' Ze schudde haar hoofd en deed een stap naar achteren, naar de deur.

Kevin spande zijn hand om de Glock. Hij ging verstaan en ving een glimp op van zichzelf in de spiegel, met op zijn gezicht de schaduw van een stoppelbaard, zijn buik die boven de witte plooien van de handdoek uitstak en zijn schouder die blauw en dik was. Wanneer was hij zo'n wrak geworden? Hij rechtte onwillekeurig zijn rug en trok zijn schouders naar achteren. Nee, dacht hij, er zou geen reportage komen. Uiteindelijk ging het in zijn vak niet om de waarheid maar om bedrog, om hoe wij onszelf willen zien.

'Het spijt me,' zei Darcy. Ze liet de aktetas om haar pols glijden en legde haar hand op de deurknop. Toen draaide ze Kevin haar rug toe en liep naar buiten. Haar donkere silhouet loste op in een rechthoek van fel zonlicht.

Lucy legde haar arm om de bruine papieren zak en liep door de automatische deuren van de kleine supermarkt de droge middaghitte in. Er reed een oude roestige Chevrolet de parkeerplaats op, en een stuk of zes stoffige mannen klommen eruit en kuierden de winkel in. Het was lunchtijd. Aan de overkant van de straat stonden twee surveillancewagens van sheriffs voor de Dairy Queen geparkeerd.

Kevin had gelijk gehad, dacht ze: ze had binnen moeten blijven. Plotseling was ze niet roekeloos meer, en voor de eerste keer sinds ze waren langsgekomen om te vertellen wat er met Carl was gebeurd, was ze echt bang. Ze boog haar hoofd, schermde zichzelf z goed ze kon af met de zak en liep de twee lange straten terug naar het Buena Vista.

Ze had niet verwacht dat Darcy er zou zijn als ze terugkwam, en ze was opgelucht toen ze zag dat de huurauto weg was. Ze was blij dat Darcy de kans had gegrepen en ervandoor was gegaan.

'Ze is weg,' zei Kevin toen Lucy de kamer binnenkwam. Lucy knikte, zette de zak neer en haalde er een fles peroxide en wat wattenbolletjes uit.

'Ze heeft de dossiers meegenomen,' legde Kevin uit. Hij zat op de rand van een van de bedden, met de Glock naast zich.

Lucy schoof het pistool opzij en ging zitten. Ze keek naar zijn blote schouder, naar de rood opgezette striem. 'Dat is goed,' zei ze, terwijl ze de dop van de peroxide draaide. Ze maakte een van de watjes vochtig en depte daarmee de gehechte huid. 'Hoe voel je je?'

'Niet zo best.' Hij kromp in elkaar en trok zijn schouder weg. Lucy zag schuimbelletjes rond de wond verschijnen en depte de huid toen nog een keer.

'Wat ga jij doen?' vroeg Kevin.

'Weet ik niet.' Ze zette de peroxide weg en maakte de hechtingen droog. 'Me een tijdje uit de voeten maken, denk ik.' De gedachte beangstigde haar; het vooruitzicht dat ze zich in de wereld zou moeten begeven.

'Ik heb een vriend,' zei Kevin, 'in Nogales. Die kan je wel helpen.'

'Ja,' zei Lucy. 'Misschien.' Ze deed een pleister op zijn schouder en drukte de randen omlaag tot ze op zijn huid vastkleefden.

Hij boog zich voor haar langs, pakte pen en papier van het nachtkastje en schreef de naam Leon en een telefoonnummer op het geel geworden briefpapier.

Lucy legde haar hand tegen zijn gezicht. Hij was vertrouwd en vreemd tegelijkertijd, veranderd en niet-veranderd. 'Ik ben bang,' zei ze.

Hij knikte en boog zich omlaag tot zijn lippen net de hare raakten. 'Alles komt goed,' zei hij. Toen legde hij zijn hand in haar nek en kuste haar.

Ze deed haar ogen dicht en trok hem naar zich toe. Haar eigen

211

handen trilden nu en haar hart ging tekeer als een oude auto op een koude ochtend. Dit is het geheim, dacht ze: niet zonder angst leven, maar mét angst.

19

Darcy deed haar koelkast open en nam de beschimmelde inhoud in ogenschouw: een groen geworden stuk kaas, een trosje druiven met het tere zwarte dons van een schimmelige stoppelbaard. De enige niet-dodelijke etenswaren waren een fles ketchup en een pot okra-augurken, en zelfs die zag er verdacht uit. De vriezer bood iets betere vooruitzichten: een maaltijd van keiharde enchilada's en wat door de vrieskou uitgeslagen hotdogs. Daar moest ze het dan maar mee doen, zei Darcy tegen zichzelf terwijl ze de enchilada's in de magnetron gooide en een pan water opzette.

Ze was niet van plan geweest terug te gaan naar Castle Rock, maar toen ze bij het motel in Gilchrest was weggereden, had dit de meest voor de hand liggende optie geleken. Ze zou Billings pas morgenochtend zien, en ze moest toch ergens heen om de nacht uit te zitten. Ze dacht niet dat iemand haar in de flat zou komen zoeken, maar ze had de kleine Colt, voor het geval dat.

Ze stelde de tijdklok van de magnetron in, trok een blikje colalight open en liep naar de woonkamer. Het was zes uur, ruim na sluitingstijd van de banken. Billings zou het geld nu hebben, bedacht ze, of niet. En als hij het nou eens niet had? Darcy bande het vooruitzicht uit haar gedachten, pakte de telefoon en koos het nummer van de gevangenisdirecteur.

Billings nam dit keer zelf op.

'Heb je gedaan wat ik je gezegd heb?' vroeg ze.

'Ik heb het,' mompelde Billings.

'Oké, Roy, luister. Je komt morgenmiddag om twaalf uur naar Rawhide Bob. Je brengt mijn zus mee, én het geld, en dan geef ik je de dossiers.'

Billings zweeg.

'Heb je me gehoord?' vroeg Darcy.

'Ja.'

'Twaalf uur,' herhaalde Darcy, 'in de saloon. Angie moet gewone kleren aanhebben. Nou, wat heb ik gezegd?'

'Twaalf uur. Bij Rawhide Bob,' gromde Billings.

'Verdomme, Roy, het wordt weer net als vroeger.'

Roy Billings bleef even zitten en probeerde te verwerken wat de vrouw net had gezegd; toen pakte hij de telefoon weer en koos het nummer van Philip Sumner. Een man nam op: Sumners jankerige assistent, Jeff. Billings had zijn vleiende verwijfde stemmetje altijd bijzonder irritant gevonden.

'Geef me Sumner even,' commandeerde Billings.

'Billings? Ben jij het?'

'Ja. Ik moet Phil spreken.'

'Meneer Sumner is bezig.'

'Godverdomme, ettertje. Je geeft hem nu aan de lijn, anders maak ik alles openbaar.'

De man lachte. 'Dat denk ik niet.'

'Zeg dan tegen hem dat ik die ellendige dossiers van hem heb.'

Zonder dat er een woord werd gezegd, werd hij in de vergetelheid van de wacht gezet. Sumner was veel te deftig voor muzak. In Billings' oor klonk klassieke muziek.

Sumner nam op: 'Roy?'

'Ik heb de dossiers van Bioflux.'

'Goed gedaan. Joe zei altijd al dat jij alles wist te vinden. Ik stuur meteen iemand naar je toe.'

'Ze lijken me toch op z'n minst een miljoen waard,' zei Billings.

Sumner verblikte of verbloosde niet. 'Tja, Roy,' zei hij zangerig, met een stem zo glad als een goede malt-whisky, 'dat is een heleboel geld. Niet zo inhalig. We hebben in het verleden goed voor je gezorgd, en we zullen wat je nu voor ons hebt gedaan ook echt niet vergeten, geloof me. Ik zal het goed met je maken. Noem maar een penitentiaire inrichting in het land, en hij is voor jou. Wat dacht je van een leuke vrouwengevangenis in Californië? Ergens dicht bij zee. Dat zal je vrouw fijn vinden.'

'Hou die praatjes voor je, Phil,' mompelde Billings, terwijl hij nadacht. Ordinaire schoft, net als in Raleigh, toen de rijke jongens bij hem probeerden af te dingen op de prijs van cocktailolijven.

'Nee, jíj houdt die praatjes voor je. Waar denk je dat we het over hebben? Over een doos Cubaanse sigaren? Over een paar *Playboys*?' Sumners stem had een ijzige helderheid. 'Waag het niet ons te bedreigen, Roy. Begrepen? Geen bedreigingen.'

'Je hebt een week om het geld bij elkaar te krijgen,' zei Billings.

Lucy zat op de rand van het bed dat het dichtst bij de deur stond en keek naar Kevin, die sliep. Het witte licht van een straatlantaarn viel gefilterd door de gordijnen, zodat ze net de omtrek van zijn gezicht kon zien, met een arm boven zijn hoofd over het kussen en de punt van zijn voeten onder het laken uit. Ze was zo veel van hem vergeten, zoals het kleine litteken aan de binnenkant van zijn dij, waarvan de huid was genezen in de vorm van een bleke ster en waar ze vroeger graag met haar tong overheen was gegaan. Of zoals het genot van zijn lichaam alleen al bij haar bleef, als de gloed die na het zonnebaden nog wat blijft hangen.

Er klonken stemmen op de parkeerplaats, het vrolijke gekwetter van slaperige mensen die zichzelf met een trucje wakker proberen te maken. Er startte een motor. Een deur ging open en dicht. Kevin draaide zich van haar af, en zijn hand greep slaperig in het laken. Ze had wel voor altijd willen slapen, of in elk geval de rest van de ochtend, met haar rug tegen zijn buik, en zijn kin net tegen haar schouder. Maar in plaats daarvan schoot ze Carls jasje aan, stak de Glock achter in haar spijkerbroek en ging stilletjes de deur uit.

Er stond een hele menigte voor het motel: landarbeiders die stonden te wachten tot ze werden opgepikt en naar de velden werden gebracht; anderen met de hoop dat ze voor die dag werk zouden vinden. Lucy stak een sigaret op en liep tussen de donkere gezichten door. In haar aarzelende middelbareschool-Spaans vroeg ze of iemand toevallig de richting van Pryor op ging. Uiteindelijk wees een meisje naar de andere kant van de parkeerplaats.

'Daar,' zei ze, en ze wees naar een oude Ford, die zich in rap tempo met jonge kerels vulde.

Lucy bedankte haar en liep in de richting van de truck. Plotseling was ze bang dat ze de chauffeur kende, dat hij misschien wel een van de zonen van Nordgren was of de schoonzoon van Miller. Ze keek in de cabine. Maar de man achter het stuur was Mexicaans; onder de gerafelde rand van zijn strooien cowboyhoed zag ze zijn verweerde gezicht.

'Pryor?' vroeg ze, dit keer maar niet meer in het Spaans.

De man knikte.

'Kan ik een lift krijgen?'

De man grijnsde, stak zijn duim omhoog en gebaarde naar de achterkant van de truck.

'Bedankt.' Ze trapte haar sigaret uit en zette haar voet op de bumper.

De mannen keken naar haar en glimlachten, met verbazingwekkend witte ogen en tanden. Een van hen zei iets in het Spaans wat ze niet begreep, en de anderen lachten, niet onvriendelijk, meer zoals je om de slechte grap van een vriend lacht of om een jonger broertje of zusje dat iets stoms doet, en je verwacht dat diegene teruglacht.

De truck begon te rijden en ze gingen de snelweg op. De zon kwam net op, waardoor de duisternis wegtrok en ze de met struiken begroeide heuveltjes van de oostelijke Weld County konden zien, en een eenzame tractor die ergens ver weg op een heuvel aan het ploeteren was. Lucy ging met haar rug tegen de uitsparing van het wiel zitten en haalde diep adem. De lucht rook naar allemaal dingen die haar vertrouwd waren: vee en maïs, de scherpe geur van kunstmest en pesticiden, en de vage zure stank van de varkenshouderij een paar dorpen verderop.

Het had iets primitiefs, achter in een truck meerijden; de wereld was teruggebracht tot elementaire dingen: haar kwetsbare lichaam en dit ding dat het op een gevaarlijke manier voorwaarts verplaatste. Teruggebracht tot de persoon die ze ooit geweest was, dacht

Lucy: een meisje dat helemaal naar Las Vegas was gelift, over de Rocky Mountains heen en door de gehavende woestijn van Utah, enkel en alleen om op de Strip te staan en de lichtjes te zien glanzen en deinen als een soort reusachtige waaier van sieraden. Die wilde ze terug, die persoon die vóór Kevin of Carl had bestaan: de kern van haar wezen.

Een van de mannen tikte haar op de schouder en bood haar een sigaret aan. Ze glimlachte en nam hem aan; ze boog zich over de strakke komvormige hand van weer iemand anders voor een vuurtje.

'Bieten?' vroeg ze, en de man schudde zijn hoofd. 'Uien?' 'Nee.' Hij grijnsde. 'Vandaag meloenen.'

Ze reden in zuidelijke richting en toen in westelijke richting door Pryor heen, en daarna de tweebaansweg op. Toen ze bijna bij de afslag naar Magpie Road waren, tikte Lucy op de achterruit van de cabine. De chauffeur keek over zijn schouder, knikte en zette de truck in de berm stil.

'Hier?' vroeg de man die haar de sigaret had gegeven, terwijl hij bedenkelijk naar de donkere maïsvelden keek.

'Mijn huis,' zei Lucy, '*mi casa*,' en de man haalde zijn schouders op alsof deze verklaring te belachelijk was om ertegen in te gaan.

Ze keek hoe ze wegreden en liep toen door de maïs Magpie Road over; de pluimen fluisterden als een Grieks koor, de krekels gaven antwoord.

Het huis was afgezet met gele tape, langs de voordeur en om de tuin heen, feestelijk als serpentines. En op de oprit, precies waar ze gehoopt had dat hij zou staan, stond de Fairlane van Chick. Lucy bukte zich op de bedauwde steentjes naast de bumper van de auto en graaide blindelings langs het onderstel. Daar vonden haar vingers het gemagnetiseerde doosje waarin de reservesleutel zat. Ze wurmde het doosje open, liet de sleutel in de zak van Carls jasje glijden en liep de oprit op, via het trapje omhoog. Ze dook onder de gele tape en ging naar binnen.

Haar voetstappen weerklonken door de marmeren hal; de kamer klonk hol en somber als een mausoleum. Wat had hen bezield toen ze het over het ontwerp van dit huis eens waren geworden? Met al zijn pretenties, de terracotta tegels en de berbers, de dubbele wastafel in de grote slaapkamer, echode het nog steeds als een graf.

Lucy liep de trap op naar de eerste verdieping en liep door de gang naar de grote slaapkamer en naar Carls kast. Ze schoof de jasjes en overhemden opzij en maakte de kluis open die Carl in de muur had laten installeren toen het huis gebouwd werd.

Een paar dingen maar, had ze zich eerder voorgenomen, gewoon dingen die ze kon verkopen om het een tijdje uit te zingen. Een ketting die Carl haar twee jaar geleden voor hun trouwdag had gegeven. Een armband van smaragd die Lucy op een reis naar de Florida Keys had gekocht. De opzichtige ring met diamanten en saffieren die ze gekozen hadden ter vervanging van de heel kleine solitair die hij haar bij zijn huwelijksaanzoek had gegeven; meer dan dat kleine diamantje had hij zich toen niet kunnen veroorloven. En een paar duizend dollar cash die Carl, praktisch als altijd, apart had gelegd. Een appeltje voor de dorst, had hij tegen haar gezegd. Je weet maar nooit.

Ze stopte de sieraden en het geld in een oude rugzak, pakte een paar schone kleren uit haar kast en liep het huis weer uit. Eerder die nacht, toen ze in het motel wakker had gelegen in bed met Kevin slapend naast zich, was ze bang geweest om hier terug te komen, bang dat ze misschien niet meer weg zou kunnen. En toch, nu ze door de hal liep, de veranda op, was er niets in haar wat hier wilde blijven.

Lucy ging achter het stuur van de Fairlane zitten en zocht in de zak van Carls jasje naar de sleutel. Haar vingers vonden hem, en ze vonden ook nog iets anders. Ze haalde een half opgevouwen stukje papier uit de zak en knipte het binnenlicht aan. Het was één velletje, een bladzijde die haastig uit een boek was gescheurd, een reisboek, meende Lucy toen ze het eens goed had bekeken. Op een kleine kaart stond een deel van de Yucatán en van Quintana Roo. Een rode ster gaf aan waar Tulum lag; ze nam aan dat Carl daarheen had willen gaan. Maar toen ze de bladzijde omdraaide, zag ze dat het niet iets van haar man was.

Op deze kant van de bladzijde stonden drie foto's: een vissersbootje dat op een volmaakt blauwe zee dobberde, een rij keurige strohutten op een wit zandstrand en een prachtige ruïne van grijs steen, een soort Maya-paleis. Boven aan de bladzijde stond in verse blauwe inkt met de hand iets geschreven. *Dankjewel*, stond er, ondertekend met: *D.*

Roy Billings was diep in slaap toen de telefoon op zijn nachtkastje ging. Hij had over de Rode Kreeft in Pueblo gedroomd, en over Darcy Williams. Het was helemaal geen leuke ontmoeting geweest, en Billings was blij dat hij door de hand van de ober werd onderbroken, die hem door elkaar schudde om zijn aandacht te krijgen. De man was gekomen om hun bestelling voor het dessert op te nemen, maar toen Billings zich omdraaide om te zeggen dat hij het zandtaartje wilde, was er helemaal geen ober, maar alleen het door de slaap gekreukelde gezicht van zijn vrouw.

'Roy!' Ze knipperde met haar ogen en greep door het donzen dekbed heen naar hem. 'De telefoon gaat.'

Billings draaide zich om en tastte naar de hoorn. 'Ja,' zei hij slaperig, terwijl hij hem tegen zijn oor drukte.

'Roy, met Phil Sumner. Hoe gaat het?' De stem klonk kwiek, joviaal, de stem van iemand die op een warme zomeravond gin-tonic heeft zitten drinken.

Billings knipperde met zijn ogen. Op zijn wekker las hij: 6:45 AM.

'Zeg,' ging Sumner verder. 'Het spijt me van gisteravond. Het was niet mijn bedoeling ondankbaar over te komen.'

'Eh… Oké,' zei Billings, hoewel hij onmiskenbaar het gevoel had dat er iets niet in de haak was. Sumner belde nooit zelf, en hij was nooit zo hartelijk.

'Wie is het?' kreunde Billings' vrouw.

'Gewoon de gevangenis,' zei hij zenuwachtig. 'Ga maar weer slapen.'

'We willen je graag onze dankbaarheid betuigen,' vleide Sumner. 'En dat doen we liever zo snel mogelijk.'

Billings ging rechtop zitten en staarde met wijd opengesperde ogen het schemerduister in. Dit was niet in de haak. Nee, dit was beslist niet in de haak. Stom, zei hij bij zichzelf. Stom dat hij om zo veel geld had gevraagd.

'We hebben waar je om gevraagd hebt,' ging de suikerzoete stem verder, 'en we willen morgen graag iemand naar je toe sturen. Schikt jou dat, Roy?'

'Er is geen haast bij,' stamelde Billings. 'Ik bedoel... Ik hoop niet dat je een verkeerde indruk hebt gekregen. Ik vond gewoon dat een zekere compensatie wel op zijn plaats was.'

'Natuurlijk.'

'En ach, weet je, dat geld is eigenlijk helemaal niet nodig. Zoals je al zei: ik neem gewoon die baan in Californië.'

'O, nee, Roy. We staan erop. Ik bel je nog, oké?'

Sumner wachtte zijn antwoord niet af. De verbinding werd verbroken en Billings legde de telefoon neer. Niets aan de hand, hield hij zichzelf voor, terwijl hij naar het vluchtige gekreun van de ademhaling van zijn vrouw luisterde. Niets aan de hand. Maar hij geloofde het geen moment. Hij keek de kamer door, naar de dichte gordijnen, naar de vage rechthoek van ochtendlicht die erdoorheen scheen, en hij dacht: dit is het dan. Ze gaan me vermoorden.

20

Een mooiere augustusdag in Zuid-Colorado kon je je bijna niet in-
denken. Halverwege de ochtend stond het kwik al op zevenentwin-
tig graden en het was nog steeds aan het stijgen. De lucht was blauw
en smetteloos als het ei van een roodborstje. Darcy voelde zich lekker, opgefrist en helder na acht uur slaap en een echt ontbijt. Ze had
in haar flat een douche genomen en wat schone kleren ingepakt.
Tegen tienen was ze onderweg naar Ophir.

Even voor halftwaalf reed ze de parkeerplaats van Rawhide Bob
op. Ze bleef met de airconditioning aan in de auto zitten en probeerde zichzelf ervan te overtuigen dat alles goed zou gaan. Dat
moest gewoon. Om kwart voor twaalf kocht ze een toegangskaartje
voor volwassenen en liep ze het draaihek door en het stoffige wild-
weststadje in, met de Bioflux-dossiers in een blauwe rugzak over
haar schouder.

Het was zaterdagmiddag, aan het eind van de zomervakantie, en
het was heel druk in Rawhide Bob. Groepen kinderen met een in-
dianentooi op het hoofd renden schreeuwend door Main Street,
met hun van het snoepen plakkerige gezichtjes onder het stof. De
koffiekraam van de Revolverhelden produceerde sneller ijskoffie en
cappuccino's dan een revolver kogels kon afvuren.

De acteurs zagen er verhit en geïrriteerd uit in hun leren broek.

221

Een groepje pioniersvrouwen had hun zware rok tot boven hun knieën opgeschort en zat in de schaduw van de galg cola te drinken. Nog tien minuten en dan begon het vuurgevecht van twaalf uur, en de mensen begonnen al samen te drommen voor de grote show. Een cameraploeg van een van de nieuwszenders van Denver had zich voor de winkel in wildwestartikelen opgesteld. De verslaggeefster, een jonge nepblondine met een lila broekpak aan, keek verveeld en nors: het groentje dat op de plichtmatige reportage over een lokaal onderwerp was uitgestuurd.

Darcy mocht nog zo'n hekel aan het vuurgevecht hebben, maar het leek haar wel het beste moment om met Billings af te spreken. Er zouden zo veel mensen op de been zijn dat hij geen geintjes kon proberen uit te halen, en toch zou ieders aandacht op de voorstelling gericht zijn. Darcy liep langzaam naar de saloon toe en speurde de stroom gezichten af op zoek naar dat van Angie en de gevangenisdirecteur.

Roy Billings had de hele ochtend zitten drinken; niet te veel, maar net genoeg om bij de les de blijven. Hij had een moeilijke beslissing moeten nemen en hij was bang dat een al te grote helderheid van geest ervoor zou zorgen dat hij niet meer zou durven. Het was een wankel evenwicht, een matige kalmte gecombineerd met handelingsbekwaamheid, en Billings had het gevoel dat hij aan het koorddansen was. Hij pakte een flaconnetje gin uit zijn handschoenenvak en stak dit in de achterzak van zijn bermuda.

Het meisje kromp ineen toen hij met zijn arm voor haar langs reikte, en ze drukte zich plat tegen het portier. Billings keek haar vol walging aan. Ze was maar een junkie, ziekelijk en bleek. Helemaal Billings' type niet.

'Je hoeft nergens bang voor te zijn, liefje,' zei hij, en dat was precies wat hij die ochtend tegen haar gezegd had toen hij haar van de luchtplaats had laten komen. Ze had toen ook al gekeken of ze hem niet geloofde.

Billings stapte uit en bestudeerde de parkeerplaats; tot zijn opluchting zag hij dat het busje van het nieuws van Channel 11 bij de ingang van Pioniersstad stond. Toen hij ze eerder die ochtend gebeld had, had hij geen details genoemd, maar alleen uitgelegd wie hij was, en hij had gezegd dat het de moeite waard zou zijn om om twaalf uur met een busje met satellietverbinding bij Rawhide Bob te zijn. Hij was er vrij zeker van geweest dat ze zouden komen opdagen. Hij had het woord 'exclusief' gebruikt, en de producer met wie hij had gesproken, had gretig gedaan als een loopse teef, maar je wist maar nooit.

'We zijn er,' zei hij, terwijl hij langs de voorkant van de auto liep en het portier aan de passagierskant opendeed. 'Stap uit.'

Angie keek naar hem op, en keek toen naar de zondoorstoofde parkeerplaats, naar het zogenaamd rustieke bord PIONIERSSTAD VAN RAWHIDE BOB. 'Wat heeft dit te betekenen?'

Billings stak zijn hand uit. 'Dat merk je zo meteen wel.'

Darcy koos een tafeltje achter in de bar en bestelde een limonade. Afgezien van de pianist, de barkeeper en een paar hoertjes was de saloon leeg. Darcy keek op haar horloge. Nog zeven minuten, dan was het twaalf uur. Ze wilde er maar liever niet aan denken wat er zou gebeuren als de afspraak niet werd nagekomen. Ze zette de rugzak naast zich op de grond, met één hand door de banden.

Door de klapdeuren zag ze dat het buiten steeds drukker werd; de mensen dromden samen op het plankier en in de zonnige straat. Zes voor twaalf. Vier. Er verscheen een hoofd in de deuropening en de deur zwaaide open. De gevangenisdirecteur stapte naar binnen; hij knipperde met zijn ogen om aan het donker te wennen.

Hij heeft haar niet meegebracht, dacht Darcy toen Billings naar voren wankelde, nog steeds bijna blind, en in de schaduw tuurde. In zijn linkerhand had hij een kleine plunjezak met daarop OPHIR STRIJDERS. Waarom heeft hij haar niet meegebracht? vroeg Darcy zich af, terwijl ze al in paniek begon te raken. Toen ging de deur weer piepend open en liep haar zus de saloon in.

Angie bleef vlak bij de deur staan. Ze droeg de standaardliefdadigheidskleding van de gevangenis, de burgerkleren die ze aan mensen die net voorwaardelijk waren vrijgekomen gaven; hetzelfde soort kleren als Darcy altijd had gekregen voor haar afspraakjes met de gevangenisdirecteur: een rok en bloes van Goodwill, versleten sandalen.

Darcy stond op. 'Angie!'

'Darcy?' Angie keek niet-begrijpend, maar toen klaarde haar gezicht op van herkenning en opluchting. Ze schoot naar voren, langs Billings. 'Wat doe jij hier?'

'Dat vertel ik je zo,' zei Darcy, terwijl ze haar linkerarm om de tengere gestalte van haar zus legde. 'Zijn jullie gevolgd onderweg hiernaartoe?'

Angie schudde van nee en maakte zich los om Darcy van opzij te kunnen aankijken. 'Ik geloof van niet. Wat is er aan de hand?'

'Niets.'

Billings zette de plunjezak voor Darcy op tafel neer. 'De dossiers,' zei hij piepend.

Darcy boog zich naar voren, maakte de rits van de zak open en bladerde door een van de keurige bundeltjes bankbiljetten.

'Het hele bedrag,' zei de gevangenisdirecteur.

Darcy knikte instemmend, tilde de rugzak op, zette die op tafel en greep het handvat van de plunjezak. 'We gaan,' zei ze tegen haar zus.

De menigte voor de saloon hapte collectief naar adem. 'Sluit vrede met God of met de duivel!' bulderde een stem.

Darcy greep Angie bij de hand en liep in de richting van de deur.

Billings pakte de flacon uit zijn achterzak en nam een flinke slok. Toen hing hij de rugzak over zijn schouder en draaide hij zich om. Hij manoeuvreerde zich tussen de saloontafeltjes door als een balletje van de flipperkast op weg naar het gaatje. Even aarzelde hij voor hij de klapdeuren door ging, de hitte van de middagzon in. Hij bleef staan, draaide zich om en keek nog één keer naar zichzelf in de lange spiegel boven de oude eikenhouten bar. Zijn gezicht was grauw, zijn kin opgezet, zijn lichaam slap van het jarenlange drinken. Hij dacht even aan het meisje dat terugdeinsde toen hij in de auto met zijn arm voor haar langs had gereikt.

Toen sloeg de gin door hem heen en voelde hij zich plotseling machtig, opgetogen zelfs. Ja, dacht hij, dit was de enige manier, de enige kans die hij kreeg om Sumner en Auburn met zich mee omlaag te sleuren. Hij denderde de deuren door, het houten trapje af en de stoffige straat op, zo het spektakel van het vuurgevecht in, het spervuur waaruit Sheriff Dooley elke middag weer als winnaar tevoorschijn kwam.

Verslagen, dacht Billings, verslagen. Hij draaide zich in één beweging om en zocht de menigte af naar de verslaggeefster van Channel 11. Daar stond ze, met haar neus omhoog als een roofdier dat de wind wil ruiken, met haar volmaakte kontje in haar lichtpaarse broek geperst en haar hand op de microfoon. Billings stak zijn hand in de lange zak aan de voorkant van zijn bermuda en haalde de geladen Smith & Wesson tevoorschijn die hij uit de gevangenis had meegenomen, en zette de loop tegen zijn slaap.

'Niet achteromkijken,' zei Darcy tegen haar zus, terwijl ze haastig Main Street door liepen, op weg naar de gapende entree van Pioniersstad. In de straat achter hen was iets van commotie, meer dan alleen het gegil en gelach waar het vuurgevecht normaal gesproken mee vergezeld ging.

Ze gingen de poort door en liepen snel de parkeerplaats over. 'We smeren 'm,' was het enige wat Darcy zei toen ze in de huurauto plaatsnamen. Ze ramde het sleuteltje in het contact en reed de parkeerplaats af, in westelijke richting, langs het gevangeniscomplex en het Ophir-ravijn, richting Shiprock en de Four Corners, richting de noordelijke rand van het Navaho-reservaat, Arizona, en de grens.

Kirsten Sloan had een persoonlijke crisis, iets waar het vierentwintigjarige voormalige lid van Tri-Delt, een studentenvereniging voor meisjes, de laatste tijd steeds vaker last van had. Het huwelijksaanzoek uit haar tweede jaar, dat ze geweigerd had, wilde haar maar niet loslaten. Ze wist niet zeker of ze er niet verstandiger aan had gedaan toch maar met Kirk Jorgenson te trouwen. Laatst had ze gehoord dat hij een florerende tandartsenpraktijk in Fort Collins had.

Wat was er nou in 's hemelsnaam zo erg aan een mooi huis in de heuvels, een nieuwe suv, een lidmaatschap van de fitnessclub en een paar kinderen? vroeg ze zich af. Dat moest toch beter zijn dan voor Channel 11 werken, heen en weer reizen over de vlakten met een koffer vol haarlak, om augurkenfestivals en pioniersdagen te verslaan en de avances van haar cameraman af te wimpelen.

Misschien zou ze op haar volgende vrije dag wel een uitstapje naar Fort Collins maken, dacht ze, terwijl ze haar stijf onder de lak gespoten krullen wat opduwde en voor de camera haar stralende glimlach toonde. Ze zou met Kirk gaan lunchen; misschien werd het wel een uitgebreide lunch.

'Klaar op drie,' zei André, haar cameraman.

Ze knikte, ging met haar tong langs haar tanden en streek de voorkant van haar jasje glad. Ze zweette als een otter in haar broekpak en ze hoopte maar dat haar make-up niet zou uitlopen voor ze klaar waren met draaien.

'Ik ben hier in de Pioniersstad van Rawhide Bob in Ophir om eens wat meer te weten te komen over hoe het westen is overwonnen,' zei ze, terwijl ze dacht: leuk, veel te goed voor deze onzin. Ze had de tekst geschreven terwijl ze met het busje vanuit Denver hierheen reden, en ze was er trots op. Haar producer had haar pas een paar uur daarvoor van een andere reportage af gehaald; hij had iets gezegd over een tip van een vent die beweerde dat hij directeur van een van de gevangenissen in Ophir was.

'Het zou een mafkees kunnen zijn,' had haar producer erkend, 'hoewel hij zo niet op me overkwam. Doe maar of het gewoon een leuke buurtreportage is, maar hou je ogen open.'

Kirsten draaide haar lichaam iets, waarbij ze goed oplette dat haar gezicht naar de camera gericht bleef, en gebaarde naar de straat achter zich. 'Elke dag komt er om twaalf uur,' zei ze met een zwierig gebaar, 'hier in deze stoffige straat een stukje geschiedenis tot leven.'

Ze zag dat André uitzoomde en het tafereel achter haar filmde. De menigte om haar heen kwam in beweging; men keek reikhalzend mee.

'Sheriff Dooley!' riep een mannenstem. 'Sluit vrede met God of met de duivel!'

Er ging een fluistering door de menigte. Er klonk gerinkel van sporen, en iemand hoestte. Het eerste schot klonk, en op hetzelfde moment kwam er een man door de saloondeuren naar buiten gestormd. Hij was dik, had een roze gezicht en zijn haar stond stijf van het zweet. Hij droeg een wijde bermuda en een tentachtig hawaïhemd. In zijn linkerhand hield hij een grote rugzak.

Die maakte beslist geen deel uit van de voorstelling, dacht Kirsten. Ze draaide zich om naar André en haar glimlach loste op als limonadepoeder in warm water. 'Schakel over op de live verbinding,' beet ze hem toe. 'Nu meteen, verdomme!'

De man wankelde het trapje af en de straat op, en hij bleef vlak achter de zogenaamde sheriff en de namaakmisdadiger staan en haalde een groot en heel echt pistool uit de zak van zijn korte broek.

'Achteruit!' schreeuwde hij, terwijl hij het pistool tegen de zijkant van zijn hoofd duwde. 'Iedereen achteruit, behalve Channel 11.'

Kirsten liep het plankier af en de straat op.

'Weet je wie ik ben?' riep de man, terwijl hij haar recht aankeek. Ze schudde haar hoofd.

'Zijn we live?' vroeg hij.

Kirsten keek naar André, en die knikte bevestigend.

'Goed dan: ik ben de man aan wie jij straks je carrière te danken hebt.'

Kevin schoof een biljet van vijf dollar over de bar, zette het flesje bier aan zijn lippen en nam een slok. Hij had nog ruim een uur de tijd voor zijn vlucht naar New York vertrok, en hij was van plan dat helemaal in de lounge van het vliegveld door te brengen. Het laatste stukje van een wedstrijd van de Mariners was op de televisie, de barkeepster was vriendelijk en aantrekkelijk en de nabijheid van verdovende drank was goed voor zijn nog steeds gevoelige schouder, zijn nog steeds bedroefde hart.

'Mag ik de kaart?' vroeg hij.

De barkeepster gaf hem een geplastificeerde kaart.

'Ik neem de luchtruimburger,' zei hij, en het water liep hem in de mond bij de gedachte aan warm eten.

De wedstrijd was bijna voorbij. Seattle had nog één run te gaan in de negende inning, en het publiek was hoopvol en juichte luid toen Edgar Martinez de plaat op stapte. Dat was het mooie aan honkbal, dacht Kevin. Er bestond altijd de mogelijkheid dat het verliezende team erbovenop wist te komen. Eén volmaakte swing, alleen die ene beweging, was genoeg om de hele zaak om te draaien. Maar dit keer niet. Edgar wankelde, sloeg een paar foute ballen de tribunes achter de plaat in, en raakte hem toen pas goed.

Zijn eten werd geserveerd. Kevin schrokte een handjevol patat naar binnen en zette zijn tanden in de burger. God, wat lekker: de mayonaise was nog een beetje warm van het warme broodje, met echt spek en cheddarkaas en dikke plakken tomaat.

'Mag ik hem op een andere zender zetten?' vroeg de barkeepster.

De wedstrijd was voorbij. Nu was er een of andere wedstrijd voor sterke mannen.

'Ga je gang,' zei Kevin.

De vrouw pakte de afstandsbediening en schakelde over naar een andere zender. 'Ongelooflijk,' zei ze. 'Hebt u dit gevolgd?'

Kevin keek naar de televisie en schudde zijn hoofd.

'Een gevangenisdirecteur,' legde de barkeepster uit, 'uit Ophir. Hij heeft een verslaggeefster gegijzeld. U weet wel, die blonde vrouw van Channel 11, Kirsten Sloan.'

Het was een live uitzending. Een man met een pistool en een vrouw met een microfoon die onder het felle licht van booglampen dicht tegen elkaar aan stonden. Tussen hen in lag een blauwe rugzak; er waren papieren uit gevallen, die voor hen op de grond lagen.

'Hoe lang is dit al bezig?' vroeg Kevin.

'De hele middag al.'

De camera zoomde in op de verslaggeefster: mooi gezichtje, leuk haar, goed gebit, de ideale boodschapper. Haar wenkbrauwen waren gefronst, haar lippen getuit. Haar ernstige gezicht, dacht Kevin; het gezicht dat ze voor de spiegel in haar kleedkamer altijd oefende.

'Zou je me een plezier willen doen,' zei Kevin tegen de barkeepster, 'en hem voor me op msnbc zetten? Ik wil weten of de nationale zenders dit ook uitzenden.'

'Voorzover ik weet, wel,' zei de vrouw. Ze drukte op de afstandsbediening en het scherm viel een tel weg; toen verscheen het gezicht van de blonde verslaggeefster weer. Onder aan het scherm was de banier van msnbc te zien.

'Er is een ongelooflijke situatie ontstaan,' zei de verslaggeefster. 'Ik ben hier met Roy Billings, directeur van Canyon, de penitentiaire inrichting voor vrouwen in Ophir, Colorado.'

Ze deed het goed, dat moest Kevin haar nageven. Dit was haar grote doorbraak, en dat wist ze; ze haalde eruit wat erin zat. Kevin keek even naar zijn eigen beeltenis in de spiegel van de bar, en toen weer naar de vrouw, naar de volmaaktheid van haar wanorde, naar het haar dat los om haar gezicht hing als gevolg van de crisis van die dag.

Ze pakte de rugzak en hield die voor zich. 'In deze rugzak,' zei ze dramatisch, 'zit bewijsmateriaal dat aantoont dat men van hogerhand op de hoogte is geweest van de ontwikkeling van biologische wapens, decennia geleden al, gefinancierd door de overheid – en van het feit dat die wapens op onze eigen manschappen in de Perzische Golf zijn getest.'

Roy Billings keek naar de zee van gezichten, naar de rijen politieauto's, ambulances en nieuwscamera's. Hij was de hele middag en avond dicht bij de verslaggeefster gebleven, omdat hij wist dat zij het enige redmiddel was waardoor hij in leven kon blijven. Ze stonden daar al een uur of acht, en Billings was doodop. Zijn ginroes was voorbij en was vervangen door een intense droefenis. Hij had alles gedaan wat er te doen viel, en nu wilde hij dat deze lange dag ten einde was. Hij liet de arm van de vrouw los en deed een stap naar achteren, langzaam, alsof hij een onbekende diepte tegemoet viel.

21

Het was al donker toen Darcy en haar zus het Mogollon Plateau af reden in de richting van de zich naar alle kanten uitbreidende lichtjes van Phoenix, terwijl de bedreiging van de Amerikaanse Droom voor hen lag te schitteren als een soort aan de aarde gebakken melkweg in de platte kom van de Sonora-woestijn. Ze reden vlak om de stad heen in oostelijke richting, langs Scottsdale en Mesa; ze volgden de met de hand geschreven aanwijzingen die Shappa aan Darcy had gegeven om bij het huis van haar vriendin in Apache Junction te komen. Ze reden door het centrum van het stadje, langs oude, lage witgepleisterde motels, en toen de woestijn in, door het zwijgende stoïcijnse leger van reuzencactussen. Vijftien kilometer verder, richting Tortilla Flat, doemde een groen bord in hun koplampen op, en Darcy reed de auto een landweggetje in.

Angie was al zevenhonderd kilometer eerder ingestort, toen eindelijk haar laatste gevangenisshot uitgewerkt was. Ze had het grootste deel van de rit door Arizona geslapen, met haar gezicht tegen het portier aan en een opgerolde trui onder haar hoofd. Voorzover Darcy kon beoordelen was het een droomloze slaap geweest, roekeloos diep en zorgeloos. Toen ze voor de bouwvallige ranch die hun eindbestemming was stopten, sliep ze nog steeds.

Darcy zette de motor uit, gaf haar zus een por zodat ze wakker werd en stapte uit. Het was laat, maar de hitte hing nog steeds tast-baar in de lucht; overal sloeg een verschroeide lucht vanaf, van elke steen en elke struik. Boven hen doemden de Superstitions op; hun rotsen waren nog net te zien in het bleke licht van de wassende maan.

In het huis brandden een paar lampen, en toen hun aankomst te horen was, knipten er nog meer aan. In het raampje naast de voor-deur verscheen een gezicht; twee angstige ogen keken naar buiten.

'We zijn vrienden van Shappa,' riep Darcy, terwijl ze Angies por-tier opendeed en haar omhooghielp. 'Je moet wakker worden,' fluisterde ze tegen haar zus. 'Heel even maar, oké?'

Angie knikte. Ze deed met moeite haar ogen open en stommel-de de auto uit.

De voordeur ging open en er liep iemand de veranda op, met het ranke silhouet van een geweer in de hand.

'Goed volk,' riep Darcy weer. 'Shappa heeft ons gestuurd.'

Toen de gestalte hun gebaarde het erf over te steken, kon Darcy zien dat het een man was, ongeveer van haar leeftijd, goed verzorgd en opvallend normaal. 'Ik ben Jake,' zei hij, en hij ging hun voor het trapje op. 'We verwachtten jullie al.'

Het huis zag er vanbinnen volkomen normaal uit. Een ruig tapijt, een open haard van namaaksteen, lampen uit de jaren zestig. Jake ging hun voor door de woonkamer en de keuken, de kelder in en een grote speelkamer door. Aan één kant van de kamer bevond zich een rij ingebouwde boekenplanken. Jack drukte tegen een van de plan-ken en de kast gleed naar binnen, waarachter een metalen deur zichtbaar werd die uitkwam op een smalle ondergrondse gang.

'We hebben erg geboft met dit huis,' zei hij. 'Deze oude schuil-kelder zat er al in toen we het kochten.'

Degene die het huis ontworpen had, moest een lange nucleaire winter voor ogen hebben gehad. De schuilkelder was ruim, de mu-ren waren nog steeds volgestapeld met kant-en-klaarmaaltijden en vaten met drinkwater. De huidige eigenaren hadden er een soort commandocentrum van gemaakt. Er hing een grote kaart van de grootstad Phoenix; op diverse plaatsen waren er punaises in geprikt.

Jake zag Darcy kijken. 'Ik weet niet wat Shappa gezegd heeft,' zei hij, niet onvriendelijk, terwijl hij de deur naar een kleinere kamer opendeed, 'maar hoe minder jullie over ons weten, hoe beter het is.'

De kamer waar ze nu in kwamen was klein, met een laag plafond en stond vol elektronica en fotoapparatuur, scanners en digitale camera's. Achter een computerscherm zat een mager joch met piekhaar en een onregelmatig sikje.

'Dit is Taj,' zei Jake. 'Hij maakt een foto van jullie.'

Darcy zette Angie tegen een blauwe achtergrond voor de foto. 'Wakker worden,' zei ze weer, terwijl ze naar haar zus glimlachte. Taj gaf haar een kam en die haalde ze door het broze haar. 'Glimlachen, oké?'

Angie glimlachte en deed met moeite haar ogen open. Toen klikte de camera en zakte haar hoofd weer naar voren op haar borst.

'Ze is moe,' legde Darcy uit.

'Aan de hoofdstraat in Apache Junction zit een motelletje, Topaz,' zei Jake toen Taj met hen allebei klaar was. 'Morgenochtend brengt iemand jullie alle spullen.' Hij gaf haar een sleutel; op het label van blauw plastic stond het nummer 109. 'We hebben al een kamer voor jullie.'

Darcy was bekaf, maar toch sliep ze die nacht nauwelijks. Nadat ze Angie in bed had gelegd, was ze naar de benzinepomp aan de andere kant van de straat gegaan en had ze een kaart van Mexico gekocht. Terug in hun kamer tekende ze de route uit die ze van plan was te nemen: ten zuiden van de Sonora, door het vissenstaartvormige deel van het land naar Quintana Roo. De plaats waar Shappa het over had gehad, lag meteen aan de oceaan; de zwarte stip die aangaf dat het een stad was, lag op het uiterste puntje – verder kon je niet gaan; daar maakte het land plaats voor de Caribische Zee.

Darcy probeerde zich voor te stellen hoe hun toekomstige leven eruit zou zien. Met twintigduizend dollar kon je in Mexico een hele tijd toe. Ze konden een boot kopen, niets bijzonders, maar groot genoeg om dagtochtjes mee te maken, en misschien konden ze zelfs een charterbedrijfje beginnen. Ze zouden een appartement aan het strand huren, met een patio en een hangmat in de schaduw. Dat was wat Angie nodig had, dacht Darcy terwijl ze de kaart weer opvouwde en in bed stapte: een huis met mooi uitzicht en de rustige fluistering van de golven die op het strand sloegen.

Even na zessen klonk er geritsel op de overdekte passage en werd er een envelop van manillapapier onder de deur door geschoven. Darcy kwam uit bed en pakte het pakketje op. Ze deed de gordijnen open en zag de achterbumper van een oude GMC-pick-up de parkeerplaats af rijden. In de envelop zaten twee glanzend nieuwe paspoorten, met daarop Angies gezicht zoals het de avond ervoor vastgelegd was, kinderlijk, gelukkig zelfs, en haar eigen gezicht, dat haar chagrijnig aankeek, ernstig als altijd, doorgroefd van de zorgen.

Ze lieten de auto staan op de parkeerplaats van het busstation in Tucson en kochten twee kaartjes naar Hermosillo.

Het was vroeg in de middag toen ze bij Nogales de grens overstaken. Darcy bad in stilte dat ze niet de plunjezak zouden openmaken. Als ze dat wel deden, zouden er vragen komen, want voor twee verfomfaaide vrouwen was dat wel erg veel contant geld. Maar de douanebeambte zwaaide dat ze door konden lopen en had het te druk om meer te doen dan alleen een blik op hun paspoort te werpen.

'Doel van uw reis?' vroeg hij.

Darcy hoorde zichzelf tot haar verbazing antwoorden: 'Een vakantie.'

Toen ze hun nieuwe land in reden, op Imuris en Magdalena de Kino aan, dacht ze aan hun bootje en aan Angie die blootsvoets op de boeg zou zitten, terwijl het opspattende zeewater op haar bruine enkels glinsterde. Ze moesten een goede naam voor hun bootje bedenken, iets wat geluk bracht. De beschermheilige van vissers misschien, hoewel die naam natuurlijk al bezet was.

Darcy keek naar haar zus, die haar ogen nu weer dicht had; haar oogleden waren zo bleek dat ze bijna doorschijnend waren. Ze vroeg zich af of er een beschermheilige van het nieuwe begin bestond.

22

Kevin schudde de sneeuw van zijn jas en veegde zijn voeten op de deurmat. Zijn hospita, mevrouw Moscatelli, voor driekwart doof, was weer in slaap gevallen tijdens een van haar Italiaanse soaps. De televisie schalde door haar deur de gang in, een hartstochtelijke vrouwenstem. Kevin had gemerkt dat hij laatst van deze ongeziene actrice gedroomd had, hoewel ze, voorzover hij begreep, stapelverliefd was op een bariton, ene Fredo.

Toen Kevin op zijn gemak zijn sleutel in het slot stak, ging bij hem binnen de telefoon. Hoogstwaarschijnlijk het verkeerde nummer. Het was kerstavond, bijna twaalf uur, en hij kon niemand bedenken die het kon zijn. Na drie keer overgaan was hij binnen, had hij zijn handschoenen uitgetrokken en zijn sjaal afgedaan. Bij de vierde keer schakelde het antwoordapparaat in; het timbre van zijn opgenomen stem kwam hem zoals altijd vreemd voor.

Na de pieptoon was het heel lang stil; de holle, bijna spookachtige resonantie van een slechte verbinding, zoals een internationaal gesprek vroeger klonk.

'Kevin?' zei een stem. 'Je bent er blijkbaar niet...'

Hij vloog naar de telefoon. 'Lucy?'

'Kevin! Ik dacht wel dat je er zou zijn.'

'Waar zit je?' stamelde hij gretig. 'Gaat alles goed met je?'

'Ja, het gaat goed,' zei ze. 'Heb je mijn briefje gekregen?'

'Ja.' Ongeveer een maand nadat hij terug was gekomen uit Colorado had hij een ansichtkaart in zijn brievenbus aangetroffen, met een foto van een witgepleisterd kerkje met aan weerskanten een koninklijke palm en met het woord MICHOACAN in letters in de kleuren van de regenboog. Op de achterkant, in een haastig handschrift: *Veel liefs, L.* 'Heb je gehoord wat er met Billings is gebeurd?' vroeg hij.

De verbinding verliep niet helemaal synchroon, waardoor het moeilijk praten was, als een film die op de verkeerde snelheid wordt afgespeeld zodat de acteurs van het ene beeld naar het andere springen.

'Ik krijg hier niet zoveel nieuws,' zei Lucy, hoewel ze wel gehoord had wat er met Billings was gebeurd. Ze had het hele drama vanaf een lunchbuffet in Nogales zich zien ontvouwen op de dag voor ze de grens overstak.

'Hij heeft alles in de openbaarheid gebracht. Hij heeft ons gered, Luce. Je kunt terugkomen.'

Lucy zei niets. De telefoon zoemde en fluisterde; miljoenen stemmen kruisten en troffen elkaar op de vezeloptische lijnen.

'Er zullen natuurlijk vragen gesteld worden, maar het is gedaan met Sumner en Auburn. Bioflux is gesloten. Je kunt hierheen komen,' bood hij aan. 'Ik heb ruimte genoeg. Ik woon in Brooklyn en ik geef schrijfles op de New School en verder werk ik aan mijn eigen boek.'

'Leuk,' zei Lucy. 'Je klinkt goed.'

'Jij ook.' Kevin wachtte even en zocht naar iets wat hij haar kon vertellen, iets om haar aan de lijn te houden, iets waardoor ze naar hem toe zou komen.

'Ik moet ophangen,' zei ze toen.

'Ja.'

'Vrolijk kerstfeest,' zei ze.

'Vrolijk kerstfeest,' herhaalde Kevin, terwijl hij naar buiten keek. Het was nu hard gaan sneeuwen, met dikke, natte vlokken. Vanachter de muur klonk de stem van de actrice, hees en sensueel. In zijn dromen had ze donker haar en was ze heel verleidelijk, met heupen zoals die van Sophia Loren. 'Pas goed op jezelf.'

'Dat zal ik doen,' zei ze ten slotte. Ze draaide zich om van de telefooncel waar ze stond en keek over het plein van de stad naar de fontein, naar het cafeetje dat versierd was met kerstlichtjes, naar de oude gepleisterde kerk. Het was donker in het stadje, maar de straten waren omzoomd met lampions, waarvan de vlammetjes nerveus in hun kwetsbare papieren omhulsel trilden. Naar huis, zei ze bij zichzelf, terwijl ze in de richting van het strand liep.

Kevin legde de hoorn neer en werkte zich uit zijn natte jas. In het appartement ernaast was het stil, en toen klonk de stem van de vrouw weer, ademloos, zwijmelend. *Caro, caro.*

Verantwoording

Zoals altijd wil ik Nat Sobel, Judith Weber en de fantastische mensen van Sobel Weber bedanken voor hun geweldige hulp en steun. Een manuscript wordt nooit zomaar vanzelf een boek, en dat van mij had zijn transformatie nooit ondergaan zonder de medewerking van Jack Macrae, Katy Hope, Tracy Locke, Janet Baker, Maggie Richards en alle andere bekende verdachten bij Henry Holt, door wie ik, zoals gewoonlijk, een veel betere schrijver lijk dan ik in werkelijkheid ben. Mijn dank gaat ook uit naar Jane Wood van Orion. En naar mijn lieve vriend en Franse connectie, Olivier Tane, voor zijn wijsheid en geestigheid. Speciale dank, zij het erg aan de late kant, aan Meegan Kriley, wier fantastische verhalen over Montana ik talloze malen gejat en geleend heb.

Natuurlijk had ik geen woord op papier gekregen zonder de liefde en steun van mijn familie en vrienden. Veel liefs, en dank jullie wel: Keith, Frank, mama, Mike, Ben, papa, Lynn en oma Pat.

Over de schrijfster

Jenny Siler is opgegroeid in Missoula, Montana, en studeerde aan Andover en Columbia. Voor ze fulltime schrijfster werd werkte ze onder andere als vorkheftruckchauffeur, verhuizer, druivenplukker, zalmkweker, serveerster, tekenmodel en barkeepster. Ze woont in Missoula met haar man en hun kat, Frank.